Gudrun Gleba

Klosterleben im Mittelalter

Gudrun Gleba

Klosterleben im Mittelalter

Wissenschaftliche Buchgesellschaft

Umschlaggestaltung: Peter Lohse, Büttelborn
Abbildung: Zisterziensermönche beim Bau des Klosters Maulbronn.
Evangelisches Seminar Maulbronn.

Gedruckt auf säurefreiem und alterungsbeständigem Papier
Produktion: Verlagsbüro Wais & Partner, Stuttgart
Printed in Germany

Besuchen Sie uns im Internet: www.wbg-darmstadt.de

Inhaltsverzeichnis

Einladung in eine fremde Welt: die Klosterruine von Jumièges in der Normandie

Einleitung:
Warum ein Buch über Klöster und Orden des Mittelalters?

Geistliche Orden, Klöster, Mönche und Nonnen gibt es seit mehr als tausendfünfhundert Jahren, auch heute noch. Erhaltene Klosteranlagen wie zum Beispiel die großartige Abteikirche von Maria Laach in der Eifel mit ihren zahlreichen angrenzenden Gebäudekomplexen ebenso wie die Ruinen längst aufgegebener Klöster wie Jumièges in der Normandie beeindrucken nicht nur die historisch gebildeten Betrachter. Doch Klöster bilden längst nicht mehr einen selbstverständlichen Bestandteil im Gefüge unserer gesellschaftlichen Ordnung. Die Träger und Trägerinnen von Kutte und Schleier sind – sieht man einmal von den Straßenzügen rund um den Vatikan in Rom ab – doch eher zu einer Ausnahmeerscheinung im Straßenbild geworden. Mönch oder Nonne zu werden gehört wohl nur noch selten in die Überlegungen zur Zukunftsplanung junger Menschen.

Deutliche Differenzen kennzeichnen heute die Einstellungen zu klösterlichem Leben und monastischem Dasein. Die einen, die unter der Hektik und dem Stress der täglichen Anforderungen leiden, die die Unruhe und die Schnelllebigkeit der modernen Zeit als Ausdruck von Oberflächlichkeit, wenn nicht gar intellektueller Abstumpfung empfinden, sehnen sich nach Ruhe, Frieden, nach Abgeschiedenheit und der Möglichkeit zu geistiger Konzentration, die sie in klösterlichen Einkehrwochen in einem kontemplativen Leben auf Zeit zu finden hoffen. Die anderen sehen in der mönchischen Existenz nur die Flucht vor den realen, sozialen Problemen und individuellen Bewährungsproben. Die einen bewundern die innere Kraft und die Gelehrsamkeit, mit der Mönche und Nonnen die ihnen gestellten Aufgaben lösen. Die anderen sehen eine gelehrte Elite, deren Sendungsbewusstsein an die Grenzen des Fanatismus stoßen kann, oder aber Menschen, die ihre eigene Identität aufgegeben und sich fremdbestimmtem Leben und Handeln unterworfen haben – oft nicht nachvollziehbar in einer Zeit, die Individualität als Wert an sich begreift. Die einen rücken die als sinnvoll erachteten bildungspolitischen und karitativen Aktivitäten von Orden und Klöstern in den Vordergrund, die anderen die Gewinn bringende Vermarktung monastischer Einrichtungen im „Klostertourismus". Schulen, die von Mönchen oder Nonnen geführt werden, gelten oft a priori als streng und leistungsorientiert; von manch einem aktiven Kloster erinnert der Besucher den wohl sortierten Souvenirladen vom Andachtsbild bis zum Ziertaschentuch.

Die Geschichte des Ordens- und Klosterwesens entfaltete sich keineswegs in gleich bleibendem Rhythmus, sondern ist durch zahlreiche Brüche gekennzeichnet. Die sich verändernden, aber stets ambivalenten Einstellungen zu monastischen Gemeinschaften und den ihnen übergeordneten Organisationsformen fanden in literarischen Werken und schließlich seit dem 20. Jahrhundert ebenso in modernen Medien wie Film und Fernsehen ihren Niederschlag. Zwei einschneidende Ereignisse in Mitteleuropa stellten in den letzten 500 Jahren die Existenz klösterlicher Lebensweise und damit das Überleben einer höchst außergewöhnlichen Lebensform in Frage. Das eine war die Auflösung zahlreicher Klöster in den Territorien protestantischer Landesherren in der ersten Hälfte des 16. Jahrhunderts im Zuge der reformatorischen Umwälzungen. Das andere war die Französische Revolution mit ihren Zerstörungen und die ihr nachfolgende Aufhebung zahlloser Klöster im Reich durch den Reichsdeputationshauptschluss im Jahre 1803. Die davon betroffenen klösterlichen Gemeinschaften verloren jeweils ihren inneren Zusammenhalt, ihren oftmals zu anderen Zwecken umgewidmeten Wohnort sowie ihren Besitz und somit die materielle Grundlage ihrer Existenz überhaupt. Die ihnen übergeordneten Orden hingegen blieben bestehen. Sie fingen ihre Mitglieder auf, deren Klöster aufgelöst worden waren, gaben ihnen neue Heimstätten und neue Bindungen. Einzelne Klöster zerbrachen, das Klosterwesen existierte als Ganzes weiter, wenn es auch im Laufe der politischen wie geistigen Veränderungen insbesondere seit dem beginnenden 16. Jahrhundert an Attraktivität, Einfluss und gesellschaftlicher Akzeptanz verlor.

Auch die literarischen und medialen Beschäftigungen mit der klösterlichen Lebensweise und ihren Trägern sind von den bereits

Die romanische Klosterkirche von Maria Laach
Glauben und Herrschaft gingen in den monastischen Organisationen des Mittelalters eine Verbindung ein, die auch architektonisch zum Ausdruck gebracht wurde.

angesprochenen differenten Vorstellungen geprägt. Nur wenige Beispiele seien angeführt. Schon im 15. Jahrhundert erzählt die Schwankliteratur genüsslich von lüsternen Mönchen und unkeuschen Nonnen. Shakespeares verzweifelt zögernder Hamlet herrscht die ihn liebende Ophelia an, „to a nunnery" zu gehen, womit man in der Sprache des elisabethanischen Englands auch das Bordell oder das Irrenhaus umschreiben konnte. Im ausgehenden 18. Jahrhundert zeichnet Diderot das Kloster als düsteres Gefängnis, in dem die Blüte der dort eingesperrten jungen Frauen verwelkt. In der zweiten Hälfte des 20. Jahrhunderts dient mönchische Gelehrsamkeit zur Lösung von zahlreichen Kriminalfällen; sympathische querdenkende Ordensmänner und -frauen agieren mit detektivischem Spürsinn, wie Umberto Ecos William von Baskerville in dem Roman „Der Name der Rose". Des Weiteren entdeckte auch die Filmindustrie insbesondere die weiblichen Ordensangehörigen als variantenreiches cineastisches Thema, das in Dramen, Slapstick-Komödien und Action-Filmen umgesetzt wurde. Das heisst: Einerseits sind Orden und Klöster, Mönche und Nonnen im nichtkirchlichen Alltag zu einer marginalen Erscheinung geworden. Andererseits sind sie weiterhin im allgemeinen Bewusstsein präsent – in Gebäuden und Ruinen, als Schulträger, als karitative Einrichtungen, als fiktive literarische oder filmische Figuren, manchmal nicht bar einer gewissen Pikanterie, denkt man z.B. an ein bestimmtes, festes und trockenes Gebäck, das im Rheinischen als „Nonnenfürzchen" gehandelt wird.

Die große Zeit der Klöster ist vorbei. Sie umfasste in etwa das Jahrtausend zwischen 500 und 1500, also das europäische Mittelalter. In dieser Zeit blühte das Ordens- und Klosterwesen im gesamten christlich definierten Europa. Mönche und Nonnen hatten ihren festen Platz in der sozialen Ordnung und zählten zur privilegierten Elite der mittelalterlichen Gesellschaft. Als bedeutende Vermittler der christlichen Lehre und herausragende Träger einer durch die Schrift geprägten Bildung beeinflussten sie das Denken und die Vorstellungswelten ihrer Mitmenschen. Das ökonomische Handeln der Klöster war eingebettet in die grundherrschaftlichen Wirtschaftsstrukturen, aus denen sie ihren Nutzen zogen und für das sie vorbildliche, effiziente Organisationsformen entwickelten. Als Gelehrte bat man sie um ihre Hilfe in den herrschaftlichen Kanzleien, sie waren Berater von Königen und Fürsten. Mönche und Nonnen lebten bereits in steinernen Wohnkomplexen, während die meisten anderen Behausungen noch aus Flechtwerk und Lehm, bestenfalls aus Holz bestanden. Sie aßen meist wenig, aber regelmäßig, während der größte Teil der übrigen Bevölkerung bei der ersten Missernte den Hungertod fürchten musste. Sie lasen und schrieben Bücher, während ihre Bauern und Knechte den Pflug schoben und die Sichel schwangen. Sie bestickten das Leinen, das sie zuvor von Bäuerinnen und Mägden als Abgaben eingefordert hatten, zu feinsten Altartüchern und farbgesättigten liturgischen Gewändern. In den Sakristeien häuften sich für den Gottesdienst wertvollste Gerätschaften aus Gold, Silber und Elfenbein, verziert mit Edelsteinen und Gemmen, künstlerische Kostbarkeiten, die der einfache Laie auf dem Feld und in der Werkstatt nicht einmal anzufassen gewagt hätte. In den Bibliotheken der Klöster erarbeitete man medizinische und naturwissenschaftliche Kenntnisse, vor allem aber theologisches Wissen, das Mönche und Nonnen in die Lage versetzte, mit Hilfe ihres Glaubens die Welt zu erklären.

Viele Relikte aus dem Jahrtausend monastischer Blüte sind bis in unsere Zeit erhalten geblieben. Wir als ihre heutigen Betrachter begegnen ihnen zum einen mit großem Staunen ob der Kunstfertigkeit und dem handwerklichen Geschick der alten Meister, oftmals aber auch mit großer Fremdheit, vielleicht sogar Verständnislosigkeit, denn vieles wurde aus seinem einstigen inneren Zusammenhang gerissen und bedarf der erklärenden Rekonstruktion. So gelangen nur Bruchstücke des ehemaligen Klosterlebens in unser heutiges Dasein. Und das, obwohl Orden und Mönchtum in der langen Zeit des Mittelalters zu den bestimmenden geistigen, wirtschaftlichen, sozialen und politischen Faktoren gehörten.

Die Kapitel dieses Buches fragen nach der Geschichte des Ordenswesens und des Klosterlebens. Geschichtsschreibung lebt stets von solchen Fragen, die wir aus der Aktualität und den Interessen der Gegenwart heraus an die Vergangenheit stellen. Dieses Buch bemüht sich deshalb, Antworten auf folgende Fragen zu finden: Welches waren die geistigen und geistlichen Bedingungen und Grundlagen, dass sich aus der Gemeinschaft der Gläubigen – ohne entsprechendes biblisches Gebot – kleine Gruppen abspalteten, die für sich eine eigene Lebensform entwickelten, mit dem Anspruch, ausschließlich ihrem Glauben zu leben? Wie multiplizierten sich diese Gruppen und in welcher Weise fanden sie gesellschaftliche Akzeptanz? Inwieweit spielte das Mönchtum für die Christianisierung Europas eine Rolle und wie instrumentalisierte politische Herrschaft das Klosterwesen für eigene Zwecke und umgekehrt? Mit welchen Inhalten und in welchen Formen vereinheitlichte sich monastisches Leben? Und auf der anderen Seite: Welche Brüche erlebte das Mönchtum? Warum differenzierten sich mehrere Orden aus und wie unterschieden sie sich voneinander? Welchen kulturellen Beitrag leisteten Klöster und Orden in den Jahrhunderten des Mittelalters? Welche Formen der Kommunikation entwickelten sie untereinander und im gesellschaftlichen Beziehungsgeflecht? Bedeutete Klosterleben für Männer und Frauen dasselbe? Gab es eine Art der Chancengleichheit in der Selbstverwirklichung für Mönche oder Nonnen? Welches Selbstverständnis hatten Klöster und Orden und wie brachten sie es zum Ausdruck?

Der Fragenkatalog zeigt, das es weniger um eine chronologische Abfolge von Ordensgeschichte als Teil der Kirchengeschichte gehen soll als vielmehr um die Einbettung von Orden und Klöstern sowie ihren Trägern und Trägerinnen in die gesellschaftlichen Zusammenhänge.

Mönche und Nonnen gehörten zur kleinen Gruppe der *literati*, der Gebildeten, die oftmals nicht nur lesen, sondern sogar schreiben konnten. Ein gut Teil der Quellen, aus denen wir unser Wissen über mittelalterliches monastisches Leben schöpfen können, sind in der Tat schriftliche Quellen: Rechtsdokumente wie urkundlich übertragene Privilegien oder Kaufverträge, Briefe, Bücher geistlichen und weltlichen Inhalts, Einkaufslisten und Rechnungen. Ein eigener Abschnitt wird sich im Kapitel „Geist und Körper" damit beschäftigen. Des Weiteren lebten Mönche und Nonnen aber nicht nur vom Wort allein, sondern in einem festgelegten Tagesrhythmus, umgeben von alltäglichen und liturgischen Gegenständen. Zum Teil sind uns diese über die Schriftquellen bekannt, zum Teil als Realien überliefert, zum Teil in bildlichen Darstellungen erkennbar. Auch in diesem Band sollen Wort und Bild eine Symbiose eingehen, sollen die Zusammenhänge sichtbar und Dargestelltes erklärbar gemacht werden. Die Auswahl der Bildzeugnisse folgte weniger dem Prinzip der Einzigartigkeit als dem des Exemplarischen. Es ging nicht darum, individuelle künstlerische Leistungen herauszustellen, sondern eher typische Formen der mittelalterlichen Darstellung von mönchischen Tätigkeiten, Vorstellungen und Gedankenwelten auszuwählen. Dies musste oftmals auf Kosten des bildlichen Gesamtzusammenhangs geschehen. Auch kunsthistorische Überlegungen wurden weitgehend zugunsten einer Betrachtung zurückgestellt, die in der bildlichen Darstellung eine Umsetzung zeitgenössischer Vorstellungen – und manchmal auch ihrer späteren Rezeption und Umformung – in ein visuelles Medium aufzuspüren sucht.

Die Einbeziehung von Bild- und Sachquellen birgt eigene Interpretationsschwierigkeiten, die keineswegs geringer sind als bei der Deutung schriftlicher Zeugnisse. Denn die ausgewählten Bildwerke und Realien sollen ja nicht lediglich illustratives Beiwerk sein, sondern müssen in der Regel nach ähnlich strengen Kriterien wie schriftliche Quellen befragt werden: Wer hat sie geschaffen, wer war der Auftraggeber, an welchen Rezipientenkreis dachte man, wo oder in welchem größeren Zusammenhang befanden sie sich, um welches Format handelt es sich, wie sieht der kompositionelle und konzeptionelle Aufbau aus, welches Thema erkennt man auf den ersten Blick, wie ist es im Einzelnen umgesetzt und welchen Verweischarakter besitzt die Darstellung darüber hinaus? Alle diese Fragen – und viele mehr – würde ein Kunsthistoriker auf dem wissenschaftlichen Hintergrund seiner Disziplin stellen müssen. Als Historikerin nähere ich mich den kulturgeschichtlichen Zeugnissen mit Hilfe der Fragen der Geschichtswissenschaft. Dabei habe ich mich darum bemüht, den Bildzeugnissen und Realien wenigstens insofern gerecht zu werden, als dass sie auf ihre sachlichen Informationen und ihre historischen Bedeutungsmöglichkeiten hin untersucht werden, quasi „um sie herum“ geschrieben wird. Ich habe mir aber auch erlaubt, dort Details herauszugreifen, wo mir eine Illustration des Gesagten oder Geschriebenen mit der Unterstützung einer Bild- oder Sachquelle nötig oder möglich schien. Ob dies gelungen ist und zur Verständigung zwischen Text und Bild beiträgt, mögen die Lesenden und Betrachtenden dieses Buches entscheiden.

Thebaid von Gherardo Starnina (Anfang 15. Jh.)
Das Ideal eremitischen Wüstenlebens hat auch ein Jahrtausend nach seiner Entstehung nichts von seiner Faszination für die Betrachter mönchischen Lebens verloren.

I.

Eremiten, Anachoreten, Wüstenväter, Coinobiten – Die asketischen Formen des frühen Mönchtums

Mönch und Kloster – allein und von aller Welt geschieden

Das deutsche Wort „Mönch" – im Französischen *moine*, im Englischen *monk*, im Italienischen *monaco* und im Spanischen *monje* – leitet sich ab vom Griechischen *mónos*. Letzteres hat vor allem die Bedeutung von „allein", „einzeln". Da mag man zunächst stutzen, denn die Vorstellungen insbesondere über das westliche Mönchtum sind stets auch verknüpft mit der Idee des Klosters als dem Lebensort einer religiösen Gemeinschaft. Das Wort Kloster wiederum hat seine Wurzel im Lateinischen *claustrum* und meint einen umschlossenen Raum. In den romanischen Sprachen ebenso wie im Englischen bezeichnet man als *claustro, chiostro, cloître* oder *cloister* nur den innersten Bereich eines Klosters oder eines *monaster(i)o, monastère, monastery*. Doch dieser vermeintliche Widerspruch zwischen dem Mönch als dem allein Lebenden und dem Kloster als einer religiösen Gemeinschaft löst sich in der Betrachtung der Entwicklungsgeschichte der frühen monastischen Lebensformen auf.

Frühchristliche Gemeindebildung und Kirchenorganisation

Die Wiegen des christlichen Mönchtums standen in Ägypten und Kleinasien, wo nach der Ausbildung, Konsolidierung und weiteren Ausbreitung frühchristlicher Gemeinden seit dem 3. Jahrhundert, mit großer Vehemenz dann im 4. Jahrhundert innerhalb dieser Gemeinden intensive Überlegungen zu neuen christlichen Existenzformen angestrengt wurden. Die Gründe dafür waren vielfältig. Um dies zu verstehen, bedarf es der Erinnerung an die ersten Jahrhunderte des Christentums in wenigstens einigen knappen Ausführungen.

Nach dem Kreuzestod Christi begannen seine Jünger gemäß dem ihnen zu Pfingsten übertragenen Auftrag und mit Hilfe der ihnen dabei durch göttliche Gnade verliehenen Gaben mit der Verkündung ihres Glaubens über die Grenzen des Wirkungskreises des Jesus von Nazareth hinaus. Der Heilige Geist war über ihnen ausgegossen worden, so berichten die Evangelien, und versetzte sie in die Lage, in allen Zungen zu sprechen, d. h., es gelang ihnen, sich auch in anderen Kulturräumen und fremdsprachigen Gebieten verständlich zu machen. Ihre Werbung um neue Glaubensanhänger war so erfolgreich, dass sich in den ersten zwei Jahrhunderten nach dem Tode ihres geistlichen Führers christliche Gemeinden in Kleinasien, Griechenland, Ägypten und einige wenige auch in Italien formierten. Gesellschaftlich waren die Christen zunächst völlig in die römische Lebensweise integriert, jedoch, um es aus kirchlicher Sichtweise zu formulieren, verehrten sie nicht die ihnen „durch Abstammung, Herkunft und Heimat zugeordneten Götter in Familie, Polis oder Nation, sondern den einen Gott und Herrn Jesus Christus" (Dassmann, Frühes Christentum, S. 5). Da im Römischen Reich allgemein große Toleranz gegenüber den verschiedenen Religionen herrschte, konnten auch die Christen ungestört nach den Anforderungen ihres Glaubens leben, solange sie damit nicht die existentielle Ordnung der römischen Herrschaft gefährdeten. Diese wurde von der Bevölkerung u. a. durch regelmäßige und wiederholte zeremonielle Anerkennungsgesten bestätigt. Dazu zählten zum Beispiel die Teilnahme an öffentlichen Festen, die Darbringung von Weihegaben für die Götter und die durch Opfergaben und öffentliche Gebete zum Ausdruck gebrachte Verehrung für die römischen „Staatsgötter". An vorderster Stelle standen dabei Roma als die personifizierte, zur Göttin erhobene zentrale Stadt und Augustus als der vergöttlichte Kaiser. Doch obwohl die Christen den Kaiser in ihre Gebete einschlossen, ihre Religion ihnen die Unterwerfung unter die weltliche Herrschaft befahl und sie sich selbst als gehorsame Untertanen des Römischen Reiches sahen – „gib dem Kaiser, was des Kaisers ist" –, verweigerten sie die Anerkennung des Kaisers als Gott, denn dies widersprach fundamental dem ersten ihrer Glaubensgebote: Du sollst keinen anderen Gott neben mir haben. So wurden sie in mehreren großen Verfolgungswellen als Staatsfeinde betrachtet und zum Tode verurteilt.

Zunächst beschränkten sich die Verfolgungen auf einzelne Gebiete oder Städte wie die Verfolgung durch Nero in Rom. Seit dem 3. Jahrhundert dehnten sie sich über das ganze Herrschaftsgebiet aus. Zahllose Christen erlitten das Martyrium, den Tod für das bedingungslose Festhalten an den Gesetzen ihres Glaubens. Im 3. Jahrhundert und zu Beginn des 4. Jahrhunderts erreichten die Verfolgungswellen ihren Höhepunkt. Gleichzeitig aber schwand das allgemeine Vertrauen in die Macht der alten Götter, die den politischen Wirren, dem wirtschaftlichen Niedergang und den wachsenden sozialen Spannungen im Reich offenbar keinen Einhalt mehr gebieten konnten. Kaiser Konstantin (288–337) erbat und erhielt in der Auseinandersetzung mit seinen politischen und militärischen Gegnern die Schlachtenhilfe des christlichen Gottes. So erzählt es die eine Version der Legende von Konstantins Bekehrung, der sich trotz seiner positiven Einstellung gegenüber dem Christengott erst am Ende seines Lebens taufen ließ. Die andere Version, die weniger das politisch-militärische als das individuelle Schicksal Konstantins in den Mittelpunkt rückt, lässt den leprakranken Kaiser durch Papst Silvester heilen, so dass sich der christliche Gott in diesem Akt dem Herrscher offenbart. Insbesondere die zweite Version der Bekehrung des römischen Kaisers – der Sieg über eine unheilbare Krankheit mit göttlicher Hilfe – berührte das mittelalterliche Denken in doppelter Weise. Zum Ersten blieben die Menschen mit ihren körperlichen Gebrechen und Krankheiten in den meisten Fällen auf Hilfen angewiesen, die von jenseits des medizinischen Wissens ihrer Zeit kommen mussten, und gerade Lepra wurde als Strafe Gottes angesehen. Konstantin war demnach mit der entstellenden, ihn von der Gesellschaft ausschließenden Krankheit geschlagen worden, um durch die Genesung Gott zu erkennen. Zum Zweiten ermöglichte diese Bekehrungsversion im Hochmittelalter während der Auseinandersetzungen zwischen Kaisern und Päpsten – ohne Bezug auf aktuelles politisches Geschehen – eine klare Rollenverteilung: Der Kaiser war der Geschlagene, um Hilfe Flehende, der vor demjenigen kniete, der als Stellvertreter Christi auf Erden und als Mittler zwischen Welt und Himmel Gottes Gnade erwirkte.

Ob politisches Glück oder persönliche Betroffenheit – im Toleranzedikt von Mailand (311) erhielten die Anhänger des christlichen Glaubens durch Kaiser Konstantin die gleiche Anerkennung wie alle anderen Religionen im Reich. Mit diesem Akt und der deutlichen Hinwendung des Kaisers und seiner Nachfolger zum Christentum wurde ein fruchtbarer Boden bereitet für die nun viel schneller als bisher stattfindende Ausbreitung des christlichen Glaubens, bis Kaiser Theodosius die christliche Religion 395 zur „Staatsreligion" erhob. Dies heißt aber noch lange nicht, dass dieser Glaube rundherum auf einer einheitlichen Lehre beruhte. Im Gegenteil: Es existierten zahlreiche unterschiedliche christliche Glaubensrichtungen, die sich zum Teil gegenseitig heftig bekämpften. Trotzdem hatten sich bis ins 4. Jahrhundert die Gemeinden zu festen Institutionen entwickelt, die in den Personen der Bischöfe auch eine Dachorganisation hatten. Die einzelnen Gemeinden unterstanden jeweils einem Bischof, der bestimmte Ämter an einzelne Gemeindemitglieder vergab. Ein oder mehrere Priester kümmerten sich um Gottesdienst und Seelsorge. Die organisatorische und karitative Versorgung der Gemeinde unterstand den Diakonen. Die Kirche, so wird es noch heute von katholischer Seite definiert, meint „die Gesamtheit aller Gläubigen in der gesamten Ökumene als auch die einzelne Gemeinde am jeweiligen Ort, in der sich die universale Kirche verkörpert" (Dassmann, Frühes Christentum, S. 4). Die Gemeinschaft der Kirche wurde in sprachliche Bilder gefasst, die in der vertrauten politischen, sozialen und familiären Lebenswelt verankert waren: Die Kirche war das Haus und das Volk Gottes (*domus Dei, populus Dei*), die vollkommene Gesellschaft (*societas perfecta*), die Versammlung der Heiligen (*congregatio sanctorum*), der Körper Christi (*corpus Christi*), die Jungfrau (*virgo*), Gattin (*sponsa*) und Mutter (*mater*). Letztendliches Ziel war durchaus, eine Einheitlichkeit der Glaubensgrundsätze, der praktischen Ausübung der Gottesverehrung und der Organisation der Gemeinden zu erreichen. Dazu wurden Bischofssynoden einberufen, um durch gemeinsame Beratung diesem Ziel näher zu kommen.

Laxheit in der Stadt – Konzentration in der Wüste

Eine besonders aktive christliche Gemeinde lebte im ägyptischen Alexandria, wo die gleichzeitige Existenz klassischer Philosophenschulen die diskursive Auseinandersetzung zwischen den Intellektuellen – Christen wie Nicht-Christen – förderte. Doch etliche Anhänger des Christentums schienen des städtischen Ambientes, der sich lockernden Aufnahmebedingungen für neue Gemeindeanwärter und der permanenten Kämpfe um das richtige Glaubensverständnis überdrüssig geworden zu sein. Offenbar fanden sie in der Unordnung von Handel und Verkehr nicht mehr den rechten Weg zu ihrem inneren, dem Glauben an Gott verbundenen Selbst, erschienen ihnen die immer wieder aufflammenden Diskussionen zwischen Glaubensanhängern und -widersachern nur ermüdend und letztlich fruchtlos. Sie trafen die Entscheidung, sich geistig und räumlich von all diesen Dingen abzusetzen. Sie zogen sich zurück und wurden Einsiedler, die man auch als Anachoreten bezeichnet. Der Rückzug führte sie in die Wüste. In Ägypten brauchten sie dafür nicht allzu weit zu gehen. Die fruchtbaren Überschwemmungsgebiete des Nils hatten eine begrenzte Ausdehnung, dahinter begann der *eremus*. Es lassen sich hier solche Zonen, die nahe an besiedelten Gegenden lagen, von denen unterscheiden, die erheblich weiter davon entfernt waren. Für beide Zonen aber war charakteristisch, dass sie nur unbebaubaren Boden aufwiesen, eben „wüst" waren. So lebten viele Eremiten zwar jenseits der Zivilisation, aber doch nicht allzu fern von ihr. Die Städte waren nahe genug, dass ihre Bewohner vom asketischen Leben der Einsiedler hören und ihnen Respekt und Bewunderung entgegenbringen, ja bei Bedarf diese heiligen Männer um Rat fragen konnten.

Man wird wohl davon ausgehen können, dass sich auch innerhalb der Städte Menschen von der urbanen Geschäftigkeit abwandten und sich in einen inneren eigenen Bereich zurückzogen. Doch es war das Neue, Ungewohnte – der Aufbruch und Rückzug in die Wüste – , das auch die literarische Aufmerksamkeit erregte. Das literarische und später auch in der Malerei gestaltete Bild des in der Wüste lebenden Einsiedlers bestimmte schließlich das, was als historische Realität überliefert wurde. Die Lebensbeschreibungen der heiligen Eremiten Antonius und Pachomius, die Sprüche der Wüstenväter (Apophthegmata), und die Geschichte der ägyptischen Wüstenväter, *Historia monachorum,* sind bis heute die wichtigsten und meist rezipierten Grundlagen für die historische und religionsgeschichtliche Forschung, wenn es um die frühe Geschichte des christlichen Mönchtums geht. Alle anderen, also auch innerstädtische „Aussteiger", fanden keine Beachtung und keine Beschreibung und wurden somit auch nicht im historischen Bewusstsein verankert.

Bereits in antiken Schriften des ersten Jahrhunderts war die Gegenüberstellung der Stadt als Ort von Falschheit, Bosheit, Schlechtigkeit und Chaos und der Wüste als Ort der Wahrheit ein gängiger literarischer Topos. In den Schriften über die Wüstenväter wurde er wieder aufgegriffen. Erst später wandelte sich die *civitas* in ein Bild der Ordnung, etwa in Augustinus Beschreibung der *civitas Dei* oder den schriftlichen wie bildlichen Vorstellungen vom himmlischen Jerusalem.

Das Vorbild dieser asketischen, in sich ruhenden, genügsamen und doch so bewusst für ihren Glauben lebenden Männer hat sich über das ganze Mittelalter gehalten. Im 14. und 15. Jahrhundert, als sich erneut massive Kritik am städtischen Leben erhob und gleichzeitig mönchische Reformbewegungen die Rückkehr zu ursprünglichen monastischen Idealen forderten, wurden die ägyptischen Eremitenlandschaften in zahlreichen bildlichen Darstellungen wieder lebendig. Darin traten die Eremiten, Einsiedler und Anachoreten zum einen als Mahner und Warner auf, wie in dem großen Fresko der Begegnung der Lebenden mit den

Toten in der Friedhofshalle des Campo Santo von Pisa in der Mitte des 14. Jahrhunderts. Ein gebeugter, greiser Eremit warnt die Teilnehmer einer lebensfreudigen, im Luxus schwelgenden Jagdgesellschaft vor ihrer aller Schicksal; er deutet auf drei verwesende Leichen – die Begegnung der Lebenden mit den Toten ist im 14. Jahrhundert ein variantenreich umgesetztes Motiv – und rät zum Innehalten in ihrem ausgelassenen Treiben und zur Kontemplation über die Vergänglichkeit des Lebens. Die übrigen Einsiedler, zu denen man über einen steinigen, unbequemen Weg hinauf gelangen würde, sind quasi dem Himmel schon etwas näher. Sie begnügen sich mit einfachen Behausungen, leben im Einklang mit einer Natur, die ihnen freundlich gesinnt ist und der sie ihrerseits mit Respekt und Liebe begegnen.

Des Weiteren wurden die Einsiedler in ihren unterschiedlichen, aber immer vorbildhaften Lebensformen dargestellt, so auch in dem Bild der Thebaid, der ägyptischen Eremitenlandschaft am Oberlauf des Nils, das vermutlich Gherardo Starnina in den ersten Jahren des 15. Jahrhunderts malte. Der Zusammenhang, in dem dieses Bild entstand, ist unbekannt. Das ungewöhnliche Format, lang und schmal, lässt an eine Predella denken, einen Altarvorsatz oder die unterste Ebene eines Altaraufsatzes, das Thema passt dazu jedoch nicht. Im Vordergrund des Bildes sieht man einen Fluss, auf dem zahlreiche kleine, segelbetriebene Nachen sowie Phantasieschiffe von personifizierten Winden angetrieben werden. Eine Ausbuchtung in der Mitte des Flusses zieht den Betrachter in das eigentliche Bildthema hinein. In einer zerklüfteten Felsenlandschaft mit einzelnen, nicht sehr großen, dünnstämmigen Bäumchen stehen verstreut einräumige, steinerne Häuser in Rot- oder hellen

Thebaid im Campo Santo von Pisa
Der Kontrast zwischen den bedürfnislosen Eremiten und der luxusliebenden Gesellschaft der Reichen verbindet sich in diesem Fresko des Campo Santo, der Friedhofshalle von Pisa, zu einer Mahnung vor dem Ende, das einem jeden bevorsteht.

Brauntönen, eine Kirche im linken oberen Bildabschnitt ist ockerfarben gehalten, eine weitere, die mittig am rechten Rand der Flussausbuchtung platziert ist, in hellem Rot. So wie auf dem Fluss herrscht auch in der Felsenlandschaft eine rege Betriebsamkeit, das Tun der Anachoreten. Nur wenige von ihnen sind wirklich ganz allein und in Gebet oder Meditation versunken, in eine Felsspalte gedrückt oder vor einer Quelle kniend, in Erwartung eines vorbeifliegenden Engels verharrend. Es sind insbesondere zwei charakteristische Gruppen, die die Bildkomposition dominieren und jeweils zwei Personen umfassen. Die eine Gruppe stellt miteinander lesende oder diskutierende Einsiedler dar. Die anderen Zweiergruppen zeigen eine deutliche Differenz zwischen einem Meister oder Lehrer und seinem Diener, der durch seine Kleidung ebenfalls als Mönch ausgewiesen ist und handwerkliche Tätigkeiten verrichtet oder seinem Meister einen Dienst erweist. Das Verhältnis von Lehrer und Schüler oder Diener zueinander wird unterschiedlich aufgefasst. Während einige der Meister die Dienstleistungen ihrer Schüler als Selbstverständlichkeit zu akzeptieren scheinen und weiterhin lesen oder beten, wenden andere dem vor ihm Hockenden ihre volle Aufmerksamkeit zu. Diese Beziehung zwischen Lehrer und Schüler, Meister und Diener, wie sie hier in einer Darstellung des Spätmittelalters für das frühe

Mittelalter angenommen wird, hat seine Vorbilder in den langen Jahrhunderten, in denen das Verhältnis zwischen Abt und Mönch in ähnlichen Kompositionen – dem Hierarchiegebot der Benediktregel folgend – dargestellt wurde (vgl. Kap. IV).

Schließlich finden sich auf Starninas Bild der Thebaid noch Szenen gegenseitiger Hilfeleistungen. Hier wird ein alter Mann über einen Steg auf einen Nachen geleitet, dort wird Brot in einen Korb gelegt, den der Eremit zu sich heraufziehen kann. In der Gruppe der Einsiedler sind alle Altersgruppen vertreten und für den Betrachter durch ihre Haar- und Barttracht als Jünglinge, Männer oder Greise gekennzeichnet. Zu den sesshaften Einsiedlern kommen noch diejenigen, die auf Wanderschaft sind. Einzelne *peregrini* sind auf unterschiedliche Weise unterwegs: zu Fuß oder auf einem Esel oder gar auf Fabelwesen oder wilden Tieren reitend. Auch diese Pilger scheinen in intensivem Gespräch zu sein, sie sind einander zugewandt mit zum Teil lebhafter Gestik.

Das Leben der Einsiedler wird in Harmonie mit einer friedlichen Natur vorgestellt: Sie nutzen die aus dem Fels springenden Quellen, ein Hirsch dient als Reittier, ein Löwe als Zugtier, ein anderer Löwe dient als eine Art Gesellschafter. Gerade dieses letzte Motiv ist in den Geschichten der Wüstenväter vorgeprägt, die die wilden Tiere der Wüste besänftigen oder die schrecklichen Tiere wie Krokodile durch ihre Autorität zum Abzug zwingen. Man denke an das bekannte Motiv des Eremiten und Kirchenvaters Hieronymus, der einem Löwen einen Dorn aus der Pfote zieht und der zum Dank dafür sein treuer Begleiter und in den bildlichen Darstellungen des Kirchenvaters zu einem seiner ‚Erkennungszeichen' wird. In der linken Mitte des Bildes sieht man typisches Klosterleben dargestellt. Vor einem roten Haus, das von einer blühenden Hecke umgeben ist, sitzen zwei Männer, die miteinander ein Gespräch führen. Im Garten, zu dem ein Tor in einem Zaun führt, arbeiten zwei Männer in den Beeten. In einer Szene links davon wird die Totenfeier für einen dahingeschiedenen Bruder abgehalten; ein Heiligenschein umstrahlt bereits sein Haupt. Um ihn herum sind zwölf Brüder versammelt, zwei weitere nähern sich von der linken Seite. Durch diese den heiligen Verstorbenen betrauernden Mönche sind in den unterschiedlichen Kutten die großen Orden des 14. Jahrhunderts erfasst. Das schwarze Gewand zeigt den Benediktiner, das graue den Zisterzienser, das braune den Franziskaner und das schwarz-weiße den Dominikaner. Nur zwei Frauen sind auf dem Bild zu sehen. In leuchtend roten, bodenlangen und leicht schleppenden Gewändern sind sie vielleicht auf dem Weg, um bei einem der Einsiedler Rat zu suchen. Sie sind bei einem Vorlesenden stehen geblieben, ihr weiterer Weg führt sie jedoch in Richtung eines Eremiten, der in einer der Felsspalten lebt.

Die zahlreichen einzelnen Szenen, die im Bild nur über die Landschaft und über angedeutete Wege miteinander in Verbindung gesetzt werden, spielen auch auf verschiedene Legenden an, die das ganze Mittelalter hindurch über die Eremiten im Umlauf waren und teilweise in entsprechenden Sammlungen, wie etwa der Legenda Aurea des Jacobus de Voragine, große Verbreitung gefunden haben. Um noch einmal daran zu erinnern: Starninas Thebaid, gemalt um 1400, ist keine Darstellung des Eremitenwesens in seiner Frühzeit, wohl aber das Ergebnis jahrhundertelang überlieferter Überzeugung, dass eremitisches Leben ein Vorbild für mönchisches Leben sein könnte. Die Darstellungen der einfachen, bedürfnislosen Eremiten, die von dem lebten, was die natürliche Umgebung dem Körper und die Worte der heiligen Schriften Geist und Seele boten, waren für den krisengeschüttelten, im ‚städtischen Morast' lebenden Betrachter des 14. und 15. Jahrhunderts als Gegenwelt konzipiert. Sie greifen aber durchaus das überlieferte Wissen aus der Frühzeit monastischer Existenz auf.

Das Überleben in der Wüste erforderte einige notwendige organisatorische Strategien. Es ging den Eremiten nicht in erster Linie um einen Wettbewerb im „survival of the fittest", nicht darum, sich möglichst harten, an die Grenzen der körperlichen Belastbarkeit gehenden Anstrengungen zu unterwerfen, sondern um seelische Reinigung und die Schaffung idealer Bedingungen für die innere Konzentration. Daher hatten sie nicht jeglichen Kontakt mit der übrigen Welt aufgegeben. Sie lebten in solchen Entfernungen voneinander, dass sie füreinander erreichbar waren und sich notfalls gegenseitig Hilfe leisten konnten, in körperlichen wie in seelischen Nöten. Und sie lebten dicht genug an den urbanen Zentren, um durch ihr Beispiel den Angehörigen des christlichen Glaubens, dessen eine Stütze die Armut war, ein Vorbild für ein gottgefälliges Leben zu sein.

Armut und Einfachheit waren nicht die einzigen Ideale, für die man die heiligen Männer rühmte. Sie waren in die Wüste gegangen, um den vergänglichen körperlichen Freuden und Genüssen zu entrinnen und in der Einsamkeit zur wahren Erkenntnis des göttlichen Wesens zu gelangen. Speise und Trank konnten und mussten dabei auf ein Minimum reduziert werden. Aber es waren die Auseinandersetzungen im Geiste, die inneren Kämpfe, das Hin-und-hergerissen-Sein zwischen physischen und psychischen Bedürfnissen, ausschweifenden Phantasien und der selbst verordneten Disziplin, diese zu überwinden und zu bezähmen, was die hochverehrten Männer zu Heiligen werden ließ. So erzählt es, in geringem zeitlichen Abstand, die hagiographische Literatur, also die Beschreibungen über heiliges Leben und Wirken, und so wurde es später in die bildlichen Darstellungen aufgenommen. Einsamkeit, strenge Askese und dämonische Gesichte, die Körper und Seele quälten, wurden literarisch ausgeschmückt und überhöht, dazu visuell in eindrucksvoller Schauerlichkeit – hier vor allem im späten Mittelalter – umgesetzt. Mit Hilfe dieser kommunikativen Mittel – der Vita, die gelesen oder erzählt und somit von einem breiten Publikum aufgenommen werden konnte, und der bildlichen Darstellung, die sich durch ihre Drastik einprägte – stilisierte und instrumentalisierte die offizielle Kirche die Eremiten und Einsiedler zu unerreichbaren Vorbildern. Man sollte sie ob ihrer Heiligkeit verehren und ihnen, wenn möglich, nacheifern, man brauchte ihnen aber nicht in jeder Beziehung gleichen – schließlich konnte man nicht von jedem Gläubigen erwarten, zu einer herausragenden Ausnahmegestalt zu werden. Ein Nacheifern im Rahmen der dem einzelnen Gläubigen in seinem Lebensumfeld gegebenen Möglichkeit, also auch in seiner Gemeinde, war genug.

Antonius und Pachomius – Väter und Gelehrte in der Wüste

Der heilige Antonius (251–356) ist das wohl am besten bekannte Beispiel für einen solchen Eremiten, der durch seine Vita bereits wenige Jahre nach seinem Tod zum Heiligen avancierte und dessen Kampf mit den Dämonen zu einem immer wieder thematisierten Motiv in der bildenden Kunst wurde. Sein Biograph war Athanasius (295–373), Bischof von Alexandria, dessen Bestreben die Einbindung aller Gläubigen in einheitliche kirchliche Organisationsstrukturen war, einschließlich derer, die sich am Rande der kirchlichen Gemeinden bewegten wie die Eremiten. In der Vita des Antonius stellte er insbesondere dessen asketische Anstrengungen sowie die Kämpfe gegen diverse Anfechtungen und dämonische Versuchungen heraus. Weit weniger erfährt man über Antonius' koptische Herkunft und seine Ausbildung, über die Art und Weise seiner Aktivitäten in Alexandria während der Christenverfolgungen oder über Kontakte, die er mit anderen Eremiten unterhielt. Wohl aber erwähnt Athanasius, dass sich gegen Ende von Antonius' langem Leben eine Gruppe von Gleichgesinnten um ihn scharte, die ihn zu ihrem spirituellen Führer erkoren – die frühe Form einer monastischen Gemeinschaft, ein *coinobium*, war entstanden. Als Athanasius auf Grund starker Spannungen zwischen den Anhängern der verschiedenen Richtungen des christlichen Glaubens Alexandria zeit-

Der hl. Antonius des Maestro della Osservanza als einsamer, aber erleuchteter Wanderer in der Wüste auf dem Weg zu seinem Gott (15. Jh.).

weise verlassen musste und nach Rom ging, verbreitete sich die Vita des Antonius und die Idee des asketischen Eremitentums einerseits und der monastischen Gemeinschaft unter einem geistigen Führer andererseits auch in Europa, zunächst in Italien, dann auch in anderen Teilen des Römischen Reiches.

Die bildenden Künstler interessierte vor allem die einsame Gestalt des Eremiten in menschenfeindlicher Umgebung oder sein Kampf gegen Dämonen. Als Beispiel sei die Darstellung des heiligen Antonius von ca. 1430 des Maestro de la Osservanza genannt. Am rechten Bildrand, den Blick auf die Erde gesenkt, die Hände in Erstaunen erhoben, steht ein Heiliger mit einem punzierten Heiligenschein. Über einem dunklen bodenlangen und faltenreichen Gewand liegt ein blassroter, unten an den Rändern ausgefranster Umhang, darüber aus gleichem Stoff wie das Untergewand ein Schlupftuch, das gleichermaßen Kopf und Schultern umschließt. In der rechten Armbeuge klemmt ein grober, langer Wanderstab, kaum glatt gehobelt, mit knotigen Ansätzen dort, wo die Äste abgebrochen wurden. Das Gesicht ist umrahmt von weißgrauem, stark gelocktem Haar und einem am unteren Ende gespaltenen, bis auf die Brust reichenden krausen, vollen Bart und erscheint wie erleuchtet. Antonius hat eine steinerne kleine Kirche verlassen und kommt einen steinigen Pfad entlanggewandert. In dem völlig unwirklichen und unwirtlich hügeligen Gelände der Umgebung stehen lediglich einige stilisierte, kahle und wie verbrannt wirkende schwarze Bäume. Die einzigen Lebewesen, die bislang nach und nach am Wegesrand vor Antonius' Auge auftauchten, sind zwei Hasen, ein Hirsch und ein Hirschkalb. Im Hintergrund sind einige Formen menschlichen Zusammenlebens angedeutet. Eine Burg mit mehreren Türmen oben auf einem Berg und ein Schiff mit geblähtem weißem Segel zeigen an, dass die Zivilisation nicht allzu fern ist und doch scheint sie mit dem Geschehen im Vordergrund in keiner Verbindung zu stehen. Der Eremit ist völlig allein der Landschaft und seinem Inneren ausgeliefert. Das, was James E. Goehring über die literarische Produktion zu den Wüstenvätern sagt, trifft auch auf die spätere bildliche Darstellung zu: „Wenn das asketische Leben in der Wüste den Kampf mit dem Bösen erleichterte, so nur in dem Sinne, das es ihn direkter machte. In der Wüste gab es weniger, was den Mönch von diesem Kampf abhalten konnte, und weniger Möglichkeiten für den Feind, ihn zu verwirren" (Goehring, The encroaching desert, S. 283).

Antonius war nicht der einzige Gottsucher des 4. Jahrhunderts, als sich die Geschichte des Christentums von einer Randerscheinung in der Vielfalt des Römischen Reiches zu einer Erfolgsgeschichte zu wandeln begann. Auch Pachomius (290–346) kehrte zur gleichen Zeit der städtischen Kultur den Rücken und ging in die Wüste. Das Schlüsselerlebnis für Antonius war laut seiner Vita die Teilnahme an einer Predigt, deren Aufruf, aller Besitztümer zu entsagen, er wörtlich nahm und in asketische Lebenspraxis umsetzte. Pachomius wurde durch die Tat christlicher Barmherzigkeit zum neuen Glauben bekehrt. Die leicht voneinander abweichenden Lebensberichte des Pachomius erzählen, dass er als junger Mann zwangsweise zum Militärdienst rekrutiert wurde. Auf dem Weg ins Kampfgebiet erhielten die schlecht versorgten Soldaten von Christen Speise und Trank. Nach seiner Entlassung aus dem Militärdienst – ohne auch nur ein einziges Gefecht bestritten zu haben, da der Krieg, für den er rekrutiert worden war, bereits ein Ende gefunden hatte – zog er sich an einen unwirtlichen Ort zurück und erhielt vermutlich dort die Taufe. Pachomius entschied sich zunächst für ein Leben als Eremit. Sein Lehrer wurde der Einsiedler Palamon, der in der Askese die ständige Wiederholung von Christi Passion sah. Doch einige Zeit später gründete Pachomius – laut seiner Vita auf Gottes Geheiß hin – eine Gemeinschaft in Tabennese in Oberägypten. Dort war eine Vielzahl Gleichgesinnter bereit, für das rechte Leben im christlichen Glauben jede verwandtschaftliche und gesellschaftliche Bindung aufzugeben, Armut, Demut und Gehorsam als Grundlage ihres künftigen Daseins zu akzeptieren sowie in der Verbindung von überlebensnotwendiger Arbeit und dem Studium heiliger Texte ein vom Glauben an Gott erfülltes Leben zu gestalten.

Nachdem die Existenz dieser Gemeinschaft bekannt geworden war, zog ein Strom von Laien und Mönchen nach Tabennese. Die Zahl derjenigen, die sich der Lebensweise des Pachomius anschließen wollten, war zu groß, als dass sie in bloßer gemeinsamer Absprache ein solches Leben hätte führen können. Die sich bildenden Gemeinschaften, die Tausende von Anhängern hatten, bedurften zu ihrer Funktionsfähigkeit sowohl der Überschaubarkeit als auch einer festen Lebensregel. Pachomius erkannte diese Notwendigkeit. Zum Ersten teilte er die Gruppe seiner Anhänger und gründete neue Gemeinschaften mit eigenen Vorstehern, darunter auch zwei Frauenklöster, dessen eines er seiner Schwester Maria unterstellte. Solchen engen verwandtschaftlichen Bezügen im Aufbau klösterlicher Gemeinschaften begegnet man im Laufe der mittelalterlichen Jahrhunderte noch mehrfach. Zum Zweiten entwarf er die erste Lebensregel für eine fromme christliche Gemeinschaft, die der Welt entsagt hatte. Wichtige Grundzüge hiervon blieben auch in den späteren Regeln erhalten, wie sie Benedikt von Nursia und andere etwa ein Jahrhundert später für das mittelalterliche europäische Mönchtum entwarfen. Die Regel, die in voneinander abweichenden, fragmentarischen Fassungen in koptischer, griechischer und lateinischer Sprache überliefert ist, entstand vermutlich in mehreren Schritten und mit Hilfe verschiedener Verfasser; sie scheint mehrfach den jeweils unterschiedlichen geographischen und historischen Voraussetzungen angepasst worden zu sein. Die Legende berichtet, Pachomius habe sie aus der Hand eines Engels empfangen. Die hagiographische Literatur bringt diesen Akt deshalb in Verbindung mit anderen bedeutenden Textübergaben, wie zum Beispiel der Übergabe der Tafel mit den 10 Geboten an Moses, und konstituiert auf diese Weise den Beginn regelgeleiteten Mönchtums als gottgewollten Auftrag. In Umkehrung der hierarchischen Positionen findet man die Überreichung eines besonderen Textes, einer Ordensregel, einer Bibel oder eines Evangeliums durch einen demütigen Stifter oder Schreiber als eine immer wieder dargestellte Szene (vgl. Kap. V). In dem Vorwort seiner lateinischen Version der Pachomiusregel vom Beginn des 5. Jahrhunderts will der Gelehrte und später als Kirchenvater verehrte Hieronymus sie ausdrücklich als Weisung an die Mönche und Nonnen seiner Umgebung in Palästina verstanden wissen: *wollte ich damit ... die Möglichkeit schaffen, ... Nonnen Weisungen für ihr Tun zu geben, wie auch unseren Brüdern die Möglichkeit geben, das beispielhafte Leben der ägyptischen, genauer der tabennensischen Mönche zu befolgen* (Bacht, Pachomius, S. 66).

Die Organisation des Lebensraumes macht vielleicht am Deutlichsten klar, wie nahe die pachomianischen Gemeinschaften bereits der Ausprägung der späteren europäischen Klöster kommen: *Koinos Bios* meint für Pachomius zunächst einmal die Gemeinsamkeit des Lebensraumes. In seiner entwickelteren Gestalt umfasste das pachomianische Kloster eine Vielzahl von Häusern (Wohnungen, Werkstätten, Speiseraum, Gebetsraum, Küche, Krankensaal, Gästehaus, Pförtnerhaus), die alle von einer großen Mauer umfasst waren. Obwohl die Mönche nicht – wie es später im Westen üblich wurde – alle unter demselben Dach wohnten und in einem gemeinsamen Dormitorium schliefen, so schuf diese Mauer doch bereits jenen Zusammenhalt, durch den die vielen Insassen zu einer echten Lebensgemeinschaft zusammenwachsen konnten. „Für den Cönobiten ist das Leben hinter dieser bergenden Mauer der für ihn gebotene Lebensraum" (Bacht, Pachomius, S. 33).

In zwei wesentlichen Formen unterscheidet sich die pachomianische Gemeinschaft jedoch vom späteren frühmittelalterlichen *claustrum*. Die Idee des Einsiedlertums blieb insofern erhalten, als dass Mönche und Nonnen in eigenen Zellen lebten – also nicht die Nacht im Dormitorium, dem gemeinsamen Schlafsaal, verbrachten – und diese Zellen auch der Raum für Gebet und Handarbeit waren. Das *opus dei*, der Lobpreis Gottes – Ziel und Zweck europäischer monastischer Existenz – wurde täglich nur zweimal gemeinsam gefeiert und war als Lesung und Gebet gestaltet. Eine Liturgie als ausgefeiltes, detailliertes Regelwerk zur Abfolge von bestimmten Gebeten und Handlungen des Gottesdienstes aber gab es noch nicht.

Produktive (Hand-)Arbeit war ebenso die Voraussetzung für die wirtschaftliche Existenzsicherung dieser großen Klostergemeinschaften wie für die großzügige Ausübung karitativer Tätigkeiten. In verschiedenen Abschnitten der Regel werden die Arbeiten von Leinewebern, Mattenflechtern, Schneidern, Stellmachern, Walkern, Schuhmachern, Seilflechtern und Schiffern genannt. Uniformität in der Kleidung, der Ausstattung der Zellen, der Tages- und Lebensordnung war gefordert, um Neid und Missgunst sowie jede Form von Devianz zu vermeiden. Allem voran stand der Gehorsam gegenüber allen in der Regel genannten Vorschriften als Akt der Demut. Abweichungen jedweder Art wurden durch meist öffentliche Strafen wie abgesondertes Stehen während des Gottesdienstes und beim gemeinsamen Mahl geahndet, auch dann, wenn es sich um solche Dinge handelte, die heutigen Vorstellungen von effektiver Wirtschaftsführung diametral entgegenstehen würden. Um ein oft zitiertes Beispiel noch einmal zu bemühen: Die Vita des Pachomius berichtet, dass viele Mönche das gekochte Essen aus Askesegründen ablehnten und es sich roh in ihre Zellen bringen ließen. Die Köche des Klosters, die nichts zu tun hatten, holten sich Binsen, um Matten zu flechten, mit der Begründung: da ihre Speisen ohnehin nicht gegessen würden, könnten sie sich besser anderweitig betätigen. Doch sie wurden für ihr eigenmächtiges Vorgehen bestraft, da die Regel vorsieht, dass die Mönche die Möglichkeit haben müssen, eine warme, gekochte Mahlzeit zu sich zu nehmen.

Insbesondere diejenigen, die als „Hausobere“ einer Gruppe von Mönchen vorstanden, waren aufgefordert, die Buchstaben der Regel getreulich zu beachten und auch ansonsten in allem, im Denken wie im Tun, Vorbild zu sein. Darin klingt bereits die Bedeutung des Abbatiats an, das spirituelle Führung, Gesetzgebung und Vorbild für die Anvertrauten in der Person des Abtes vereinigt. Neben der Handarbeit war auch die (Seelen-)Bildung durch die Rezeption der heiligen Texte vorgesehen, von denen die Klöster eine Auswahl besaßen und die auf Verlangen der Mönche ausgeliehen wurden. Damit diese Form der eigenen Weiterbildung gewährleistet war, sah die Regel vor, dass diejenigen, die beim Eintritt ins Kloster nicht lesen konnten, es schleunigst lernen mussten:

Wer als Neuling in das Kloster eingetreten ist, soll zuerst in dem unterwiesen werden, was er [als Mönch] zu beobachten hat und wenn er nach der Unterweisung sich mit allem einverstanden erklärt hat, soll man ihm 20 Zeilen oder 2 Apostelbriefe oder ein [entsprechendes] Stück der übrigen [Heiligen] Schrift aufgeben [zum auswendig Lernen]. Und wenn er des Lesens unkundig ist, soll er zur 1., 3. und 6. Stunde zu einem befähigten Lehrer gehen, der ihm zugewiesen wurde, und soll mit größtem Eifer und allem Dank [als Schüler] vor ihm stehen. Später soll man ihm die Buchstaben, die Silben, Tätigkeitswörter und Hauptwörter aufschreiben und so soll er angehalten werden, auch wenn er nicht mag, lesen zu lernen (Bacht, Pachomius, S. 112, Abs. 139).

Das Neue Testament als Lebensgeschichte Christi und die Berichte über die erste Ausbreitung des Christentums sowie der Psalter als Grundlage für gemeinschaftliche Gebete waren also die essentiellen Texte, mit deren Hilfe das koinobitische Mönchtum sein Leben im Glauben an Christus organisierte.

Marcella, Paula, Melania und andere – Mütter, Intellektuelle und Fürsorgerinnen in den Städten und an ihrem Rand

Auch im europäischen Teil des Römischen Reiches war es im 4. Jahrhundert bereits zur Bildung koinobitischer Gemeinschaften gekommen. Hervorzuheben sind dabei zum Einen die Frauengemeinschaften in Rom und zum Anderen die den Bischofssitzen angegliederten Klöster in Gallien. In Rom schlossen sich zahlreiche Frauen aus der senatorischen Oberschicht als Witwen oder unverheiratete junge Frauen zu christlichen Lebensgemeinschaften innerhalb der Stadt, vor allem aber auf ihren außerhalb gelegenen Landgütern zusammen. Bereits Athanasius, Bischof von Alexandria und Verfasser der Vita des Eremiten Antonius, hatte während seines Exils in Italien diese Gemeinschaften unterstützt. Hieronymus wurde während der Jahre seines Aufenthaltes in Rom von 382–385 zum geistlichen Führer der reichen Witwen Marcella und Paula, die beide aus angesehenen senatorischen Familien stammten. Marcella wurde zum Mittelpunkt einer asketischen Bewegung und versammelte eine größere Gruppe gleich gesinnter Frauen um sich, die sich dem Gebet, der Bibellektüre und der Wohltätigkeit widmeten. Die Beziehung zwischen Hieronymus und den römischen Frauen blieb gängiges Wissen im Mittelalter und wurde auch in entsprechenden Darstellungen aufgearbeitet. Die hier ausgewählte Darstellung zeigt zentral die Demutsgeste der Proskynese des Stifters, der eine Kopie dieser Schrift des Kirchenvaters in Auftrag gab, die im oberen Teil von Hieronymus gerade erst angefertigt wird. Weiterhin wird auf eine sehr brisante Situation im Leben des Hieronymus angespielt. Er wird flankiert von Paula und ihrer Tochter Eustochium, die eine in den schriftlichen Erklärungen an der Seite als Römerin, die andere als Jungfrau ausgewiesen. Beide haben ihm ihr Haupt zugeneigt und weisen gleichzeitig mit je einer Hand auf ihren geistlichen Führer. Zu Füßen dieser Dreiergruppe, abgesetzt durch die Figur des Stifters, dessen Haltung die ansonsten eher symmetrische Anordnung der Bildkonzeption durchbricht, liegt die zweite Tochter der Paula in einem Sarg, dessen Deckel in diesem Moment von zwei Totengräbern aufgelegt wird. Die Bildunterschrift verrät allerdings nur, dass es sich um das Begräbnis der römischen Jungfrau Blesilla handelt, nicht jedoch, dass die junge Frau an den Folgen übertriebener asketischer Übungen starb und Hieronymus aufgrund der daraufhin einsetzenden Anfeindungen Rom verlassen musste. Die Witwe Paula folgte Hieronymus mit Eustochium nach Palästina und gründete dort unter seiner Anleitung mehrere Frauenklöster. Einer dieser Gemeinschaften stand sie als Leiterin vor und lebte dort in strengster Askese bis zu ihrem Hinscheiden 404. Ihr Tod scheint auch für Hieronymus ein harter Schlag gewesen zu sein. Wenn man dem Vorwort seiner Übersetzung der pachomianischen Regel Glauben schenken darf, machte ihn ihr Tod so betroffen, dass er über längere Zeit arbeitsunfähig war. Die ebenfalls aus der Senatsaristokratie stammende Melania die Ältere (350–410), mit 22 Jahren bereits verwitwet, lehnte eine erneute Heirat ab. Finanziell unabhängig besuchte sie die Mönchssiedlungen im ägyptischen Wadi Natrun (der Natronwüste), gewann den Gelehrten Rufinus als geistlichen Berater, gründete um 383 ein Kloster in Jerusalem und wurde dessen Vorsteherin.

In einem Brief des Hieronymus an seine Gefolgsfrau Paula beschrieb er den Lebenslauf der heiligen Asella (~ 334 bis ~ 405) in Rom und pries sie als Vorbild für junge Mädchen, die sich für ein asketisches Leben entschieden, ebenso wie er in einem Brief an die verwitwete Furia den Eintritt in eine asketische Gemeinschaft als die bestmögliche Lebensform für Witwen wie für Jungfrauen propagierte. Askese bedeutete die Lösung von weltlichen Bindungen und die Befriedigung körperlicher Bedürfnisse durch das unwillige, aber notwendige Zugeständnis eines Minimums, das gerade noch das Überleben sicherte. Ziel war es, durch die Selbstkasteiung Gott näher zu kommen und durch die Reduktion der Bedürfnisse des Körpers die Seele demütig zu machen, damit sie sich allein Gott zuwenden konnte. Hieronymus formulierte ganz konkrete Weisungen für die weiblichen Asketen: Sie sollten einfache, dunkle Kleidung aus Ziegenhaar, Wolle oder Leinen tragen und diese Kleidung nie wechseln. Sie sollten sich nicht waschen, um sich niemandem, nicht einmal sich selbst, nackt zu zeigen, sie sollten allen Besitz aufgeben, in Armut und zölibatär leben. Diese Enthaltsamkeit sollte auch für alle anderen Lebensbereiche wie zum Beispiel die Nahrungsgewohnheiten gelten. Hieronymus selbst lebte gleichfalls nach diesen Vorschriften. Die künstlerischen Darstellungen zeigen ihn denn auch entweder als gelehrten Kirchenvater, umgeben von Büchern und Schreibutensilien, oder eben als einsamen Eremiten in der Wüste, wo selbst die wilden Tiere ihm demütig Gesellschaft leisten. Gerade dieses zweite Motiv erfährt im 14. und 15. Jahrhundert, zur Zeit der Ordensreformen, vielfältige Umsetzungen.

Aber durchaus nicht alle Frauen, die fasziniert waren von den Idealen der Askese, zog es an den Ursprungsort der Eremitenbewegung. Marcelina (332/33–398) beispielsweise, die Schwester des Bischofs Ambrosius von Mailand, lebte in strenger Askese in Rom. Was unterschied die römischen Christinnen, diejenigen, die in religiösen Gemeinschaften lebten, ebenso wie diejenigen, die in ihren Familienverbänden blieben, von den nichtchristlichen Frauen? Da war zum einen ihr nach außen getragener intellektueller Anspruch, der sich vor allem in der Einrichtung von regelmäßigen Zusammenkünften und öffentlichen Bibelkreisen manifestierte. Zum anderen unterschieden sie sich durch ihren Anspruch auf innere geistige Erfüllung, die sie für sich einforderten und durch das Lesen der Bibel oder das Erlernen der griechischen und hebräischen Sprache befriedigten. Aber sie verfügten auch eigenständig über ihr Vermögen und nutzten selbstbewusst ihre öffentliche Stellung: Sie „opferten im Zuge ihrer Entscheidung zur Askese zwar ihren Reichtum, nicht aber ihren sozialen Status und ihre damit verbundene Souveränität. Sie standen im Mittelpunkt des öffentlichen Interesses und der theologischen Auseinandersetzungen, wie dies bei Marcella, Paula und den Melanien deutlich geworden ist" (Disselkamp, Christiani, S. 222). Aufgrund ihres gehobenen gesellschaftlichen Status sowie ihrer Stiftungen konnten sie oftmals erfolgreich bevorzugte Bestattungsorte in oder an Kirchen und Märtyrergräbern einfordern. Insbesondere zwei Motive scheinen die christlichen Aristokratinnen entscheidend zu ihren öffentlichen Aktivitäten bewegt zu haben. Zum Ersten opponierten sie durch ihr Vorgehen gegen die sich in der Krisenzeit des 4. Jahrhunderts wieder verstärkenden restaurativen Vorstellungen von der römischen Frau als *matrona*, also als Bewahrerin der Familie und deren Reichtum, die ohne Verfügungsgewalt, ohne Öffentlichkeit, demütig und bescheiden im Inneren des Hauses agieren sollte. Zum Zweiten besannen sie sich auf den Römerbrief des Paulus, insbesondere auf das Kapitel 16, 1–7, 12, 15, in dem der Apostel Frauen als Gemeindemitglieder anspricht und zur aktiven Mitarbeit aufruft. Letzteres machte sie zu Missionarinnen in ihren eigenen Reihen: „Auch unter dem Aspekt ihrer Stellung innerhalb der Missionsgeschichte ist ein eigenständiger Weg der Aristokratinnen festzustellen. Er umfasst das gesamte Gebiet der Sozialisation: von der Fürsorge an Bedürftigen zum Zweck der Bekehrung über die Stiftung von Kirchen, Klöstern, Fremdenhospizen und Krankenhäusern als religiös-politischer Stellungnahme bis zur Bekehrung ihrer Familienangehörigen durch gemeinsames Leben und durch Erziehung in Klöstern sowie das Feld der Unterweisung, Belehrung, Ermahnung und theologischen Auseinandersetzung in Form von Bibelkreisen, Gesprächen und der Abfassung einer eigenen Dichtung. Die beiden methodischen Prinzipien *exemplum* und *sermo* wurden offensichtlich geschlossen von der gesamten Gruppe der weiblichen Aristokratinnen gleichsam als ein gemeinsames Missionskonzept verwirklicht" (ebd., S. 225). Zusammenfassend konstatiert Gabriele Disselkamp, dass es zwar keine Fortsetzung dieser Geschichte weiblicher religiöser Gemeinschaften gegeben habe, aber „dass die Gruppe der Aristokratinnen des vierten und fünften Jahrhunderts in mehreren Punkten Entwicklungstrends setzten: „Proba machte die Centonendichtung für das Christentum brauchbar und ließ das Christentum zugleich für die Aristokratie ‚hoffähig' werden; Cassia und Florentia stehen am Anfang der frömmigkeitsgeschichtlichen Bewegung einer Bestattung in oder an Kirchen innerhalb der Stadt; Melania und Paula eröffneten eine Laien-Pilgerbewegung aus dem Abendland nach Palästina und gestalteten sie nach dem Muster einer religiösen Studienreise; dieselbe Paula errichtete die erste westliche Klosterschule in Palästina; Fabiola, Epiphania, Paula und viele andere Frauen stehen am Anfang der abendländischen Wende von einer privaten Wohltätigkeit zur Institutionalisierung der Fürsorge in Form von Pilgerhospizen und Krankenhäusern; der ausgedehnte Kirchen- und Klosterbau durch Anastasia, Paula, die Melanien, Albina und andere verwandelte das Bild der ehemals heidnischen Städte; die Kirche entwickelte sich zur reichsten Grundbesitzerin im Land; durch das intellektuelle Engagement Marcellas und der Frauen in ihrem Umkreis drang das Christentum endgültig in die gebildeten Schichten ein" (ebd., S. 237).

Der französische Historiker Georges Duby hat in mehreren seiner Schriften zwei Charakteristika für den Übergang von der klassischen Antike zum Mittelalter hervorgehoben. Das eine war der Auftritt von Frauen im öffentlichen Leben, der unter römischem Recht und in der römischen Politik nicht vorgesehen oder erwünscht war. Die Gemeinschaften der Marcella, Marcelina oder Asella sind hier ein deutliches Beispiel für die sich verändernden weiblichen Handlungsspielräume. Zum anderen wird die Sorge für die Schwächeren, für die Kranken und Armen als zweiter Bestandteil des christlichen Mittelalters erwähnt. Auch dies hebt es von der vorangegangenen Epoche ab. Eine solche Caritas, die durch die bewusste Entscheidung für die selbstgewählte Armut Glaubwürdigkeit erhielt, wurde anfänglich insbesondere in den Frauengemeinschaften ausgeübt. Das Auftreten von Frauen in der Öffentlichkeit und die Institutionalisierung karitativer Einrichtungen markieren demnach, folgt man den Thesen von Duby, den Beginn einer neuen, der mittelalterlichen Epoche.

Rückzug aus der Welt in asketische Gemeinschaften, in denen Askese manchmal eher zum selbstzerstörerischen Ziel als zum Mittel der Gottsuche zu werden drohte, war jedoch keine Lösung für die umfassende Organisation der normalen christlichen Gemeinden, wie sie sich auch in Gallien auszubreiten begannen. Einer der bekanntesten Vertreter der kirchlichen Organisatoren, dem die Strukturierung der kirchlichen Institutionen oblag und der gleichzeitig das bereits allgemein als vorbildlich angesehene Leben der Mönche für eben diese Strukturierung zu nutzen wusste, war der heilige Martin von Tours. Er steht im Mittelpunkt des nächsten Kapitels.

Martin von Tours aus einer Sammlung mit Martinstexten
Ordens- und Weltgeistliche bedurften nur weniger Attribute der Kennzeichnung: Das Buch wies sie als Gelehrte und Gläubige aus, die Kopfbedeckung markierte ihre Position in der kirchlichen Ämterhierarchie, der Krummstab ehrte sie als Hirten einer größeren Gemeinschaft.

II.

Noch einmal das 4. Jahrhundert – Die monastisch-klerikale Symbiose

Am Wegesrand ein armer Mann ...

In Rom nutzten die Aristokratinnen der Senatorenschicht ihr soziales Prestige, um öffentlich für ihren Glauben zu werben. Ihre Aktivitäten entsprangen einer Grundhaltung, die die Umsetzung der Glaubensinhalte in ganz konkretes Tun und in gesellschaftlichem Miteinander anstrebte. Im Laufe der nächsten Jahrhunderte gab es immer wieder Formen von Frömmigkeit, die hier erneut ansetzten. Eine andere Entwicklung nahmen die gläubigen Gemeinschaften, die sich vom 4. bis 6. Jahrhundert im Umkreis der Bischofssitze entfalteten und letztlich zu festen Einrichtungen wurden. In Nord- und Mittelitalien sowie in Südgallien verwirklichte sich das, was Athanasius für die episkopal strukturierte Kirchenorganisation anstrebte: die Unterordnung monastischer Gemeinschaften unter die kirchenpolitische Organisation des Bistums und die Herrschaft eines Bischofs. Den Klöstern fiel dabei im Aufgabenspektrum der spätantik-frühmittelalterlichen Bistümer eine gewichtige Rolle zu. Ein allseits bekanntes Beispiel ist die Bischofsstadt Tours und ihr Bischof Martin. In der Interpretation von Friedrich Prinz stellt Martin von Tours in der Vita des Sulpicius Severus quasi das westliche Spiegelbild von Antonius dem Eremiten dar: „Die Antonius-Vita dürfte wohl von Anfang an als monastische Propagandaschrift für den Westen konzipiert worden sein, sie wurde schon bald nach 360 ins Lateinische übersetzt, übte in dieser Form die breiteste Wirkung aus und evozierte als westliches Pendant die Lebensbeschreibung des Mönchsvaters Martin von Tours aus der Feder des Sulpicius Severus“ (Prinz, Von Konstantin zu Karl dem Großen, S. 296).

St. Martin mit dem Schwerte teilt' den warmen Mantel unverweilt ...

In der Tat sind einige der Aspekte aus der Geschichte des heiligen Martin über mehr als eineinhalb Jahrtausende bis in unsere Zeit lebendig geblieben. Allerdings kennt man heute weit weniger Martin, den Klostergründer, als vielmehr Martin, den Barmherzigen. In den mittelalterlichen Darstellungen finden sich durchaus beide Charakterisierungen, wenn auch bereits hier der Akt der Nächstenliebe und Barmherzigkeit die größere Faszination ausgeübt zu haben scheint. Seine bildlichen Darstellungen als Bischof und nachmaliger Klostergründer zeigen ihn traditionell mit den episkopalen Herrschaftszeichen ausgestattet, Bischofshut und Krummstab oder Bibel zeichnen ihn als kirchlichen Amtsträger und Hirten seiner Herde und als christlich Gebildeten aus. Seine Darstellungen als barmherziger Ritter erzählen durch die Jahrhunderte ein Stück mittelalterlicher Sozialgeschichte. Martin gehörte durch Herkunft und Ausbildung der Oberschicht an. In der so anrührenden Szene vor dem Stadttor von Amiens ist er standesgemäß zu Pferd unterwegs. Doch – so sehen es bereits die Aristokratinnen der römischen Senatorenschicht – die Erfüllung des christlichen Gebots der Nächstenliebe gebietet es, soziale Unterschiede gering zu achten, ja im Akt der Mantelteilung durch das Schwert – adelig-ritterliches Standesattribut – und der Nutzung des Mantels zu gleichen Teilen eine Gleichheit im christlichen Glauben zu demonstrieren. Nichtsdestoweniger ermöglicht es die bildliche Darstellung, durch Komposition, Größenverhältnisse und Gestik der Figuren das soziale Gefälle zwischen Ritter und Bettler hervorzuheben und damit eben auch die besondere Leistung Martins herauszustreichen, bewusst die Standesgrenze nach unten hin zu durchbrechen. Der vornehme Adelige neigt sich, in tadelloser körperlicher Verfassung, von oben herab dem kleineren, schwächlichen, in seinen Gesichtszügen geradezu entstellten Mann zu, der flehentlich die Arme ausstreckt. Der Betrachter kann kaum anders: Er wird den Helden dieser Szene bewundern.

Als Martin dem Bettler seinen Mantel schenkt, ist er, so erzählt seine Vita, etwa 18 Jahre alt, hat bereits einen dreijährigen Kriegsdienst in Gallien abgeleistet, dessen Fortführung er jedoch verweigert, und reitet durch das Stadttor von Amiens, um sich von Bischof Hilarius von Poitiers taufen zu lassen. Nach dieser offiziellen

Der Bassenheimer Reiter des Naumburger Meisters
Über die Jahrhunderte bis in unsere Tage gilt die Mantelteilung als Sinnbild für christliche Barmherzigkeit schlechthin und die Hinwendung des Reichen zum Armen bleibt eine Forderung, für die es nie an aktuellen Ereignissen mangelt.

Aufnahme in die Gemeinschaft der Gläubigen reist er für einige Zeit in missionarischem Eifer durch Frankreich, Italien und Ungarn und verschreibt sich schließlich in Gallien in der Nähe von Tours zunächst einem asketischen Leben als Einsiedler. Die Verbindungen zum Bistum Poitiers reißen in dieser Zeit keineswegs ab. Im Jahr 360 akzeptiert er den Ruf des dortigen Bischofs und lässt sich das Bischofsamt von Tours übertragen. Der Asket – so will es die Vorstellung vom einfachen, demütigen Einsiedler – tut dies natürlich nicht freiwillig. Als die Abgesandten von Poitiers sich seiner Behausung nähern, verbirgt sich Martin. Doch Gänse verraten durch ihr Schnattern sein Versteck, weshalb ihre Nachkommen bis heute als Verräter am 11. November ihr Leben lassen müssen. Nach anderer Version ist Martin der Schutzheilige von Federvieh und Feldern. Wie immer es sich mit Martin und den Gänsen verhält – fest steht, dass er in Tours zum Bischof geweiht wurde und in direkter Anlehnung an die Kirche ein Kloster gründete. Schon bald nach seinem Tod verehrte man ihn als Heiligen. Er wurde zum Schutzherrn der Franken und ungezählte Kirchen wurden seinem Patrozinium unterstellt. Seine Mantelreliquie, die Cappa, wird in Paris aufbewahrt. Aus der *cappa* entwickelte sich das Wort ‚Chapel' (Kapelle), zunächst als Palastkirche verstanden, und die *capellani* (Kapläne) waren die in der ‚Chapel' amtierenden Geistlichen.

Martin als Bischof und Abt

Wie sah Tours aus, als Martin dort sein Bischofsamt antrat? Wie viele der römischen *civitates* litt auch Tours unter den politischen, wirtschaftlichen und sozialen Krisen der Spätantike. Die Städte entvölkerten sich, die Zahl der Einwohner sank von mehreren Zehntausend auf wenige Tausend. Die bewohnte und wirtschaftlich genutzte Fläche schrumpfte auf einen kleinen Kern zusammen. Vielfach funktionierten die alten römischen Verwaltungsstrukturen nicht mehr; die Bindungen an die Zentrale in Rom hatten sich stark gelockert, wenn sie nicht ganz verschwunden waren. Mit dem allmählichen Ausgreifen des Christentums bot sich in der klaren hierarchischen Struktur der Bischofskirchen die Möglichkeit einer neuen organisatorischen Nutzung der alten *civitates* an. Die bischöfliche Kirche entstand als architektonisches Zeichen und neues sichtbares Zentrum. In der Person des Bischofs erhielt die städtische Bevölkerung nicht nur einen geistlichen Vorsteher, sondern auch jemanden, der einige der entstandenen Leerstellen ausfüllen konnte. Er wuchs mit seinen Helfern nach und nach in Aufgaben hinein, die zuvor von der weltlichen Verwaltung wahrgenommen worden waren: die Sorge um die Gestaltung des öffentlichen Raums, die Ausrichtung gemeinsamer, Identität stiftender Feierlichkeiten, die Regelung des Zusammenlebens der städtischen Einwohner, die Vertretung dieses Gemeinwesens nach außen und gegebenenfalls seine Sicherung vor Feinden. Aus der Stadt mit einem Bischofssitz wurde nach und nach eine Bischofsstadt, aus der geistlichen Fürsorge erwuchs allmählich die episkopale Herrschaft. Dies geschah nicht in einem einzigen rapiden Umbruch aller bestehenden Verhältnisse, sondern in einem langsamen Prozess der Ablösungen und Verschiebungen zwischen dem 4. und 6. Jahrhundert. Bischöfe vollbrachten diesen Wandel natürlich nicht alleine. Sie bedienten sich dafür zum einen des Personals, das ohnehin für die geistliche und zwischenmenschliche Organisation in einer christlichen Gemeinde vorgesehen ist, also der Priester und Diakone. Zum anderen aber schufen sie in den von ihnen gegründeten Klöstern ganz neue Zentren, die zu Mittel- und Stützpunkten der bischöflichen Herrschaft wurden. Deren Grundlage – der christliche Glaube – erhielt in den schriftlichen und bildlichen Produktionen der Klöster ihren geistigen Ausweis und durch das Beispiel monastischen Lebens eine gewisse Überzeugungskraft. In den Klöstern konzentrierte sich das Wissen um den neuen Glauben. Dort lasen und schrieben Mönche und Nonnen die Texte, die nach und nach zu einem Kanon christlichen Grundwissens zusammengeführt wurden. Dort entwickelte man allmählich allgemein verbindliche Formen der Gottesverehrung in Liturgie und Gebet. Und dort schuf man eine neue Tradition der Herrschaftsverehrung, eine christlich begründete Legitimität der bischöflichen Herrschaft, indem Bischöfe zu Heiligen erhoben und ihre Gräber als Ausweis für den göttlichen Schutz und Segen, der über diesem Ort lag, durch Klöster betreut wurden. Mit einem heiligen Bischof fing für eine Stadt quasi eine neue Zeit an. Mit dem geistlichen Sonderbezirk, der sich einem bischöflichen Grab angliederte, entstand ein neues geistlich-politisches Zentrum, das die alten antiken Strukturen überlagerte. Dies gilt besonders dann, wenn die Heiligkeit, die dem dort ruhenden Bischof zugeschrieben wurde, über seinen engeren geographischen Kreis hinaus zu wirken begann. Auf diese Weise wurde ‚seiner' Stadt solche Aufmerksamkeit zuteil, dass der Bischof oder sein Grab nicht nur nach innen identitätsstiftend wirkte, sondern darüber hinaus der Stadt durch Pilger und von diesen wiederum herbeigelockte Kaufleute und Handwerker auch ganz konkreten materiellen Nutzen verschaffte.

In Tours war die dortige Basilika als bischöfliche Grablege vom Vorgänger Martins gebaut worden. Als Martin starb, wurde auch er dort bestattet, die Basilika seinem Schutz unterstellt und ein Kloster zur Pflege des Grabes eingerichtet. Martin selbst hatte noch zu seinen Lebzeiten am gegenüberliegenden Ufer der Loire ein großes Kloster, ein maius monasterium, das heutige Marmoutier, in Erinnerung an seine asketischen Ideale begründet. Sein Biograph Sulpicius Severus beschreibt die Beweggründe Martins und den Charakter dieses Kloster folgendermaßen:

Es liegt nun jenseits meiner Möglichkeiten ausführlich darzustellen, welche Persönlichkeit und welche Leistungen Martin nach der Übernahme des Bischofsamtes erkennen ließ. Denn völlig unbeirrbar blieb er der Gleiche wie zuvor: dieselbe Demut in seinem Herzen, dieselbe Ärmlichkeit in seiner Kleidung. Er entsprach, voll von Autorität und Gnade, ganz und gar der Würde eines Bischofs, ohne dass ihm darüber das Ideal und die innere Kraft eines Mönchs abhanden gekommen wären. Einige Zeit benutzte er daher eine Mönchszelle, die an die Kirche anschloss. Danach richtete er sich, weil ihm die Störung seiner Ruhe durch die große Zahl derer, die ihn aufsuchten, unerträglich geworden war, etwa zwei Meilen außerhalb der Stadt ein Kloster ein. Dieser Platz war so entlegen und abgeschieden, dass er die Einsamkeit einer Wüstenei nicht vermissen ließ. Denn an der Seite begrenzte ihn die steile Felsflanke eins hohen Berges, ansonsten umschloss der Loire-Fluss mit einer sanften Schleife das ebene Terrain. Ein Zugang war nur über einen einzigen, ziemlich engen Weg möglich. Martin selbst verfügte über eine kleine, aus Holz hergestellte Zelle, und viele der Mitbrüder wohnten in gleicher Weise. Eine große Zahl hatte sich in die Felswand des unmittelbar nebenan aufragenden Berges Höhlen geschlagen und sich diese als Klausen eingerichtet. Es waren ungefähr achtzig Jünger, die sich durch das Vorbild ihres seligen Meisters unterweisen ließen. Niemand hatte dort Privateigentum, alles war Gemeingut. Irgendetwas zu kaufen oder zu verkaufen, wie das die meisten Mönche üblicherweise tun, war nicht erlaubt. Handwerk wurde, von Schreibern abgesehen, dort keines ausgeübt; und selbst mit dieser Tätigkeit waren die Jüngeren beauftragt. Die Älteren lebten nur dem Gebet. Selten kam es vor, dass einer seine kleine Zelle verließ, außer um sich an den Ort des gemeinsamen Gebets zu begeben. Die Mahlzeiten nahmen sie alle zusammen ein, wenn die Stunden des Fastens vorüber waren. Niemand wollte von Wein etwas wissen, außer einer war durch Krankheit dazu gezwungen. Die meisten kleideten sich in Kamelfelle, ein weicheres Gewand galt dort bereits als Vergehen. Dies verdient umso größere Bewunderung, als sich unter den Mönchen viele Angehörige der Oberschicht befanden, die trotz einer völlig anderen Erziehung sich dieses Leben in entsagungsreicher Niedrigkeit abgerungen hatten. So manche von ihnen sahen wir später als Bischöfe. Denn welch eine Stadt, welch eine Christengemeinde gäbe es, die sich nicht einen Oberhirten aus dem Kloster Martins wünschte? (Sulpicius Severus, Leben des heiligen Martin, S. 113).

Die Höhlen der asketischen Anhänger Martins sind heute noch erhalten und für Besucher zugänglich, die sich ein konkretes Bild von der Einfachheit (und Ungemütlichkeit) dieser Be-

Tod und Translation des hl. Martin von Candes nach Tours; aus einem Sakramentar von Marmoutier
Tours profitierte zu Lebzeiten Martins von seiner Tatkraft als Bischof und Abt, noch mehr aber nach seinem Tod von seiner Ausstrahlung als barmherziger Heiliger.

hausungen verschaffen wollen. Rund um die Martinskirche entstanden weitere geistliche Gemeinschaften, darunter auch zwei Frauenklöster. Wenn man bedenkt, dass Tours am Ende des 6. Jahrhunderts nur etwa 2000 Einwohner zählte, zeigt dies, wie einflussreich dieser kirchliche Sonderbereich für die weitere Entwicklung der Stadt gewesen sein muss.

Nicht nur Städte gründeten ihre Position und ihren Aufstieg auf christliche Heilige. Auch führenden Familien lag daran, sich dem Schutz eines Heiligen zu unterstellen. So wurde zum Beispiel der heilige Bischof Arnulf von Metz zur Gründergestalt der karolingischen Dynastie. Zur Verehrung seiner Grablege in der Apostelkirche zu Metz erbauten die Karolinger ein Kloster und behielten sich die Bestellung der dortigen Führungspositionen quasi als Hausmacht vor.

Die Bischöfe mit ihrer Übernahme städtischer Herrschaftsfunktionen und Klöster als Hüter der heiligen Gräber zeigen die Ausbildung neuer politischer und geistiger Zentren auf dem Hintergrund der Christianisierung Europas. Kirchen, Bischofspaläste und Klöster waren „zugleich die neuen Kerne ihrer Identität, ihres geistigen Lebens und ihrer konkreten himmlischen wie irdischen Schutzmächte“ (Prinz, Von Konstantin zu Karl dem Großen, S. 282). Damit ist aber auch klar, dass in den nun folgenden beiden Jahrhunderten zwischen 400 und 600 im Norden Italiens sowie in Mittel- und Nordgallien, die gerade erst anfingen, zum Frankenreich zusammenzuwachsen, das Klosterwesen der Bischofsgewalt untergeordnet war. Erst mit der Idee der Mission – dem Ausgreifen des Christentums über die Grenzen des alten Römischen Reiches hinaus – veränderte sich das Mönchtum und wurde zu einer unabhängigen Kraft. Erst dann erlangten auch Klöster eigenständigen politischen Einfluss. Die Personalunion höchster kirchlicher Ämter – Bischofsamt und Abtswürde – war damit keineswegs aufgehoben, aber missionierende Mönche und Nonnen gewannen von da an im Rahmen ihrer aktiven Bekehrungstätigkeit einen anderen Stellenwert.

Der Bischof, Abt und Missionar Liudger findet und erhebt die Gebeine des angelsächsischen Missionars Lebuin in Deventer
Ein Heiliger garantierte dem Ort, an dem er seine letzte Ruhestätte fand, Ansehen und Einkünfte.

III.

Irische und angelsächsische Mönche, Asketen, Missionare

Hibernia christiana

Die Christianisierung Europas zwischen dem 4. und dem 6. Jahrhundert vollzog sich auf zwei ganz unterschiedliche Weisen, die nicht miteinander koordiniert waren. Zum einen breitete sich der christliche Glauben von Süden her aus. Die christlichen Männer und Frauen, die dem neuen Glauben auch eigene effektive Organisationsstrukturen geben wollten, nutzten die alten römischen urbanen Verwaltungszentren zur Etablierung von Bischofssitzen und Errichtung geistig/geistlicher Institute in den angeschlossenen Klöstern. Diese episkopalen Mittelpunkte entwickelten sich gleichzeitig zu neuen Herrschafts- und Verwaltungszentren, so wie es die veränderten Strukturen erforderten. Zum anderen wurde der christliche Glaube von Nordwesten her in missionarischem Sendungseifer auf dem Kontinent verbreitet, von Irland und England.

Es ist noch immer nicht recht geklärt, wie die christliche Lehre die Grüne Insel erreichte, ohne erst den langen Weg über den Kontinent zu nehmen und das Wissen um dortige Organisationsformen weiterzutragen. Jedenfalls wurde Palladius (363–432) im Jahr 431 von Papst Coelestin mit den Befugnissen eines Bischofs ausgestattet und nach Irland gesandt, vielleicht um dort einigen kleinen, bereits bestehenden christlichen Gemeinden im episkopalen Amt vorzustehen. In der kurzen Zeit seines Wirkens im Süden von Irland gründete er immerhin drei Kirchen und konnte auf diese Weise einem kleinen Teil der Bevölkerung erste Vorstellungen von der christlichen Glaubenslehre vermitteln und auch institutionelle Stützpunkte für die weitere Etablierung der christlichen Kirche schaffen.

Die Insel, auf die er geschickt worden war, unterschied sich in vielen Dingen deutlich von den ehemaligen Kernterritorien des Römischen Reiches. Es war ein rein agrarisch geprägtes Land, dem die wirtschaftlichen, sozialen und kulturellen Zusammenhänge urbaner Gesellschaften völlig fremd waren. Mit anderen Worten: es gab keine Städte, keine Bevölkerung, die auf Handel und Handwerk spezialisiert war, keine auf dem Münzwesen basierende Wirtschaft. Politisch gliederte sich das Land in rund 100–150 Kleinkönigtümer. Der König mit seinen Söhnen und Brüdern, also den engsten männlichen Verwandten, war gleichzeitig der größte Landbesitzer seines Territoriums. Er herrschte über weitere adelige landbesitzende Familien und freie Bauern, deren Landbesitz sie im Gegenzug zum Kriegsdienst für den König verpflichtete, sowie über weitere Gruppen von Minderfreien und Unfreien mit stark unterschiedlichem sozialen und rechtlichen Status. Keines der einzelnen Königshäuser ragte durch Besitz, Ansehen oder Eroberungswillen so sehr heraus, dass es sich zu einer allein das Land beherrschenden Monarchie hätte aufschwingen können. Neben den adeligen Kriegern verfügten die Könige über wohl ausgebildete geistliche Berater, die Druiden. Diese erfüllten zum einen priesterliche Rollen, zum anderen bildeten sie den einen Teil der gelehrten Oberschicht. Den anderen Teil machten die Sänger aus, die durch die mündliche Tradierung der eigenen Historie wesentlich zum Geschichtsbewusstsein der Bevölkerung beitrugen. Dabei soll noch einmal in Erinnerung gerufen werden, dass die Volkssprache, das Keltische, deren sich die Sänger bedienten, sich im Gegensatz zu den romanischen Sprachen nicht aus dem Lateinischen ableitete. Konnte man in den romanischen Ländern Latein wenigstens noch bruchstückhaft verstehen und viele Wörter mit etwas Phantasie in die eigene Sprache übertragen, war dies für eine keltisch sprechende Bevölkerung nicht möglich. Ihr war die Sprache des Christentums ebenso fremd wie der neue Glauben, der damit verkündet wurde – ein Geheimnis, in das anfänglich nur wenige eingeweiht waren.

Der Apostel der Iren – der heilige Patrick

Die Tätigkeit des Bischofs Palladius war nur eine Episode im Vergleich zum Wirken von Patrick, der als Missionar und Klosterbeförderer den Beinamen „Apostel der Iren" erhielt und in die Schar der Heiligen aufstieg. Gesicherte Lebensdaten liegen nicht vor, weder das Geburts- noch das Todesjahr sind zweifelsfrei bekannt. Man nimmt an, dass er wohl im letzten Viertel des 4. Jahrhunderts geboren und vermutlich kurz nach 460 gestorben ist. Im Heiligenkalender ist er am 17. März aufgeführt. Patrick entstammte vermutlich einer oberflächlich romanisierten Familie aus England, sein Vater war möglicherweise ein römischer Zivilbeamter. Im Alter von 16 Jahren wurde er, so berichtet er in seinem Bekehrungsbericht, während einer Schiffsreise von Seeräubern nach Irland verschleppt und dort als Knecht verkauft. Er arbeitete als Viehhirte und erlebte in dieser Zeit seine Hinwendung und Bekehrung zum Christentum. Einfache Lebensführung, Einsamkeit und viel Zeit, über die sichtbaren und unsichtbaren Dinge dieser Welt nachzudenken, kamen da vermutlich zusammen und vereinigten sich für Patrick zu einer neuen Lebensorientierung:

Aber als ich nach Irland gekommen war – ich hatte täglich die Schafe zu weiden und betete dabei oft –, mehrte sich die Liebe zu Gott und die Furcht vor ihm, und mein Glaube wuchs. Mein Geist wurde bewegt, so dass ich an einem Tag bis zu hundert Gebete sprach und fast ebenso viele bei Nacht, auch wenn ich mich in den Wäldern und im Gebirge aufhielt. Vor Morgengrauen erhob ich mich zum Gebet, ob es schneite, fror oder regnete; ich verspürte keine Beschwerden und es war keine Trägheit mehr in mir, weil der Geist, wie ich jetzt erkenne, damals in mir glühte (Confessio des hl. Patrick, zit. nach: Gallico, Glocke über Irland, S. 240f.).

Nach etwa sechs Jahren gelang ihm die Flucht und die Rückkehr nach England.

Während seiner zweimonatigen Irrfahrt auf See und über Land bewirkte er durch seinen missionarischen Eifer ein solches Wunder, wie man es immer wieder in mittelalterlichen Heiligenviten lesen kann. Diese werfen ein bezeichnendes Licht auf die allgemeinen Lebensumstände, die von der Notwendigkeit geprägt waren, vor allem anderen das Lebensnotwendigste zu beschaffen: Nahrung. Auch Patrick half mit göttlicher Unterstützung, eine ausbrechende Hungersnot abzuwehren:

Nach drei Tagen erreichten wir das Land und wanderten achtundzwanzig Tage lang durch verlassene Gegenden. Sie hatten nichts mehr zu essen, und Hunger überkam sie. Am nächsten Tag begann der Kapitän und sprach zu mir: „Was sagst du, Christ? Dein Gott ist groß und mächtig; warum kannst du dann nicht für uns beten? Wir sind in Gefahr zu verhungern; schwerlich werden wir überhaupt noch einen Menschen zu Gesicht bekommen." Ich sagte ihnen nun offen: „Bekehret euch ehrlich aus ganzem Herzen zum Herrn, meinem Gott, dem nichts unmöglich ist, dass er euch noch heute Nahrung auf euern Wege schicke, bis ihr gesättigt seid, denn er hat überall im Überfluß." Und mit Gottes Hilfe geschah es so. Siehe da, eine Schar Schweine erschien vor unsern Augen auf dem Weg; davon erlegten sie viele und blieben zwei Nächte. Sie erholten sich gut, und ihre Hunde fraßen sich wieder satt; denn viele von diesen waren zusammengebrochen und halbtot am Wege liegengeblieben. Darauf dankten sie Gott überschwenglich, und ich stand in ihren Augen in hohem Ansehen. Von diesem Tage an hatten sie reichlich zu essen (Confessio, zit. nach: ebd., S. 242).

Von einer Vision beflügelt bereitete sich Patrick bald nach seinem Eintreffen in England auf eine missionarische Tätigkeit in dem Land seiner ehemaligen Gefangenschaft vor. Er kehrte freiwillig dorthin zurück, beseelt von dem Wunsch, den christlichen Glauben dort zu verbreiten, wo er ihn für sich selbst entdeckt hatte.

In seinem Bekehrungsbericht, einem der ersten lateinischen Texte, der auf irischem Boden entstand, betont er stets auf neue, dass er keineswegs zu diesem Lebensweg vorherbestimmt und eigentlich auch nicht dafür ausgebildet worden war. Wieder und wieder entschuldigt er sich für seine Unwissenheit und unzureichenden Kenntnisse der lateinischen Sprache. Sehr häufig fügt er Bibelzitate in seinen Text ein und sichert sich selbst und seinen Lesern damit festen Boden unter den Füßen, aber ein Gelehrter war er wohl in der Tat nicht. Doch seine Missionstätigkeit war überzeugend. Er bekehrte, predigte, taufte, organisierte die sich formierenden Gemeinden wie ein

Bischof und gründete etliche klösterliche Gemeinschaften, insbesondere im Nordosten der Insel. Letzteres beschreibt er fast staunend folgendermaßen:

Wie geschah es aber, dass in Irland Menschen, die nichts von Gott gewußt, sondern bisher immer Götzenbilder und unreine Dinge angebetet hatten, jetzt zum Volk des Herrn gemacht worden sind und Kinder Gottes genannt werden? Die Söhne der Skoten und die Töchter der Häuptlinge sieht man als Mönche und Jungfrauen Christi. Unter anderen habe ich eine sehr schöne Skotin von edler Geburt, die erwachsen war, getauft. Und nach einigen Tagen kam sie mit einem Anliegen zu uns: sie teilte uns mit, sie habe auf Gottes Geheiß eine Botschaft erhalten, in der sie aufgefordert worden sei, auch eine Jungfrau Christi zu werden und Gott nahezukommen. Dank sei Gott, am sechsten Tag danach eignete sie sich auf höchst lobenswerte Weise und voll höchster Begier das an, was auch alle andern Jungfrauen Gottes tun – nicht nach dem Wunsch ihrer Väter; sie erlitten vielmehr Verfolgung und unverdiente Vorwürfe von ihren Eltern; und dennoch wächst ihre Zahl immer mehr. Und von dem Geschlecht, das uns da geboren wird, wissen wir die Zahl nicht, von den Witwen und denen, die Enthaltsamkeit üben, gar nicht zu reden (Confessio, zit. nach: ebd., S. 250).

Insgesamt zeigt seine *Confessio* Patrick als einen vom Gotteswort durchdrungenen Menschen, der seine ganze körperliche und geistige Existenz dieser selbst gesetzten Aufgabe der Mission widmete, der aber nicht nur seine Erfolge herausstrich, sondern auch seine Niederlagen eingestand. So sehen es seine Interpreten. Offenbar scheute er dabei auch die Konfrontation mit den herrschenden Machthabern nicht. Ein Brief Patricks an die Soldaten des tyrannischen walisischen Kleinkönigs Coroticus prangert dessen unrechtmäßige Gewaltherrschaft an und droht seinen Gefolgsleuten mit der Exkommunikation. Man kann heute nicht mit Sicherheit sagen, welche Klöster Patrick gründete. Fest steht jedoch, dass der Konvent von Armagh den Anspruch auf eine Führungsrolle gegenüber den anderen monastischen Gemeinschaften davon ableitete, dass das Kloster von Patrick selbst ins Leben gerufen worden sei.

Klöster und Herrscher

In dem städtelosen Irland war eine Ausbreitung des Christentums nach dem Modell der römischen Bischofskirche, wie es für die ehemaligen gallischen Provinzen beschrieben worden ist, nicht möglich. Stattdessen musste man sich an bestehenden Machtstrukturen orientieren. Die Herrschaftszentren befanden sich am Sitz der jeweiligen Königsfamilie. Von dort ging die politische und militärische Gewalt aus. Und entsprechend entwickelten sich daneben die Klöster zu geistigen und geistlichen Zentren. Sie traten nicht als Konkurrenten der weltlichen Herrschaft auf, sondern als deren geistliche Ergänzung, und konnten in ihren Vorhaben mit der königlichen Unterstützung rechnen. Wie sehr weniger die Bischofskirchen als vielmehr die Klöster das kirchliche Leben in Irland bestimmten, zeigt sich indirekt auch in der überlieferten Hagiographie. Vor dem 12. Jahrhundert finden sich kaum Bischofsviten, wohl aber die Lebensbeschreibungen zahlreicher Klostergründer und -gründerinnen.

Ein Kloster wurde eine Art intellektueller Ausweis für die Königsfamilien; ihre Mitglieder übernahmen dort die Führungspositionen. Auf diese Weise sicherten sie sich nicht nur die politisch-militärische, sondern ebenso die kulturelle Führung in ihrem Gebiet. Seit dem Ende des 5. Jahrhunderts entstanden in ganz Irland monastische Gemeinschaften, die schließlich wie ein breites Band von Südwesten nach Nordosten über dem Land lagen. Ihre adeligen Gründer, Männer wie Frauen, stiegen alle in den Rang von Heiligen auf. Es kommt nicht von ungefähr, dass sich ihre Namen z. T. mit heutigen irischen politisch-geographischen Bezeichnungen decken, denn die Familiennamen bezeichneten das jeweilige Herrschaftsgebiet. Zu den frühesten und bekanntesten Gründern des 6. Jahrhunderts zählen Brigit von Kildare († 549), Enda von Aran († um 530), Finnian von Clonard († 549) und Ciarán von Clonmacnois († 549). Für die zweite Hälfte des 6. und für das 7. Jahrhundert lässt sich die Liste fortsetzen mit Brendan (484–577), der das Kloster Confert gründete (559), Comgall (516–600), der mit dem Kloster Bangor ein bald weithin ausstrahlendes monastisches Zentrum errichtete, Colum Cille (Columban der Ältere, 521–596), der gleich drei große Gemeinschaften in Derry (549), Durrow (556) und Iona (563) und vielleicht sogar das berühmte Kloster Kells ins Leben rief, sowie Kevin, der das biblische Alter von etwa 150 Jahren erreicht haben soll und der das Kloster von Glendalough erbaute.

Klöster und *paruchia*

Letztlich entstanden zwei Klosterformen in Irland. Zunächst agierten die Klöster in ähnlicher Funktion, wie es auf dem Kontinent die Bischofssitze taten. Sie entwickelten sich zu geistigen Zentren ihrer Umgebung, gleichzeitig aber wurden sie auch zum Mittelpunkt einer gläubigen Gemeinde. Kloster und gläubige Laien bildeten gemeinsam die örtliche *paruchia*, die Kirchengemeinde. Die Abteikirchen waren nicht nur dem frommen Gebet der Mönche oder Nonnen vorbehalten, sondern dort wurden auch die Taufen der Kinder wie der Bekehrungswilligen zelebriert und die Pfarrgottesdienste abgehalten. Der Abt war nicht nur Vorsteher seiner betenden Gemeinschaft, sondern auch verantwortlich für die Sicherung der Seelsorge der übrigen Gemeindemitglieder. Des Weiteren übte er in seinem Gebiet über Mönche wie Laien die kirchliche Gerichtsbarkeit aus. Die Klöster übernahmen für die Gläubigen ihrer Gemeinde also die Funktionen der geistigen Fürbitte sowie des sozialen Schutzes und gaben darüber hinaus in ihren Schiedssprüchen konkrete Weisungen für die Realisierung eines christlichen und gemeinschaftsorientierten Lebens. In manchen Fällen, so lassen es einige Viten erkennen, scheinen die Äbte und Äbtissinnen ganz handfest praktische Hilfe geleistet zu haben: „Die ganze klösterliche Organisation der irischen Kirche, die sich im 7. Jahrhundert durchsetzte, setzt wohl voraus, dass das Ansehen der Mönche das der Bischöfe weit übertraf. Nicht nur die Bewunderung für die strenge Askese der Mönche begründete das Ansehen der Äbte, sondern ihr Verantwortungsbewusstsein und ihr Einsatz, die nicht nur den Klosterinsassen und den Klosterabhängigen zugute kamen, sondern allen, die im Einflussbereich eines heiligen Mannes lebten .... (Als) Beispiel: Ida gab einem tüchtigen Handwerker, der aus Connaught nach Munster ins Exil gehen musste und den sie an den Bauten ihres Klosters beschäftigen wollte, auf seinen Wunsch hin nicht nur einen Acker zum Wohnen, sondern auch ihre eigene Schwester zur Frau. Von Aid wird berichtet, ein beschäftigungsloser Maurer habe ihn nach einem potentiellen Auftraggeber gefragt. Aid, der in seinem Sprengel viel unterwegs war, kannte einen Menschen, der eine Stadtmauer nötig hatte, und schickte den Maurer dort hin. Diese irischen Heiligen übten also Heirats- und Arbeitsvermittlung!“ (Vogt, Spiritualität, S. 50).

Trotzdem verschmolzen die beiden Gruppen – die Mönche oder Nonnen auf der einen, die Laien auf der anderen Seite – keineswegs zu einer Gemeinschaft, in der diese Glieder nicht mehr voneinander unterscheidbar gewesen wären. Im Gegenteil legte man in der Kirchenarchitektur Wert darauf, den Bereich der Laien und den der Mönche deutlich sichtbar voneinander zu scheiden, ja in Frauenklöstern galt es darüber hinaus, den männlichen Klerikern der Nonnen jeweils einen eigenen, von den Frauen getrennten Bereich innerhalb der Kirche zuzuweisen. Dies macht die Beschreibung einer Abteikirche deutlich. Gemäß der Vita der heiligen Brigit, die als Äbtissin ein Doppelkloster leitete, war die Kirche des von ihr gegründeten Nonnenklosters im Innern dreifach geteilt. Die nicht nur gedachte, sondern durch Bretterwände ausgeführte Teilung trennte einen östlichen Bereich für die Kleriker ab. Dieser war erneut unterteilt in einen Bereich für die männlichen Kleriker und einen für die Nonnen. Im Hauptteil war der Versammlungsraum für die Laien. Auch hier sollten Männer und Frauen sich getrennt voneinander aufhalten. Damit diese Zuweisung von Anfang an klar war, hatte jeder Bereich einen eigenen Eingang. „So kann in ein und derselben geräumigen Basilika eine große Volksmenge, durch Teilungswände nach Stand, Grad und Geschlecht getrennt, doch einig im Geist, zum allmächtigen Herrn beten" (zit. nach: Bieler, Irland, S. 36). Die Vita der hl. Brigit erzählt bereits von dekorativem Schmuck, mit dem der Kirchenraum ausgestattet wurde: von Leinenvorhängen und gemalten Bildern an den Wänden sowie von einem Tor mit kunstvollen Verzierungen.

Über Generationen blieb ein Kloster an seine Gründerfamilie gebunden: Sie versorgte die Abtei und seine Insassen mit dem für den Lebensunterhalt notwendigen Grundbesitz. Sie besetzte, zumindest anfänglich, die Leitungspositionen mit fast erbrechtlichem Anspruch – es wurde quasi Familientradition, dem Kloster, das sich auf dem eigenen Herrschaftsgebiet befand, einen Sohn zu überantworten. Sie wählte das gegründete Kloster zur Grablege und sicherte sich damit das Gebet der Mönche und Nonnen für das Jenseits und die Erinnerung an die diesseitigen Taten ihrer Mitglieder für die Nachwelt. Trat ein männliches Familienmitglied ins Kloster ein, so ging damit auch sein individuelles Erbe in den Besitz der monastischen Gemeinschaft über. Frauen dagegen erhielten nur eine einmalige Ausstattung. Ihr sonstiger mobiler wie immobiler Besitz fiel an ihre Familie zurück. Diese Unterstützung für die Etablierung von Klöstern sah manches Familienoberhaupt im Übrigen nicht unbedingt als eindeutige und unwiderrufliche Annahme des christlichen Glaubens; vielfach scheinen sich heidnische Praktiken und Glaubensvorstellungen weit über die Akzeptanz des Christentums hinaus gehalten zu haben.

Die Klöster waren anfänglich vermutlich sehr einfache Behausungen aus Holz, Lehm und Flechtwerk. Die überlieferten Ruinen oder die durch archäologische Ausgrabungen gesicherten Befunde zeigen in den späteren Phasen, als man bereits zum anspruchsvolleren Steinbau übergangen war, das differenzierte Bild mehrfunktionaler Anlagen. Sie waren in der Regel durch einen Ringwall gesichert, der die doppelte Aufgabe erfüllte, sowohl notdürftig vor gewaltsamen Übergriffen zu schützen als auch die äußere wie innere Abgeschlossenheit einer monastischen Gemeinschaft zu demonstrieren. Mittelpunkt einer Klosteranlage war ihre Kirche. Manchmal gewinnt man den Eindruck, sie wären den frühen hausförmigen Reliquienkästchen nachgebildet, mit einem tief heruntergezogenen Dach und kleinen Fenster- und Türöffnungen. Des Weiteren zählten die Wohngebäude der Mönche oder Nonnen (Zellen und Speisesaal), die Herberge für Gäste und Pilger, ein Friedhof sowie eine Schule und eine Bibliothek zu den klösterlichen Einrichtungen. Oftmals außerhalb des Ringwalls lagen die Felder, Ställe, Scheunen und weitere Vorratsgebäude. Die hohen, steinernen Rundtürme der mittelalterlichen Klöster wie zum Beispiel Glendalough, die heute viele Irlandreisende faszinieren, waren wohl Ergänzungen erst des 8. und 9. Jahrhunderts.

Die Inselasketen

Der Rückzug von allen Alltagsgeschäften, also auch von der Aufgabe der seelsorgerischen Betreuung einer Pfarrgemeinde, und die Hingabe an ein asketisches Ideal waren die Charakteristika der zweiten Ausprägung des irischen Mönchtums. Einer der frühen irischen Befürworter strenger Askese war der hl. Columban der Ältere (521/22–597). Er entstammte dem königlichen Geschlecht der Uí Néill, hatte eine fundierte Erziehung und Ausbildung durch geistliche Lehrer genossen und zunächst in traditioneller Weise zwei Klöster auf dem Herrschaftsgebiet der eigenen Familie gegründet: Derry (549) und Durrow (556). Offenbar entsprachen diese als *parochien*, also Kirchengemeinden, fungierenden Klöster aber auf Dauer nicht dem monastischen Ideal, dessen Verwirklichung Columban anstrebte. Denn dazu gehörte, wie es die Wüstenväter vorgelebt hatten, familiäre Bindungslosigkeit und Zurückdrängung von körperlichen Ansprüchen. Diese Formen der Askese waren aber in einem Familienkloster nicht zu realisieren. Da die Klöster immer auch Vorzeigeobjekte der Gründungsfamilie und Indikatoren für ihre gesellschaftliche Stellung waren, mussten sie stets einen gehobenen Standard in der Lebenshaltung wahren – wenigstens für Gäste – und standen in ständigem Kontakt und kommunikativem Austausch mit ihrer Nachbarschaft und weiteren Umgebung. Nachdem Columban durch die Gründung von zwei Klöstern diesen familiären Ansprüchen nachgekommen war und beide Gründungen fest in ihrem sozialen und wirtschaftlichen Umfeld etabliert waren, brach er buchstäblich zu neuen Ufern auf.

Er sammelte einige Gleichgesinnte um sich und zog auf die damals unbewohnte, der schottischen Westküste vorgelagerte Insel Iona. Gemeinsam mit seinen Anhängern erprobte er dort eine ganz andere Art des monastischen Zusammenlebens. Drei bis vier Mönche lebten auf Iona und später auch auf anderen dieser sturmumtosten, abweisenden und einsamen Inseln. Manche von ihnen, wie zum Beispiel Sligo, wurden nach einigen Jahrhunderten wieder verlassen – zu unwirtlich war das Klima, zu nährstoffarm der Boden, zu entbehrungsreich das Leben dort. Die Mönche lebten in steinernen Zellen, die durch ihre einfache, aber effektive Bauweise überzeugen: Niedrige Rundlinge wurden ohne Mörtel in der Art eines falschen Gewölbes zusammengefügt und trotzten auf diese Weise auch starken Stürmen.

Columban verstand unter Askese nicht die Bereitschaft zur völligen körperlichen Auszehrung, sondern die Beschränkung auf das Lebensnotwendige. Entsprechend hielten die Mönche auf Iona Kühe und Schafe für die Milch-, Fleisch-, Woll- und Lederproduktion sowie einige Pferde für die anstehenden Transporte. Sie lebten bescheiden, geradezu karg, aber sie standen nicht am Rande des Verhungerns. Die Zurückgezogenheit auf Iona entband die Mönche von anderen Pflichten, die sie sonst in den *parochien* gehabt hatten, wodurch sie sich nun anderen Aufgaben widmen konnten. Dazu gehörten in erster Linie das Studium der heiligen Texte und eine rege literarische Tätigkeit. Iona wurde aufgrund dieser anderen Ausrichtung des monastischen Lebens zu einer Attraktion für viele, die sich dem Mönchsleben bereits verschrieben hatten oder prüfen wollten, ob es wirklich eine Lebensperspektive für sie sein konnte. Das Inselkloster entwickelte sich zu einem Anziehungsort nicht nur für irische, sondern auch für schottische und walisische Mönche, die es als interessierte und aufgeschlossene Besucher bereisten. Columban selbst, der eigentlich auf eigenen Antrieb hin den Rückzug aus der Welt gesucht hatte, agierte so, wie man es vom Abt einer neuen und erfolgreichen Klostergründung erwarten durfte. Er bereiste seine früheren Gründungen Derry und Durrow und des Weiteren die umliegenden Inselklöster, die dem gleichen Askeseideal wie die Mönche von Iona anhingen. Er pflegte diese Kontakte und machte Iona über seine Person zum Mittelpunkt eines Klosterverbandes mit asketischer und intellektueller Ausrichtung.

Im 7. Jahrhundert schließlich ging von Iona die Missionierung der nordöstlichen Gebiete Englands und Schottlands aus. Im Zuge dieser Aktivität wurde bereits 635 das berühmte Inselkloster Lindisfarne gegründet, das sich ebenso wie Iona zu einem Zentrum theologischer Gelehrsamkeit entwickelte. Beiden Formen des irischen Mönchtums wird heute von Seiten vieler Forscher große Anerkennung entgegengebracht. Geradezu als Bekenntnis spricht Hermann J. Vogt dies aus: „Zusammenfassend ließe sich sagen, dass das frühe irische Mönchtum, trotz seiner auf eigener Anstrengung beruhenden asketischen Höchstleistung ... ganz augustinisch gesinnt war. Die Wirksamkeit der göttlichen Gnade, die göttliche Erwählung und Vorherbestimmung werden bekenntnishaft ausgesprochen und in reichen Bildern erzählt. Die ungeheure Strenge, die Weltflucht, sind nicht Weltverneinung, sondern bezeugen die Bejahung der Schöpfung und all ihrer Güter. Selbst die Einsiedler lösen sich nicht so aus der Gemeinschaft der Menschen, dass Freundschaft und Seelsorge als Seelenfreund nicht mehr möglich wäre. Irisches Mönchtum war nicht kulturfeindlich, oft war sogar der Abt der eigentliche Schreiber seines Klosters. ... Der besondere Ruhmestitel dieses frühen irischen Mönchtums scheint mir aber zu sein, dass es, gewiss auf eine paternalistische Weise, wie sie eben der Zeit entsprach, bei aller Weltabgeschiedenheit und Gottzugewandtheit doch den Dienst am Mitmenschen und damit das Humanum überhaupt so sehr in den Vordergrund stellt" (Vogt, in: Die Iren und Europa, S. 50f.).

Die irischen Schreibschulen

Während Patrick sich in seiner *Confessio* noch für seine Unwissenheit entschuldigte, waren die irischen Klöster zwei Jahrhunderte später zu Zentren der Gelehrsamkeit und insbesondere der Buchkultur herangereift. Viele der überlieferten Manuskripte zeigen die ganz eigene Verbindung von Text und Illumination. Die irischen Malschulen zeichneten sich neben den figürlichen Darstellungen, in denen tierähnlich gestaltete Motive wie Fische und Vögel besonders häufig zu finden sind, durch eine vielseitige, aber insgesamt strenge Ornamentik aus, die in feste, oftmals symmetrische Rahmen mit deutlich voneinander abgegrenzten Feldern gesetzt ist. Teilweise entstanden Seiten mit einem das ganze Blatt ausfüllenden ‚Teppichmuster', wobei sich aber die innere Dynamik der Ornamente in strikt festgelegten geometrischen Feldern entfaltet.

Eines der berühmtesten dieser illuminierten Bücher ist das *Book of Kells*, das durch seine Farbigkeit, seinen Goldgrund und seine Ornamentik als eines der herausragendsten Bücher seiner Zeit besticht. Auf der anderen Seite zeigt auch gerade dieses Buch, in welcher Isoliertheit viele der frühmittelalterlichen Bücher stehen, denn es gibt kaum gesichertes Wissen, sondern nur mehr oder weniger plausible Erklärungen zu Zeit und Ort der Entstehung, der Autoren und der Überlieferung. Also all das, was es später ermöglicht, Werke aus einflussreichen Schreibschulen zu identifizieren und in einen kulturellen Kontext einzubinden, fehlt für das *Book of Kells*. Selbst sein Name ist nur ein Hilfskonstrukt, abgeleitet aus der Tatsache, dass es sich bei der Auflösung des Klosters Kells 1539 in der dortigen Bibliothek befand. Im Übrigen liegen auch die Anfänge dieser monastischen Gemeinschaft im Dunkeln. Möglicherweise war das um 550 errichtete Kloster Kells – lateinisch Cenannus, irisch Kennansa – eine Gründung des bereits erwähnten Colum Cilles, also Columbans des Älteren und späteren Abtes des ebenfalls durch seine literarische Tätigkeit zu Ruhm gelangten Klosters Iona. Doch wann und wo das außerordentlich künstlerisch und aufwändig gestaltete *Book of Kells* entstand und von wem es in diese Form gebracht worden war – ob von einem einzelnen Schreiber und Illuminator oder von einem ganzen Autoren- und Malerteam – bleibt ungewiss. Einige andere Informationen hingegen sind gesichert: Es wurde im 11. Jahrhundert gestohlen und seines kostbaren Einbandes beraubt, der nie mehr auftauchte – er wurde mit großer Wahrscheinlichkeit in seine einzelnen Bestandteile wie Perlen, Gemmen, Edelsteine, Goldfassungen etc. zerlegt –, wohingegen sich die Pergamentseiten wieder fanden. Aber auch diese sind heute nicht mehr vollständig erhalten. Ursprünglich bestand es aus weit mehr Blättern als heute noch gezählt werden. Immer wieder sind im Laufe der Jahrhunderte einige Seiten verschwunden. 1621 zählte es noch 344 Pergamentseiten, heute sind es noch 339. Seit 1661 gehört es zum Bibliotheksbestand des Trinity Colleges in Dublin. Der Inhalt des Buches besteht aus den Evangelien, was zunächst nichts Besonderes ist. Bemerkenswert sind vor allem aber die Art und Weise des Seitenaufbaus, die Schrift und insbesondere die Illuminierung. Die ganzseitigen Illuminationen ebenso wie die Initialen sind so feingliedrig und in so komplizierten Mustern gearbeitet, dass heutige Zeichner und Graphiker, die sich an genauen Umzeichnungen oder Nachzeichnungen versucht haben, in der Regel ob der Schwierigkeit oder der zeitlichen Intensität, mit der eine solche Arbeit ausgeführt werden müsste, aufgegeben haben. So einheitlich und symmetrisch die Illuminationen auf den ersten Blick wirken, so vielgestaltig entwickeln sie sich, wenn man sich in die einzelnen Felder vertieft. Dann erzählen sie Geschichten und Fabeln, entwickeln ein ganzes Panorama von Tierfiguren und gestalten neue Beziehungen zwischen tierischen und menschlichen Wesen. Andere Evangelienbücher wie das *Book of Durrow* oder das Evangeliar von Lindisfarne stehen in der Qualität dem *Book of Kells* kaum nach. Sie alle zeugen von der großen Kreativität der frühen irischen Schreibschulen.

Wie auch in vielen klösterlichen Bestrebungen der folgenden Jahrhunderte galten die Anstrengungen der irischen ebenso wie später der angelsächsischen Schreibschulen der Vereinheitlichung. In diesem Fall ging es um die Vereinheitlichung der biblischen Texte. Sie stellten die heiligen Schriften dar, die Worte, auf denen das ganze christliche Glaubensgebäude ruhte. Deshalb durfte es bei diesen Worten und ihren Zusammenstellungen keine Abweichungen geben. Damit die Schreiber auf diese Aufgabe sowie auf den weiteren Einsatz von Schriftlichkeit ausreichend vorbereitet waren, bedurfte es einer entsprechenden Ausbildung. Schon Patrick hatte seine magere Gelehrsamkeit bedauert und die Klöster bemühten sich, ihre Mönche und Nonnen in dem großen Kanon der so genannten sieben freien Künste, den *artes liberales*, zu unterrichten, um ihr Wissen auf eine solide Grundlage zu stellen. Kenntnisse in Rhetorik, Grammatik und Dialektik schulten sie im Umgang mit Sprache und Schrift; Arithmetik, Geometrie, Astronomie und Musik halfen beim Umgang mit mathematischen Aufgaben und der Einschätzung natürlicher Erscheinungen. Neben die ehrwürdige Tätigkeit der Kopisten trat die der ‚Schulbuchautoren'. Erstere erstreckte sich auf die Abschrift und die Kommentierung der Bücher der Bibel, die Erstellung von Bußbüchern und Annalen (knapp gefasste Jahrbücher) sowie auf die Kopien von Texten zum weltlichen und kanonischen Recht – durchaus nicht nur in Latein, sondern auch in der Volkssprache. Letztere richtete sich auf die Konzeption von Lehrwerken. Der angelsächsische Abt Aldhelm von Malmesbury (ca. 650–709, Abt seit 679), der auch eine Tugendlehre für Mönche und Nonnen schrieb, verfasste um 700 mehrere solcher Lehrwerke und Lernhilfebücher. Seiner gelehrten Abhandlung über Metrik, die sich an fortgeschrittene Lernende richtete, ging im Unterricht vermutlich eine Sammlung von 100 Rätseln in Hexametern voraus. Weiterhin erarbeitete er auch eine lateinische Grammatik, die in die Regeln der Sprache der Bibel einwies.

Als einer der einflussreichsten angelsächsischen Gelehrten des frühen Mittelalters gilt Beda Venerabilis (672–735). Schon der ihm gegebene Beiname, der „Ehrwürdige", zeugt von dem Respekt, den man ihm entgegenbrachte. Diese Anerkennung ist berechtigt, denn Beda zeichnete sich als Historiograph, Hagiograph, Lehrer für Linguistik und sprachpraktische Anwendung sowie als Kosmologe aus. Sein umfangreichstes und gleichzeitig meist rezipiertes Werk ist die *Historia ecclesiastica gentis anglorum*, also eine angelsächsische Kirchengeschichte, an der er wie ein moderner Historiker auf einer möglichst breiten Quellenbasis arbeitete: „Alles ist systematisch und mit großer Mühe und Aufwand nicht literarischen Quellen abgewonnen, sondern Urkunden aller Art, mündliche Tradition und Berichte von Zeugen. Ein Brief an Albinus, Abt von Canterbury, und vor allem die Dedikationsepistel an den König von Northumbria geben Auskunft über die Entstehung des Werkes. Albinus übermittelte Beda, was immer sich an Dokumenten und mündlicher Überlieferung im Sprengel von Canterbury auftreiben ließ. Ein Londoner Priester besorgte aus den päpstlichen Archiven zu Rom Briefe Gregors und seiner Nachfolger, und ringsum wurden die Äbte, Bischöfe und Mönche aufgefordert, Material zu schicken. Beda zählt in der Dedikationsepistel alle Männer auf, die ihm geholfen haben. Ein moderner Historiker könnte kaum besser verfahren – er würde lediglich in anderer Weise Sachkritik üben. Bedas Werk strotzt von Mirakeln" (Fuhrmann, Spätantike, S. 366). Wunder aber gehören in der Frühzeit einer Kirchengeschichte zu ihren essentiellen Bestandteilen, denn sie bezeugten die Größe und Kraft des christlichen Gottes.

Eine Vita des Bischofs von Lindesfarne verfasste Beda gleich in zwei Versionen, einmal in Prosa und einmal in Hexametern. Zu seinen gelehrten theologischen Schriften zählen mehrere Bibelkommentare sowie ein Gedicht über die Schrecken des Jüngsten Gerichts. Dazu kommen Schriften zur Metrik und zu rhetorischen Figuren. Noch zwei weitere Aspekte seiner Forschungen fanden immer wieder die Aufmerksamkeit der Historiker: zum Ersten seine Überlegungen zu einer Einteilung der natürlichen Erscheinungen, *De natura rerum*, und zum Zweiten seine Ausführungen zur Zeitrechnung, *Liber de temporibus* und *De ratione temporum*. Letztere sind deshalb von besonderem Interesse, weil Beda in ihnen konsequent eine neue Datierung benutzte und diese dann auch in seinen eigenen Werken anwendete – die Berechnung einer neuen, einer christlichen Zeit, die mit Christi Geburt beginnt. Wie viele andere Geschichtsschreiber auch bemühte er sich um eine Gliederung des Phänomens Zeit. Er folgte dabei einer durchaus üblichen Einteilung der Zeit von Anbeginn der Schöpfung in sechs Zeitalter. Am Ende des sechsten Zeitalters stünde das Ende aller Zeiten, das Ende der irdischen Welt, das mit dem Jüngsten Gericht beginnen würde. Neu ist bei dieser Einteilung jedoch, dass das sechste Zeitalter einen klar bestimmbaren Beginn hat: die Geburt Christi. Diese Zeitrechnung, so umstritten sie in der Bestimmung des genauen Geburtsjahres sein mag, hat sich schließlich als Konsens aller christlichen Gesellschaften durchgesetzt.

Von Insel zu Insel – Klöster in England

England und Schottland wurden von zwei Seiten, von Norden und von Süden her, missioniert und entsprechend mit kirchlichen Verwaltungszentren überzogen. Doch hier tat sich ein entscheidender Widerspruch auf. In Schottland und im Nordosten Englands unternahmen irische Mönche erfolgreiche Bekehrungsanstrengungen und verpflanzten das irische Vorbild der *parochia* auch in ihre neuen Einflussgebiete. Sie gründeten dort also Klöster, denen eine Pfarrgemeinde zugeordnet war, die seelsorgerisch von den Mönchen des Klosters betreut wurde und auch kirchenrechtlich dem Kloster unterstand. Die nach irischem Muster funktionierenden Klöster übten also gleichermaßen monastische, pfarrkirchliche und episkopale Funktionen aus, waren geistige, geistliche und kirchenpolitische Zentren. Im Süden Englands dagegen, vielleicht aufgrund der, wenn auch nur sehr vagen Erinnerungen an die Kultur des Römischen Reiches und im Wissen um die kirchlichen Entwicklungen in den ehemaligen gallischen Provinzen, orientierte man sich an der römischen Bischofskirche. Die englischen Klöster waren damit vornehmlich Stätten des Gebets, die kirchenpolitischen Entscheidungen wurden vorwiegend auf bischöflicher Ebene getroffen. In England und Schottland setzte sich somit erst im 7. Jahrhundert das Modell einer römisch-katholischen Bischofskirche mit angegliederten, auf Gebet, Kontemplation und Studium konzentrierten Klöstern durch. Als sinnfälliges Ereignis ist in diesem Zusammenhang die Synode von Whitby im Jahr 664 zu nennen. Die Mehrheit der an dieser Synode beteiligten Kleriker votierte erfolgreich für die einheitliche Festlegung des Ostertermins in den Kirchen und Klöstern Englands und Schottlands nach römischer Berechnung, die sich um einige Tage von der Berechnung der irischen Klöster unterschied. Letztere legten den Termin des Osterfestes nach altem weströmischen Brauch fest, die römische Kirche hatte sich in der Mitte des 5. Jahrhunderts für die alexandrinische Berechnung entschieden. Danach fällt Ostern auf den Sonntag nach dem ersten Frühlingsvollmond; als Frühlingsanfang wurde der 21. März festgesetzt. Die angelsächsischen Kleriker konnten sich auf der Synode durchsetzen, die römische Berechnung fand die größere Zustimmung und diejenigen Klöster, die sich in England und Schottland an ihren irischen Mutterklöstern ausgerichtet hatten, mussten sich dem neuen liturgischen Rhythmus fügen.

Von einem der auszog ... – Columban der Jüngere

Im 4., 5. und 6. Jahrhundert waren auf dem Kontinent, in Italien und in den ehemaligen gallischen Provinzen des Römischen Reiches in Anlehnung an die alten urbanen Kerne bischöfliche Zentren wie christliche Inseln in einem sonst noch heidnischen Umfeld entstanden, die geistliche und verwaltungstechnische Aufgaben erfüllten. Vielfach waren an die Bischofskirchen Klöster angegliedert worden, wie es das Beispiel von Tours gezeigt hatte, in denen eine geistige Elite geschult wurde, aus der sich nach und nach die Fachleute für die anstehenden Aufgaben der kirchlichen wie politischen Verwaltung rekrutierten. Zu diesem funktionierenden Zusammenspiel gesellten sich seit dem Ende des 6. Jahrhunderts irische Mönche. Sie gingen nicht in die städtischen Gebiete, und sie suchten auch nicht die Bischofskirchen auf. Ihr Ziel war ein anderes, das sich zunächst weniger aus dem Wunsch nach aktiver Missionsarbeit ergab, als vielmehr aus der Vorstellung heraus, die bislang betriebene körperliche Askese dadurch zu vervollkommnen, dass man sich weitere Entbehrungen auferlegte. Die irischen Mönche griffen den Auftrag Christi an die Apostel auf, in der Fremde die Botschaft des Christentums zu verbreiten, und fügten dies der asketischen Idee der frühen Wüstenväter hinzu. Mönche im ursprünglichen Sinne des Wortes wollten sie sein, einsam und allein. In Irland galt es als hohe und ehrenrührige Strafe, den Sippenverband verlassen zu müssen, und dies wollten sie freiwillig wie eine Buße auf sich nehmen. Ohne durch familiäre Bindungen geschützt zu sein, der vertrauten Umgebung entrissen und ohne die Möglichkeit, in der eigenen Sprache zu kommunizieren – in der historischen Forschung hat man dieses monastische Leben in der Fremde mit dem Begriff der „asketischen Heimatlosigkeit" umschrieben.

Einer der Ersten, der auszog, das heimatlose Mönchsein zu leben, war Columban der Jüngere (ca. 543–615). Wie so viele, die durch eine bedingungslose Aufgabe ihrer wirtschaftlichen und gesellschaftlichen Privilegien schon in den Blick ihrer Zeitgenossen gerieten, entstammte auch Columban einer vornehmen und begüterten Familie in der irischen Grafschaft Leinster. Etwa um das Jahr 590 machte er sich mit zwölf Gefährten auf den Weg und fuhr über das Meer in das zu erheblichen Teilen noch heidnische Reich der Franken. Columban lebte nach einer selbst gesetzten Verpflichtung. *Alienus tibi totus mundus est*: *„Die ganze Welt ist dir fremd ... Wir haben keine Heimat auf Erden, denn unser Vater ist im Himmel, darum müssen wir schnell durch die Welt hindurcheilen und, von oben gelenkt, das Gegenwärtige gering schätzen, in Gedanken immer bei den himmlischen Dingen sein und das Irdische verachten"* (zit. nach: Angenendt, Religiosität, S. 52). Columban und seine Brüder zogen durch die gesamte Nordhälfte des heutigen Frankreichs und ließen sich schließlich 591 in den westlichen Vogesen bei den Ruinen einer alten Römerfestung nieder. Obwohl diese Gegend rund um ihr Kloster Anagrates (Annegray) wahrhaftig nicht dicht besiedelt war, fand die Gemeinschaft schnell auch in der fränkischen Bevölkerung Anhänger und vor allem neue Mitglieder, so dass Anagrates bald schon zu klein wurde, um alle diejenigen zu beherbergen, die festen Willens waren, der mönchischen Lebensweise zu folgen. In den südlichen Vogesen errichtete Columban mit seinen Anhängern bereits ca. 592/93 ein weiteres Kloster bei den Ruinen des alten römischen Luxovium. Luxeuil wurde im Frankenreich zum Mutterkloster mehrerer Dutzend weiterer Gemeinschaften irischer Prägung.

Die Mönchs- und Klosterregel des hl. Columban war streng. Sie liest sich so, als hätte Columban an sich und seine Gefolgschaft deutlich rigidere Forderungen gestellt als Benedikt von Nursia, der vor allem eine Lebensordnung anstrebte, die auf allen Ebenen gemeinschaftlichen Zusammenlebens nach praktikablen Lösungen suchte (vgl. nächstes Kap.). Grundlagen für die irischen Klöster waren einerseits die gemeinschaftlichen Gottesdienste und das regelmäßige Chorgebet und andererseits die eher individuellen Aktivitäten in Studium und Arbeit. Die Klöster sollten wirtschaftlich unabhängig sein; keiner sollte über persönliches Eigentum verfügen, die Mönche verpflichteten sich zur Enthaltsamkeit, zur Einhaltung von bestimmten Fastentagen und -zeiten sowie zur Beachtung eines eingeschränkten Schweigegebots. Ihre Kleidung sollte einfach sein und nur aus einem Untergewand, *tunica*, einem Mantel, *cuculla*, und Sandalen für die Arbeit im Freien und für Reisen bestehen. Vor allem aber verlangte die Columban-Regel den unbedingten Gehorsam gegenüber älteren Mönchen und natürlich gegenüber dem Abt. In vollkommener Demut als Zeichen ihrer Liebe zu Gott sollten sie sich allen Befehlen und Anordnungen unterwerfen, auch dann, wenn sie deren Sinn oder Nützlichkeit bezweifeln mochten. Wer gegen die Bestimmungen der Regel verstieß, musste mit drastischen Strafen – harten Fastenauflagen oder gar Schlägen – rechnen:

Vom Gehorsam
Beim ersten Wort, das ein Älterer spricht, müssen alle, die ihn hören, sich erheben; der Gehorsam, der so bewiesen wird, gilt Gott, denn unser Herr Jesus Christus sagt: „Wer euch hört, hört mich." Wenn also jemand nicht beim ersten Wort, das er hört, aufsteht, dann muß er als ungehorsam gelten. Wer aber gar dawider redet, der macht sich des Vergehens der Auflehnung schuldig; nicht nur sündigt er selbst durch Ungehorsam, er zeigt auch anderen den Weg zum Widerspruch und ist darum als Gefahr für viele zu betrachten. Wenn aber einer murrt, so hat auch er als ungehorsam zu gelten, denn er gehorcht nicht willig. Darum soll seine Arbeit so lange verworfen werden, bis er guten Willen gezeigt hat. Wo aber findet der Gehorsam seine Grenze? Zweifellos ist uns Gehorsam bis zum Tod geboten, denn Christus war unsertwegen dem Vater gehorsam bis zum Tode ... Nichts darf darum verweigert werden von denen, die im Gehorsam wahre Jünger Christi sind, wie hart und schwer es auch sei; im Gegenteil, man muss es mit Eifer, ja mit Freude auf sich nehmen, denn wenn der Gehorsam nicht von solcher Art ist, dann ist er Gott nicht angenehm (zit. nach: Bieler, Irland, S. 38f.).

Wenn die Mönche, die dem Ideal asketischer Heimatlosigkeit folgten, auf Reisen gingen, sollten sie stets eine geweihte Hostie in einer Kapsel mit sich führen, quasi als Zeichen ihrer geistigen Heimat.

Die irischen Mönche im Frankenreich genossen zunächst den Schutz des Königs Childebert II. und später seines Sohnes Theuderich II., obwohl sie außerhalb der sonstigen kirchlichen Organisationsformen standen. Sie feierten das Osterfest gemäß irischer Tradition an einem anderen Tag als die Kirchen, die sich an Rom orientierten, sie verweigerten eine Kontrolle durch und erst recht eine Unterordnung unter den für die jeweilige Diözese zuständigen Bischof und sie betrieben, zum Ärger der übrigen Kleriker und ohne bischöfliche Genehmigung, die Seelsorge für die Menschen ihrer Umgebung. In Schwierigkeiten geriet Columban mitsamt seinen Anhängern, als er für den gewährten königlichen Schutz nicht die eingeforderte Gegenleistung erbrachte. Als nämlich Theuderich II. verlangte, Columban möge seine unehelichen Söhne segnen und sie dadurch für die Thronfolge qualifizieren, lehnte Columban dies strikt ab. Damit hatte er quasi gegen die frühmittelalterliche politische Beziehungsregel von Geschenk und Gegengeschenk verstoßen. Der König entzog ihm seinen Schutz, und die ehemalige Königin Brunhild und Großmutter der von Columban abgelehnten Enkelsöhne erwirkte daraufhin, dass Columban das Land mitsamt seinen engsten Anhängern verlassen musste. Heute noch zeigt man in den südlichen Vogesen in der Nähe des Ferienortes Gerardmer einen Felsen, der sich einen Spaltbreit geöffnet haben soll, als Columban mit seinen Gefährten auf der Flucht vor den königlichen Häschern dort hindurchschlüpfte.

Der unnachgiebige Verfechter von Keuschheit und Gehorsam zog ostwärts bis in die Gegend des Bodensees, wo er, allerdings ohne Erfolg, seine missionarischen Bemühungen fortsetzte. Theuderich ließ ihn auch dorthin verfolgen, so dass sich Columban erneut gezwungen sah, zu fliehen. Dieses Mal zog er über die Alpen bis ins norditalienische Bobbio, wo er ein Kloster gründete, dessen Skriptorium sich in den folgenden Jahrhunderten zu einer zentralen Schreibschule dieser Region mit einer Ausstrahlung weit darüber hinaus entwickelte. Am Ende seines Aufenthaltes am Bodensee hatte er sich mit einem seiner engeren Anhänger, Gallus, überworfen und ihm als sein vorgesetzter Abt jegliche weitere Predigttätigkeit verboten. Gallus blieb am Bodensee zurück und lebte dort als einflussreicher Einsiedler, dessen Gespräch und Rat von vielen führenden Männern der Umgebung gesucht wurde. Erst nach seinem Tod gründete man um 720 ein Kloster, unter dessen Hauptaltar man die Gebeine des als heilig verehrten Gallus bestattete, wie es auf dem berühmten St. Galler Klosterplan zu lesen ist. Das Skriptorium dieses Klosters irischer Prägung gehörte im frühen und hohen Mittelalter zu den bedeutendsten des Voralpenraumes.

Columban der Jüngere blieb nicht der einzige irische Mönch, der sich zur *peregrinatio*, zur Pilgerfahrt in die Fremde, entschloss. Ihm folgten zahlreiche weitere Iren, die in den Gebieten des Fränkischen Reiches ihre Klöster errichteten und von diesen Zentren aus die Christianisierung Mitteleuropas vorantrieben. Es seien nur einige wenige Namen angeführt: Deicobus gründete das Kloster Lüders (Lure) in den Vogesen, Fiacrius errichtete ein Pilgerhospiz unweit von Meaux, Fridolin werden die Gründungen der Klöster Elbs an der Mosel und Säckingen auf einer Rheininsel zugeschrieben. Die drei Brüder Fursa, Foillan und Ultan wirkten in der Mitte des 7. Jahrhunderts und gründeten vermutlich das Kloster Cnoberesburg in Sachsen, Lagny im mittleren Frankenreich und das Kloster Fosses bei Nivelles. Letzteres erlangte die Unterstützung aus höchsten Kreisen, da die Witwe Pippins I., Itta, als Äbtissin von Nivelles mit ihrem Nonnenkonvent das nahe gelegene Fosses protegierte. Ultan, der dritte der Brüder, wurde zunächst Abt von Péronne, das zur Grablege Fursas wurde, und später auch Abt des Klosters Fosses.

In Thüringen und in Ostfranken, insbesondere rund um Würzburg, war Kilian mit päpstlicher Predigterlaubnis missionarisch tätig. Ein Blatt in einer seiner Lebensbeschreibungen aus dem letzten Viertel des 10. Jahrhunderts beschreibt in der direkten Kombination von Bild und Text, dass Kilian Herzog Gozbert davon überzeugte, Christ zu werden, und dass das gesamte ihm unterstellte Volk seinem Herrscher in dem neuen Glauben folgte. Kilian wirkte so lange mit herrschaftlicher Billigung, bis er sich durch seine vehement geäußerte Ansicht zur kirchenrechtlich unhaltbaren Ehe des fränkischen Herzogs – seine Ehefrau war zuvor seine Schwägerin gewesen – dessen Unmut zuzog und dafür mit dem Leben bezahlte.

Äbtissin Uta von Niedermünster
Adelige Frauen vertraten als Äbtissinnen ihre Familien in der Welt der Kirche ebenso wie ihre männlichen Kollegen.

Der angelsächsische „Apostel der Deutschen" – Bonifatius

Im 7. und 8. Jahrhundert hatte sich die Idee der asketischen Heimatlosigkeit auch in angelsächsischen Klöstern verbreitet. Einer der bekanntesten und wirkmächtigsten der angelsächsischen Mönche war Bonifatius. Nach einigen Anfangsschwierigkeiten entwickelte er eine nachhaltige Wirkung im Spannungsfeld zwischen kirchlichen Institutionen und weltlicher Herrschaft, zwischen päpstlichem Auftrag und fürstlichen Forderungen. Er war im Laufe seines Lebens Mönch und Gelehrter, Missionar und Reisender, Bischof und Abt, päpstlicher Legat und Reformer der fränkischen Kirche – viele dieser Aufgaben erfüllte er gleichzeitig. Gestorben ist er als Märtyrer.

Um 672/75 wurde Bonifatius unter dem Namen Wynfreth oder Winfrid in Südengland nahe Exeter geboren. Er wurde bereits als Kind in klösterliche Obhut gegeben. Dort erhielt er eine fundierte Ausbildung, die ihn auf eine klerikale Karriere in einer weltgeistlichen oder monastischen Institution vorbereiten sollte. Letztlich entschied er sich jedoch für einen etwas anderen Weg, wenn er auch den Kontakt zu seinen monastischen Wurzeln stets aufrechterhielt. Er war etwa 40 Jahre alt, als er sich zur *peregrinatio* auf dem Kontinent entschloss. Im Jahr 716 brach er zu seiner ersten Missionsreise nach Friesland auf, die jedoch ein Misserfolg wurde. Die friesischen Stämme hatten sich gerade erfolgreich den fränkischen Eroberern, die dem christlichen Glauben anhingen, entgegengestellt – und entsprechend ablehnend reagierten sie zu diesem Zeitpunkt auf die Überzeugungsbemühungen eines Vertreters der Religion ihrer Feinde. Bonifatius kehrte zunächst nach England zurück, machte sich aber bereits 718/19 wieder auf den Weg. Dieses Mal reiste er nach Rom und erhielt dort von Seiten des Papstes einen Missionsauftrag für Thüringen. Er ging jedoch nicht direkt dorthin, sondern bemühte sich erst noch einmal gemeinsam mit dem Angelsachsen Willibrod um eine nur mäßig erfolgreiche Missionierung der Friesen. 721 trennte er sich von Willibrod und begann seine Mission in Thüringen. Ein Jahr später unternahm er eine zweite Romreise und ließ sich zum Bischof weihen. Mit dieser Vollmacht und darüber hinaus mit einem Schutzbrief Karl Martells ausgestattet, konnte er die kirchliche Organisation in Thüringen aufbauen – er weihte neu errichtete Kirchen, setzte Kleriker in ihre Ämter ein, gründete Klöster. Als symbolischer Abschluss seiner erfolgreichen Missionsarbeit gilt das Fällen der Donarseiche bei Geismar im Jahr 723. Nicht nur Bonifatius, sondern viele Missionare ebenso wie andere weltliche Eroberer handelten so. Sie versuchten, durch einen publikumswirksamen Schlag gegen den alten Glauben oder gegen die alte Ordnung die Macht und die Stärke des eigenen Gottes und der eigenen Herrschaft zu beweisen und die geforderte Anerkennung zu erzwingen. Donar hatte dem christlichen Gott des Bonifatius nichts entgegenzusetzen. Er wehrte und beschwerte sich nicht, als der Christ seine Eiche fällte; den Verkünder des neuen Glaubens ereilte keine Strafe der alten Götter.

Bonifatius baute sein Einflussgebiet aus. Gut zehn Jahre nach seiner Ernennung zum Bischof reiste er im Jahr 732 das dritte Mal nach Rom, wo ihm der Papst die Würde und die Befugnisse eines Erzbischofs verlieh. Nun konnte der nimmermüde Angelsachse über die Gründung von Bischofssitzen ein weites Gebiet strukturieren und eine kirchliche Organisation aufbauen, die weit über Thüringen hinausgriff. 738/39 bescherte ihm seine letzte Romreise dazu die päpstliche Ernennung zum Legaten Germaniens. Er begann mit der Umstrukturierung der Kirchen nördlich der Alpen in Bayern und umschrieb die Grenzen der Bistümer Salzburg, Passau, Freising und Regensburg. Die Klöster Amöneburg, Fritzlar, Fulda, Tauberbischofsheim, Erfurt, Würzburg und Eichstätt verdanken seiner Gründungsinitiative ihre Existenz.

Als Reformer der fränkischen Kirche erreichte Bonifatius in dieser Zeit den Höhepunkt seines Wirkens und seines politischen Einflusses. Gleichzeitig vollzog sich aber auch eine Veränderung seiner Beziehungen zu den herrschenden Fürsten. Als Karl Martell 741 starb, teilten sich zunächst seine beiden Söhne Karlmann

Deckplatte des Liber aureus der Abtei Prüm
König und Kaiser stehen Christus bei der Ausübung seiner Herrschaft zur Seite. König Pippin, sein Sohn, der Kaiser Karl der Große und dessen Nachfolger erfahren die Wertschätzung des thronenden Gottessohnes, der Anfang und Ende – Alpha et Omega – aller Dinge ist und ihre Gaben, Kirchen- und Klosterstiftungen, segnend annimmt.

und Pippin die Herrschaft. In den ersten Jahren ihrer Herrschaft arbeiteten die Fürsten und der Erzbischof zunächst Hand in Hand. Die Kirchenversammlung von 742/43, das *Concilium germanicum*, stellte einen Katalog von Reformforderungen auf. Dem Wunsch nach einem veränderten Lebenswandel der Kleriker und ihrer Kontrolle durch die Bischöfe konnten Karlmann und Pippin ohne Einschränkungen zustimmen. Die kirchliche Forderung nach der Rückgabe von kirchlichen Ländereien, die von fürstlicher Seite anderweitig vergeben worden waren, entsprach jedoch nicht mehr den politischen Vorstellungen der Herrscher. Als Karlmann 747 abdankte, verlor Bonifatius seinen einflussreichsten Fürsprecher. Pippin sah sich nicht nur als politischer, sondern auch als geistlicher Führer seiner Franken. Nach seiner Vorstellung gehörte die Einberufung von Kirchenversammlungen ebenso wie die Einsetzung von Bischöfen zu den herrschaftlichen Aufgaben und damit in königliche Hand. Er griff aktiv in die Gestaltung der Kirchenorganisation und die Besetzung von kirchlichen Ämtern ein und nahm darüber hinaus direkten Kontakt mit dem Papst auf, um sein Vorgehen von höchster kirchlicher Stelle legitimieren zu lassen. Damit war Bonifatius für weitere Reformen der Boden entzogen. Er zog sich in das 744 von ihm gegründete Kloster Fulda zurück, für das er als erste Insassen angelsächsische Mönche angeworben hatte und dem er als Abt vorstand. Fulda wurde ein bedeutendes Zentrum für die weitere Mission. Nicht nur, aber auch zur Ausbildung von Missionaren und Priestern baute man dort ein reges Skriptorium auf, dessen Anliegen die Erstellung einheitlicher liturgischer Texte war. In Fulda „vergegenständlichten und visualisierten sich in der Kirche und den anliegenden Gebäuden für die erst oberflächlich christianisierte Umgebung die Vorteile, die der christliche Glaube der Elite seiner Anhänger, den Mönchen, brachte: Es waren dies v. a. körperliche und materielle Sicherheit in einer wohlorganisierten Gemeinschaft und die Teilhabe an einem heilbringenden Mysterium" (Gleba, Klöster und Orden, S. 22).

Als Vorsteher einer monastischen Gemeinschaft wäre Bonifatius eigentlich an diesen Ort gebunden gewesen. Aber es zog ihn erneut zur Mission. Fast vierzig Jahre nach seinem ersten gescheiterten Missionsbestreben in Friesland brach er ein weiteres Mal in den Nordwesten auf. Doch auch bei diesem Versuch sollte er keinen Erfolg haben. Im Jahr 754 wurde er zusammen mit seinen Begleitern im Alter von fast 80 Jahren in der Nähe von Dokkum von Räubern erschlagen und erlangte so die „Krone des Martyriums", wie die Viten den Tod derjenigen nennen, die trotz aller Bedrohungen an ihrem Glauben festhielten oder im Auftrag der Glaubensverkündung ihr Leben verloren.

Der Ausbau des klösterlichen Netzwerkes

So wie Bonifatius für sein Männerkloster Fulda angelsächsische Mönche ins östliche Frankenreich holte, bemühte er sich auch um die Vermehrung von Frauenklöstern, für die er ebenfalls Nonnen aus seiner eigenen Heimat rekrutierte, mit denen er Sprache und Denkweise gemeinsam hatte. Drei Frauen ragen in diesem Unternehmen besonders heraus: Lioba, Thekla und Walburga. Sie alle entstammten vornehmen angelsächsischen Familien und hatten ihre geistige und geistliche Erziehung im südenglischen Doppelkloster Wimborne genossen, das, wie alle Doppelklöster zu dieser wie in späterer Zeit des Mittelalters, unter weiblicher Führung stand. Lioba, die in Wimborne die Novizinnen betreut hatte, war darüber hinaus eine Verwandte des Bonifatius, so dass in diesem Fall nicht nur eine geistige, sondern vor allem auch eine familiäre Verwandtschaft den Kontakt gewährleistete.

Ein wenig erinnert diese Konstellation an Benedikt von Nursia und seine Schwester Scholastica. Zum einen fungiert der Bruder als geistiges Vorbild und Organisator auch der schwesterlichen Bemühungen, zum anderen treten sie als männlich-weibliche Einheit für ein gemeinsames Ideal ein. Immer wieder drängt sich das Bild vom Lehrer und Schüler

Die Ermordung des hl. Bonifatius, Messbuch des 10. Jahrhunderts
Die Entscheidung, aktive Mission zu betreiben, bedeutete auch immer – bis weit in die Neuzeit hinein –, ein hohes Risiko für Leib und Leben auf sich zu nehmen. Denn der Missionar wurde von den Nicht-Christen nicht als Heilsbringer gesehen, sondern zunächst als Missachter ihres eigenen religiösen Denkens, manchmal auch als unwillkommener Helfer einer feindlichen, eben christlichen politischen Herrschaft.

oder Schülerin auf, wie es auf mehreren Ebenen das klösterliche Leben insgesamt bestimmt, zum Beispiel in den Beziehungen zwischen Abt und Mönch oder älterem und jüngerem Klosterinsassen. Auch in späteren Jahrhunderten wird sich diese Konstellation vielfach wiederholen, sowohl bei verwandtschaftlich als auch bei geistig miteinander verbundenen Paaren. Als Beispiel seien nur das ‚Skandalpaar' des 12. Jahrhunderts, der Mönch und Gelehrte Abaelard und seine Schülerin Heloise, genannt oder aus dem 13. Jahrhundert als weiteres berühmtes Paar Franziskus und Clara von Assisi.

Im Jahr 735, also noch bevor Bonifatius sich mit Fulda um den Aufbau eines eigenen Klosters bemühte, war er mit Lioba in Verbindung getreten und hatte um ihre Hilfe bei der Errichtung von Frauenklöstern im mainfränkischen Raum gebeten. Lioba folgte der Bitte Bonifatius gemeinsam mit einer weiteren Verwandten, Thekla, und Walburga, der Schwester der beiden ebenfalls als Missionare im fränkischen Raum aktiven Brüder Willibald und Wunibald. Lioba und Thekla gründeten zusammen mit Bonifatius das Kloster Tauberbischofsheim, Lioba übernahm die Leitung als Äbtissin. Thekla war ihre Stellvertreterin, bis Bonifatius ihr die Leitung des Klosters Ochsenfurt, später dann auch die Führung des Klosters Kitzingen übertrug. Insgesamt wirkte sie mehr als ein halbes Jahrhundert lang in diesen drei Klöstern; sie starb um 790 und wird im Heiligenkalender sowohl einzeln am 15. Oktober als auch an zwei anderen Tagen gemeinsam mit Lioba verehrt. Lioba blieb Äbtissin von Tauberbischofsheim. Anerkennung fand sie auch bei der weltlichen fränkischen Herrschaft, wie es eine Schenkung Karls des Großen ausweist, der ihr eine Kirche mit einem Hofgut in Schornsheim bei Mainz überließ, wo sie, wie Thekla hochbetagt, 782 starb.

Die dritte der von Bonifatius aus England zur Unterstützung beim Aufbau monastischer Gemeinschaften gerufenen Nonnen, Walburga, lebte vermutlich ebenfalls zunächst in Tauberbischofsheim und übernahm ab 761 die Leitung des Doppelklosters Heidenheim bei Eichstätt, also im Wirkungsgebiet ihrer beiden Brüder. Walburga starb um 790. Damit ihr exemplarisches Leben auch der Nachwelt überliefert werde, beauftragte der Eichstätter Bischof Gerhoh den Priester Wolfhard von Herrieden mit dem Verfassen ihrer Vita.

Die Viten aller drei angeführten Frauen gehen nur am Rande, quasi beiläufig auf ihren

Lebenslauf ein. Das eigentliche Ziel dieser Texte ist die Darstellung ihrer Lebensweise als nachahmenswertes Beispiel. Gemeinsam ist ihnen die adelige Herkunft und die klösterliche Erziehung. Die Schreiber der Viten bemühen sich in ihren Darstellungen, Äußeres und Inneres in Übereinstimmung zu bringen. Entsprechend sind ihre Protagonistinnen durch Schönheit und Klugheit begabt, die nach außen spiegeln, was ihr Inneres auszeichnet: ein froher Sinn, Sanftmut und Selbstbeherrschung. Hinzu treten ihre praktischen Veranlagungen, die ihnen als Klostergründerinnen und -leiterinnen zugute kommen, und die ihnen selbstverständliche Ausübung der frommen Werke der Barmherzigkeit.

Briefliche Kontaktpflege – Mitteilungen, Bitten, Ermahnungen

Bonifatius hatte sich in seiner Kindheit und in den zwei Jahrzehnten, in denen er in einem angelsächsischen Kloster gelebt hatte, die Schriftlichkeit als wichtiges Medium der Reflexion wie der Kommunikation zu Eigen gemacht, das, im Vergleich zur Mündlichkeit, von größerer Dauerhaftigkeit war. Diese Möglichkeit der Kontaktpflege wie der Kontaktaufnahme ergriff er mit großer Intensität, als er mit Beginn seiner Missionsreisen England verließ und über hunderte und tausende von Kilometern durch Europa zog. Man schätzt, dass Bonifatius ungefähr 150 Briefe geschrieben haben wird, von denen 88 in einer Briefsammlung erhalten sind, die der Bischof Lul und der Missionar Willibald im 8. Jahrhundert als Briefsammlung zusammengestellt und der Nachwelt in bewusster Erinnerung an Bonifatius überliefert haben. Eine besondere Briefform hat man nicht erkennen können. In der Regel werden Sender und Empfänger genannt, dem sich ein Begrüßungswort anschließt; es folgt die eigentliche Mitteilung und am Ende ein Gruß zum Schluss. Was zum großen Bedauern der Historiker fehlt, sind genaue Datierungen, so dass eine chronologische Einordnung der Briefe nur manchmal aus ihrem Inhalt erschlossen werden kann. Bonifatius verkehrte brieflich mit Päpsten und Fürsten sowie mit seinen eigenen Klöstern und monastischen Gemeinschaften in England. Insgesamt sind etwas mehr als 150 Personen in seinen Briefen erwähnt. Er nutzte die schriftliche Form, um Bitten zu formulieren, Ermahnungen auszusprechen, Ratschläge einzuholen und Anfragen zu stellen. Manchmal war er selbst derjenige, der den ersten brieflichen Kontakt herstellte, manchmal reagierte er auf empfangene Briefe. So tauschte er auf diesem Wege etwa mit südenglischen Frauenklöstern auf deren Bitten hin Bücher und Schriften geistlichen Inhalts aus – aus den Briefen wurden auf diese Weise kleinere oder größere Paketsendungen. An den fränkischen Herrscher richtete er Bitten um Privilegien für seine klösterlichen Gründungen. In Fragen fehlender kirchenrechtlicher Regelungen erbat er sich vom Papst zu manchen Einzelfragen in seinen Missionsgebieten klärende Weisungen – und damit auch Absicherungen für sein eigenes Handeln. Seine mehrfachen Reisen nach Italien zeugen davon, dass er dem römischen Bischofsstuhl immer eng verbunden blieb.

Im Zeitalter der Computerisierung, der extrem schnellen Nachrichten- und Datenübermittlung, der weltweit über Kabel, Satelliten oder „das Netz" hergestellten Verbindungen, erscheint das erfolgreiche Hin und Her von Briefen im 8. Jahrhundert geradezu „mittelalterlich". Gleichzeitig ruft es tiefes Erstaunen hervor, ja nötigt geradezu Bewunderung ab, dass Nachrichtenübermittlung auf diese Weise überhaupt möglich war: Ein Schreiben, in Südengland dem wandernden oder reitenden Boten überantwortet, erreichte irgendwann tatsächlich seinen Empfänger, der gerade irgendwo in Mitteleuropa oder Italien unterwegs war. Und nicht nur das. Der Empfänger las den Brief, schrieb seinerseits eine Replik und irgendwann erhielt der Adressat aus Südengland auf seine Zeilen tatsächlich eine Antwort. Mit anderen Worten, in den heute nur noch schwer zu rekonstruierenden alltäglichen Verhältnissen des frühen Mittelalters gab es ein funktionierendes Kommunikationssystem: zum einen gängige Reiserouten mit Anlaufstationen, in denen Briefe gesammelt, aufbewahrt oder weitergereicht wurden, zum anderen Boten, die auf diesen Routen regelmäßig verkehrten und darüber hinaus ein über die Schriftlichkeit weit hinausreichendes mündliches Netz, das Boten und natürlich auch andere Reisende über Aufenthaltsorte von Personen, Straßenzustände, schadhafte Brücken, verschneite Pässe, unsichere Wälder etc. informierte.

Bonifatius als Europäer

Bonifatius hat weniger als Individuum, sondern vielmehr durch seine Bedeutung auf den verschiedenen Ebenen der kirchenpolitischen Entwicklungen und geistlichen Institutionen die Aufmerksamkeit der Historiker auf sich gezogen. Zum Ersten ist er der Erste der irischen und angelsächsischen Mönche auf dem Kontinent, der nicht nur als Missionar erfolgreich tätig war, sondern weit über ein begrenztes Gebiet hinaus und in Anlehnung an die überregionale Herrschaft als ‚Kirchenpolitiker' wirkte, indem er sich um eine Erfassung größerer Gebiete durch kirchliche Einrichtungen – Bischofssitze und Klöster – bemühte. Das Bedeutsame daran ist, dass er dabei nicht, wie es in den ehemaligen gallischen Provinzen möglich war, auf ältere römische urbane Verwaltungseinheiten zurückgreifen konnte, um sie quasi neu zu aktivieren, sondern dass er solche Zentren erst schaffen musste. Zum Zweiten beförderte er die Annäherung zwischen den fränkischen Herrschern und dem päpstlichen Stuhl in Rom ganz erheblich, da er zum einen für seine missionarischen Bemühungen einen herrschaftlichen Schutzbrief nutzen konnte, sich zum anderen aber auch in seiner Vorstellung von der hierarchischen Struktur der Kirche eng an den römischen Bischofssitz anlehnte. Als angelsächsischer Missionar auf dem Gebiet des Frankenreiches mit guten Kontakten zum reisenden Hof und gleichzeitig als Legat, der in päpstlichem Auftrag agierte, baute er eine Brücke, die von den Nachfolgern Karl Martells erfolgreich begangen werden konnte. Als Abt eines missionarischen Zentrums in Fulda schließlich knüpfte er personell und inhaltlich an seine heimatlichen Wurzeln an. Dass auch noch am Ende des 8. Jahrhunderts und ebenso im 9. Jahrhundert Angelsachsen als Gelehrte am fränkischen Hof ebenso wie als Missionare im Zuge der fränkischen Eroberungszüge nach Osten gern gesehen waren, mag nicht zuletzt an den guten Erfahrungen liegen, die man mit Bonifatius gemacht hatte, und an der ‚Erfolgsgeschichte', die er mit dem Aufbau seiner Klöster geschrieben hatte.

Eroberung und Mission

In den letzten drei Jahrzehnten des 8. Jahrhunderts vollendete sich die Ausdehnung des Frankenreiches unter Karl dem Großen, dessen politische und militärische Führungsposition in Europa durch die Kaiserkrönung am Weihnachtstag des Jahres 800 vor der ganzen christlichen Welt unterstrichen wurde. Ein neuer Kaiser war geboren als Führer der Christenheit, und der von seinen Klerikern am reisenden Hof ersonnene Titel des Herrschers komprimierte ein politisches Programm, das die über mehrere Ebenen abgestuften herrscherlichen Kompetenzen auswies: *Karolus serenissimus augustus a deo coronatus magnus pacificus imperator gubernans imperium qui et per misericordia dei rex Francorum et Langobardorum* (Karl, heiterer und erhabener, von Gott gekrönter, friedliebender Kaiser, der das (Römische) Reich regiert und durch die Barmherzigkeit Gottes König der Franken und Langobarden ist).

Gemäß diesem Titel war Karl durch göttliche Gnade zum Kaiser aufgestiegen – nicht durch Erbrecht, Wahl oder gar Usurpation. In dieser Gnade stehend hatte er von Gott die Krone seiner Herrschaft empfangen, die also unzweifelhaft und von Dauer war, ohne Abhängigkeiten, die den Kaiser an den Papst oder die weltlichen Fürsten binden würden. Doch nicht nur seine Position, auch seine Aufgabe war im Herrschaftstitel indirekt definiert. Er war ein friedliebender Kaiser, er war der Beschützer der Christenheit. Da, wo sich seine politische Karriere unter anderen Modalitäten entwickelte, wurde dies ebenfalls zum Ausdruck gebracht. Karl war König der Franken und der Langobarden und machte als König die Bestimmung der Nachfolge zu seiner eigenen (Erb-)Angelegenheit, doch im (ehemaligen) Römischen Reich war er ‚nur' derjenige, der es regierte und verwaltete. Als dieser Titel erdacht wurde, hatte Karl der Große nach fast dreißig Jahren immer wieder ausbrechender kriegerischer Auseinandersetzungen mit den sächsischen Stämmen militärisch die Oberhand gewonnen und sein Frankenreich vom Rhein bis an die Weser ausgedehnt. Es war einer der größten territorial zusammenhängenden Herrschaftskomplexe, die es in Europa nach dem Zerfall des Römischen Reiches gegeben hatte.

Militärisch wurde dieses Frankenreich unter karolingischer Herrschaft, wie sie über nunmehr rund eineinhalb Jahrhunderte entstanden war, durch befestigte Höfe und Burgen, die so genannten Pfalzen, gesichert, die man überall auf den Etappen und an gezielt ausgesuchten Orten in den eroberten Gebieten errichtete. Der Hellweg im heutigen südlichen Ruhrgebiet ist dafür ein gutes Beispiel. Von Duisburg bis Unna und dann weiter über Soest, Paderborn, Höxter bis Magdeburg wurden Königshöfe eingerichtet, etwa in Tagesabstand zueinander, die dem Herrscher mit seinem Tross auf dem Weg in das zu erobernde oder rückzuerobernde Gebiet Quartier und Ruhepausen, Verpflegung und Nachschub boten. Auch herrschaftsrechtlich waren die Karolinger eine unangefochtene Größe. Kein Zweifel bestand daran, dass einer seiner Söhne Karls Nachfolger und politischer Erbe werden würde.

Wie aber stand es mit der sozialen und kulturellen Integration der eroberten Gebiete? Hier griffen verschiedene Maßnahmen ineinander. Die Söhne sächsischer adeliger Familien beorderte man als Geiseln in die fränkische Hofhaltung, nicht um sie einzusperren, sondern um ihnen die Macht und Pracht fränkischen Herrschaftswesens vorzuführen. Sie hatten in dieser Gefangenschaft durchaus die Möglichkeit, sich am Hofe Anerkennung zu erwerben und eine gute Position zu verschaffen, wenn sie zum Beispiel gewillt waren, als Ratgeber in Fragen sächsischen Rechts und sächsischer Gepflogenheiten zu agieren. Weit schmerzhafter dürften die Zwangsumsiedlungen gewesen sein, die sächsische Dorf- oder Arbeitsgemeinschaften in eine ihnen fremde Umgebung verpflanzten und aus ihren gewohnten gesellschaftlichen Zusammenhängen herausrissen. Und sicherlich war auch der umgekehrte Weg, die Ansiedlungen fränkischer Landbevölkerung auf sächsischem Gebiet, ein mühevolles Unterfangen, denn sie konnte wohl kaum auf den Rat oder gar die Hilfe sächsischer Einheimischer hoffen. Herrschaftliche Präsenz zu demonstrieren war eine weitere Möglichkeit, die man wahrnahm, um das neu eroberte Gebiet auch innerlich nach und nach in das Frankenreich zu integrieren. Mehrere Hoftage in Paderborn erlaubten es Karl dem Großen, der schaulustigen Bevölkerung, die sicherlich seinen Weg säumte, den Ehrfurcht heischenden Tross seines Hofstaates vorzuführen. Gleichzeitig war mit der Wahl von Paderborn als Ort eines Hoftages auch klargestellt, dass man Sachsen eindeutig als dem Reich zugehörig und würdig für die Versammlung der Großen erachtete. Darüber hinaus war es ein Angebot an die sächsischen Fürsten, Fragen und Klagen vorbringen zu können, ohne erst die Beschwernisse einer langen Reise auf sich nehmen zu müssen. Der Herrscher kam, um seine Macht zu zeigen. So konnte die eine Interpretation lauten. Der Herrscher kam ihnen entgegen, um seine Verbundenheit mit Sachsen zu zeigen und dem neuen Land sein Ohr zu leihen. So mochte man es von anderer Seite her sehen.

Schließlich gab es noch eine weitere Möglichkeit, der militärischen Eroberung die Härte und der anschließenden politischen Neuorganisation die Schärfe zu nehmen. Im Jahr 785 ließ sich der sächsische Adelige Widukind taufen und alle seine Gefolgsleute akzeptierten die Taufe gemeinsam mit ihrem Führer. So war es schon unter Chlodwig um 500 gewesen, und so berichten es die Chronisten aus früheren und späteren Zeiten über die Akzeptanz des Christentums als herrschaftlichen Akt, der von den Gefolgsleuten nachvollzogen wurde.

Karl der Große schenkt Liudger das Kloster Lothusa
Stiftungen und Schenkungen waren ein Beleg für die eigene Frömmigkeit ebenso wie die Dokumentation des Anspruchs auf eine gehobene gesellschaftliche Position. Und wenn ein Kaiser ein Kloster stiftete ...

Die Übernahme des fremden Glaubensbekenntnisses war ein Akt der Unterwerfung ebenso wie der Anpassung. Das aus der frühen Neuzeit bekannte Diktum *cuius regio, eius religio*, also die Übernahme des katholischen oder protestantischen Glaubensbekenntnisses durch alle Untertanen, je nachdem, wie sich der Herrscher eines Territoriums entschieden hatte, galt in ähnlicher Form durchaus auch für das frühe Mittelalter.

Mission und Herrschaft

Um den neuen Glauben erfolgreich auf Dauer durchsetzen zu können, bedurfte es jedoch noch stärkerer Anstrengungen. Dazu gehörte zum einen die Gliederung des neuen Gebietes in pfarrkirchliche Bezirke, so dass die Unterweisung und Betreuung der dort lebenden Bevölkerung gemäß den Anforderungen des christlichen Glaubens gewährleistet war. Zum anderen bedurfte es bedeutsamer Zentren, die den neuen Glauben bewahren, fördern und ausbreiten halfen. Diese Zentren waren die Klöster, die im Laufe der nächsten Jahrzehnte quasi die geistige Eroberung der sächsischen

Länder leisteten. Wie man es schon von den irischen und angelsächsischen Mönchen her kannte, waren auch die ein Jahrhundert später agierenden Mönche bereit, sich aktiv in der Mission und beim Aufbau einer kirchlichen Verwaltung zu engagieren. Wenn man so will, hatte Karl der Große nicht nur Schild und Schwert, sondern auch die Urkunden für die Gründungen von Klöstern im Marschgepäck.

Einer, der in diesem Sinne Bonifatius nachfolgte, war der Friese Liudger (742–809). Er stammte aus einer der ersten christianisierten Adelsfamilien Frieslands. Liudger hatte zunächst in Utrecht und dann in York bei dem Gelehrten Alkuin, dem späteren Ratgeber Karls des Großen, eine fundierte geistliche Ausbildung erhalten. Schließlich strebte er seinen großen missionarischen Vorbildern auf dem Kontinent nach. Auch seine Bemühungen in Friesland waren nicht wirklich erfolgreich, im Gegensatz zu den Anstrengungen, die er östlich des Rheins unternahm. Im Jahre 799 gründete er am südlichen Ufer der großen Ruhrschleife das Kloster Werden. Umliegende Ländereien hatte er bereits angekauft, so dass seine Gründung nun mit einem wirtschaftlich sicheren Grundstock an Landbesitz arbeiten konnte. Die ersten Mönche, die in Werden den Wald rodeten, um ein Baugelände zu erschließen, und die zunächst eine einfache Kirche und Wohngebäude aus Holz errichteten, kamen aus Fulda und Echternach, also den Klostergründungen der Missionare Willibrod und Bonifatius, die bereits zu erfolgreichen monastischen Zentren geworden waren. Werden stand ihnen in den nächsten Jahrhunderten in nichts nach. Es wurde zu einem reichen und einflussreichen Kloster. In den ersten Jahrzehnten kann es durchaus als eine Art Familienkloster angesehen werden, da Liudger es zu seiner Grablege bestimmte und die ersten Nachfolger in seinem Amt als Abt z.T. aus seiner eigenen Familie stammten. Das galt übrigens auch für seine Nachfolger auf dem Bischofsstuhl von Münster, den Liudger seit 805 innehatte. Erst 877 erhielt das Kloster Werden das Recht auf freie Abtswahl.

Die Klöster vergrößerten ihre Besitzungen durch Käufe ebenso wie durch Stiftungen oder Schenkungen kleinerer und größerer Art. Von besonderer Bedeutung waren die fürstlichen Besitzübertragungen, denn sie knüpften ein enges Band zwischen den Herrschenden und ihrem geistlichen Umfeld. Die Miniatur aus der Liudger-Vita des 11. Jahrhunderts zeigt eine für das hohe Mittelalter typische Figurenkonstellation. Der Herrscher Karl der Große, gekrönt und in einen weiten Umhang mit Schulterschließe gehüllt, sitzt erhöht auf einem Thronstuhl, dessen Füße wie Löwenpranken und dessen Armknäufe wie Raubkatzenköpfe geschnitzt sind. Zu seiner Linken wohnt eine Gruppe weltlicher Gefolgsleute, die Schilde und Speere halten, als Zeugen in diesem öffentlichen Rechtsakt dem Geschehen bei. Zu seiner Rechten übergibt Karl der Große dem zu ihm aufblickenden Mönch, der von weiteren Geistlichen begleitet wird, ein Schriftband. Der Text über der Darstellung fasst diesen Akt in die Worte: *Dedit ergo ei monasterium ...* – er gab ihm also das Kloster. Die Bestimmungen, welche Güter der neue Klosterbesitz umfasst, wurde dann in einem urkundlichen Rechtsdokument niedergelegt (vgl. Kap. VI). In der bildlichen Darstellung heißt es in lakonischer Zusammenfassung auf dem Schriftband: *Sit tua Lothusa* – Lothusa sei dein.

Mission und Eroberung der Seelen

Was aber nun machte ein christliches Kloster so attraktiv für seine Umgebung? Das Gebetsleben blieb den Außenstehenden zum größten Teil verborgen. Die Zeiten der Kontemplation und der individuellen Andacht gehörten ohnehin ganz allein den einzelnen Mönchen und Nonnen. Auch die meisten der gemeinschaftlich vollbrachten Stundengebete fanden im engen Kreis des Konventes statt. Doch an vielen der großen liturgischen Feierlichkeiten öffnete sich der klösterliche Kirchenraum für Gäste, eigens angereiste Pilger und neugierige Schaulustige. Zu den Herrenfesten wie Ostern, Pfingsten und Weihnachten oder zum Gedenktag des Heiligen, in dessen Schutz sich ein Kloster gestellt hatte, erreichten die klösterlichen

Madonna mit Äbtissin Uta als Stifterin von Niedermünster
.... so wollten die adeligen Familien, die ihren Rang im sozialen Gefüge zu behaupten trachteten, nicht nachstehen.

Gebete ein breites – und vielleicht auch ein für die Abwechselung vom Arbeitsalltag dankbares – Publikum. Die Messen und Prozessionen dürften Schauspiele gewesen sein, die für Christen wie Nicht-Christen Anregungen und Unterhaltung boten. Alle Sinne waren zur Teilnahme aufgerufen. Lampen, Lichter und Kerzen brachten buchstäblich die Erleuchtung, die Gesänge, in täglicher Übung gereift, verbreiteten Wohlklang und Harmonie, Weihrauch und Wachs kündeten von himmlischem Wohlgeruch, Mönche oder Nonnen ordneten sich in störungsfreiem Rhythmus. Die liturgischen Abläufe, nur dem Eingeweihten in allen ihren Nuancen interpretierbar, entwickelten sich vor den staunenden Zuschauern in einer fremden unverständlichen Sprache zu einem heilbringenden Mysterium, an dessen Höhepunkt die Wandlung von Brot und Wein in Leib und Blut des christlichen Gottes stand. Goldene Kelche und Patenen, edelsteinblitzende Monstranzen, elfenbeinerne Hostienbehälter, in feinster Schmiedearbeit durchbrochene Weihrauchgefäße, schimmernde Aquamanile (kleines Gießgefäß), schwere glänzende Stoffe der priesterlichen Gewänder – all das hob sich drastisch und wunderbar von den im normalen Alltag benutzten Gegenständen aus Holz oder Ton und der einfachen, schmucklosen Kleidung aus Leinen- oder Wollstoffen ab. Neu Bekehrte erhielten bei der festlichen Aufnahme in die Gemeinschaft ein Taufhemd aus feinem weißen Leinen, das allein schon den Übertritt zum Christentum so wertvoll machte, dass man sich vielleicht auch gern zweimal taufen ließ. Licht, das zur Erleuchtung führte, war und blieb ein besonders wichtiger Teil der liturgischen Feierlichkeiten. Die Abgabe des kostbaren Kerzenwachses wurde in späterer Zeit sogar zum Ausweis für ehemals freie Bauern, die sich als „Wachszinsige" in den Schutz eines Klosters oder einer Kirche begeben hatten.

Neben die liturgischen Feierlichkeiten traten aber auch weitere attraktive Anregungen und Angebote, die von den Klöstern in den neu eroberten und frisch missionierten Gebieten ausgingen. Als autonome Wirtschaftseinheiten organisierten und kontrollierten sie planvoll ihre agrarischen Aktivitäten. Als Institutionen der Gelehrsamkeit verfügten sie nicht nur über theoretisches, sondern auch über allerlei praktisches Wissen, zum Beispiel in der Anwendung von Heilkräutern, der Herstellung und Wirkung von Düngemitteln, der Verwendung von Metallen. Und im Zweifelsfall boten die Mauern eines Klosters den Menschen seiner Umgebung sogar Schutz bei einem feindlichen Angriff.

Zu den besonderen Feierlichkeiten zählten die Hebung und die Translation heiliger Gebeine, denn dort offenbarte sich Heiligkeit in all ihrer Wunderkraft. Der bereits erwähnte Missionar, spätere Abt und Bischof Liudger fand und hob während seiner Reisen in Deventer die Gebeine des ebenfalls angelsächsischen Missionars Lebuin und errichtete für ihn eine neue Grabstätte. Das Ereignis ist in einer der Viten Liudgers als Miniatur zu einer wichtigen öffentlichen Begebenheit gestaltet worden. Die Szene ist eingebettet in einen architektonischen Rahmen – zwei Türme mit hohen Arkaden, die sich auf einen grünen Hintergrund öffnen. Das eigentliche Geschehen aber, zu dem Zuschauer herbeigeströmt sind, die z. T. noch halb aus den Arkaden hervorschauen, entfaltet sich auf einem glänzenden Goldgrund, der Farbe der Heiligkeit. Liudger in der Mitte, durch seine stehende Position, seine Größe und den leuchtend roten Umhang hervorgehoben, agiert mit den Zeichen des christlichen Glaubens, mit Kreuz und Buch. Ein einfach gewandeter Mönche assistiert ihm, ein anderer trägt einen Kessel, vielleicht mit Öl oder geweihtem Wasser. Zu Füßen der staunenden Zeugen des Geschehens mühen sich zwei weitere Mönche, vorsichtig den in Tücher gewickelten Leichnam niederzulegen, dessen Haupt ein Heiligenschein umstrahlt. Deventer profitierte von der Grablege des hl. Lebuin. Seine Kirche wurde zur Pilgerstätte, der Tag, an dem man seiner gemäß der Eintragung in den Heiligenkalender gedenkt, wurde bis ins späte Mittelalter auf eine ganze Woche ausgedehnt, in der dann der nach dem Heiligen benannte Lebuins-Markt stattfand. Die Berichte über die Translationen, also die Überführungen heiliger Gebeine zu neuen

Ruhestätten in oft ehemals heidnischen Gebieten, zeigen die große Wirkung und gleichzeitig die hohe Erwartungshaltung, die man mit der Übernahme des christlichen Glaubens verband. Die Überreste von zahlreichen heiligen Männern und Frauen, die ursprünglich in den frühen fränkischen Gebieten westlich des Rheins ihre Grablege gefunden hatten, wurden im Laufe der ersten Jahrhunderte der fränkischen Herrschaft östlich des Rheins in dort neu gegründete Kirchen und Klöster verbracht, denn gerade in den neu bekehrten Gebieten bedurfte man starker Fürsprecher. Die Überführungsberichte erzählen davon, wie die Gebeine von Heiligen in großen Prozessionen zu ihren künftigen Ruhe- und Wirkungsstätten geleitet wurden und wie bereits auf diesem Wege viele Wunder geschahen, die alle Anwesenden von der Wirkmächtigkeit der christlichen Heiligen überzeugen sollten und konnten. Die himmlischen Mittler demonstrierten auf diese Weise quasi ihre Bereitschaft, den Ort, an den sie verbracht wurden, nach Kräften zu unterstützen. Und die Wunder, deren sich die Gläubigen erfreuen durften, waren keine mystischen Offenbarungen, sondern ganz konkrete Hilfen in Notlagen, insbesondere Heilwunder, die einen Lahmen gehend, einen Blinden sehend, einen vom Teufel Besessenen ruhig und einen Verwundeten gesund machten. Die Berührung des Reliquienschreins, in dem man die Gebeine der Heiligen transportierte, versprach Hilfe und Heil, und diese Kunde eilte ihnen an ihren neuen Bestimmungsort voraus, wo sie mit entsprechendem Jubel begrüßt wurden. Die Klöster waren die neuen Pflegestätten dieser wundertätigen, heilkräftigen Helfer und folgerichtig die Anlaufstellen für in Not Geratene, Hilfsbedürftige und Schutzsuchende. Und sie bemühten sich, dieser Erwartungshaltung, die sich vielfach mit ihren selbst gesetzten Lebensregeln deckte, gerecht zu werden. Sie gaben Wanderern für begrenzte Zeit ein Obdach, sie speisten Hungernde an der Klosterpforte, sie brauten den passenden Kräutertrank für einen Erkrankten und sie ermöglichten allen, die die Reise zu ihnen auf sich nahmen, das Gebet zu den Heiligen und die Schau der Reliquien, manchmal sogar deren Berührung, auf dass sie hingingen und ihr Glaube ihnen hülfe.

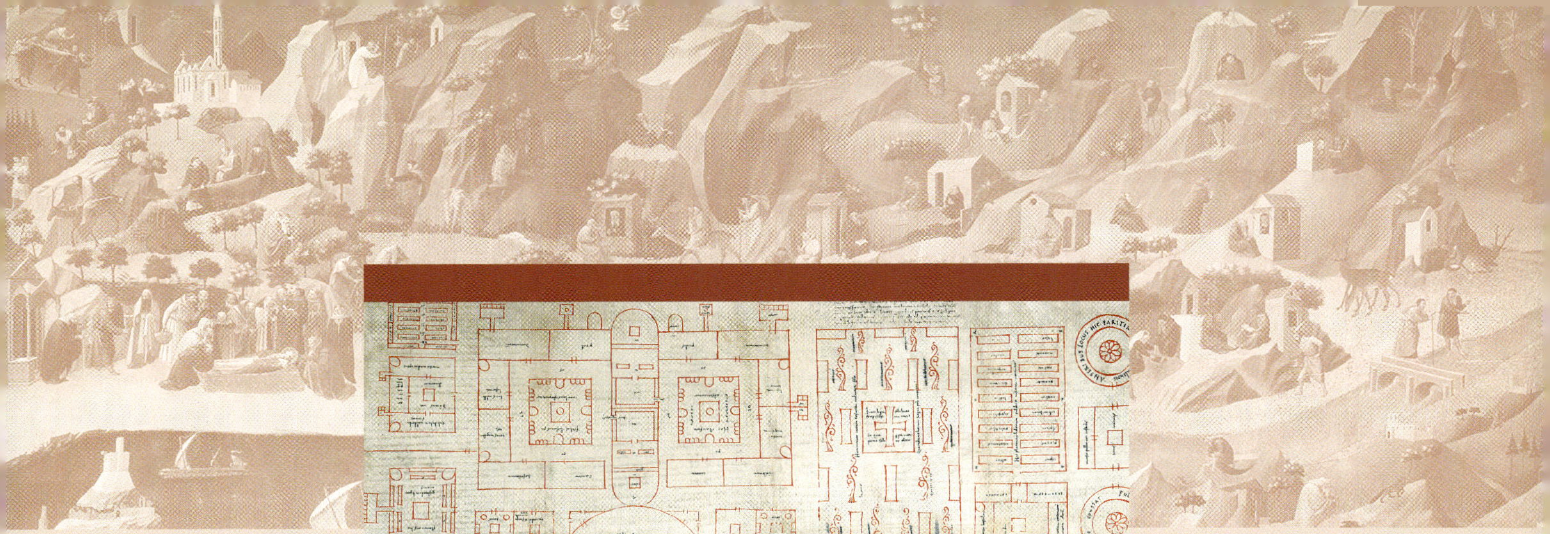

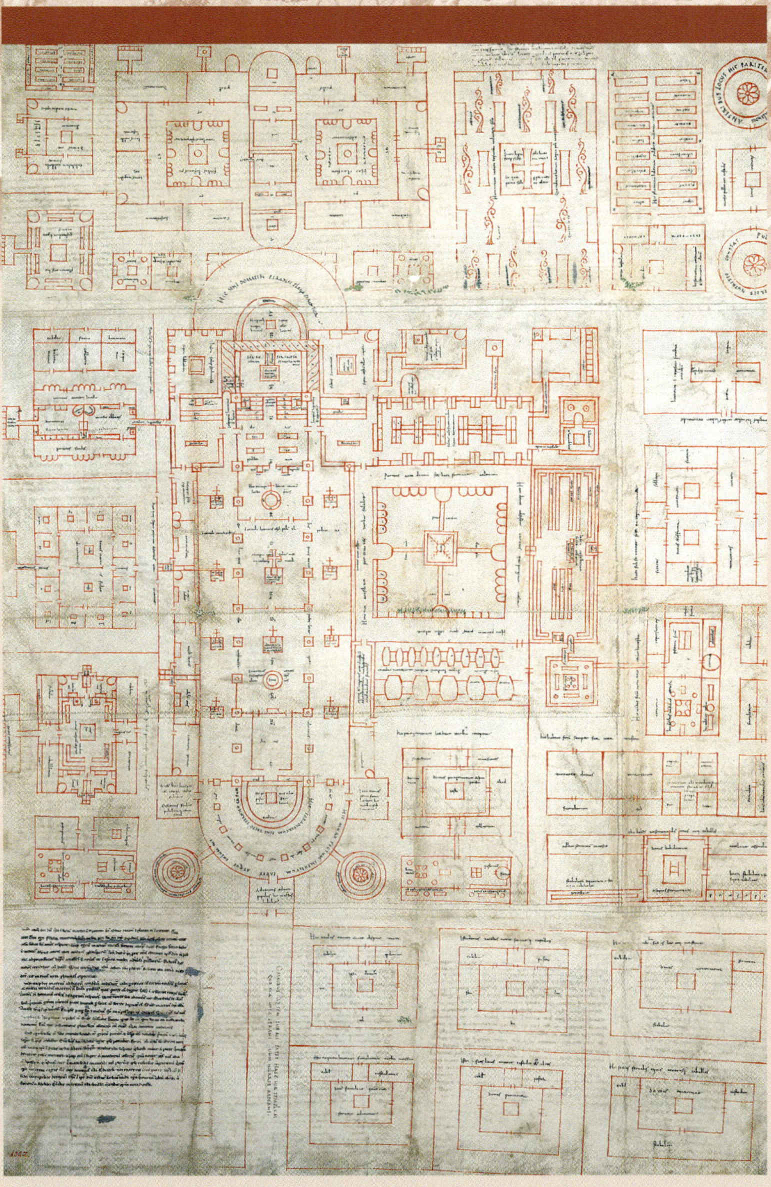

Der St. Galler Klosterplan
(siehe auch die Umzeichnung auf S. 79)

IV.

Herrschaft der Regel – geregelte Herrschaft

Die Regula Benedicti, zu Beginn des 6. Jahrhunderts niedergelegt, war anfangs nur eine unter etlichen anderen Regeln, die als Richtlinien das monastische Zusammenleben auf seinen verschiedenen Ebenen inspirierten und organisierten. Im Laufe der Jahrhunderte wurde sie zur grundlegenden Regel westlichen Mönchtums überhaupt. Zunächst sei ihr Initiator vorgestellt, den man wohl auch als den Verfasser nicht unerheblicher Teile ansehen kann: Benedikt von Nursia (um 480–547).

Vater des abendländischen Mönchtums – Benedikt von Nursia

Seine Vita schrieb Papst Gregor der Große (540–604) etwa ein halbes Jahrhundert nach Benedikts Tod. In seinem *Dialog* – vier Bücher, die über das Leben und die Taten zahlreicher Heiliger berichten – sind im zweiten Buch 38 Kapitel diesem Heiligen gewidmet. Keine andere Vita ist derart umfangreich. Sie weist zahlreiche Elemente auf, die man als typisch für viele mittelalterliche Ordensgründer ansehen kann. Benedikt wurde als Sohn einer adeligen Familie in Mittelitalien geboren und entsprechend erzogen und ausgebildet. Bedienstete und ein gehobener Lebensstandard waren ihm wahrscheinlich eine Selbstverständlichkeit. Seine Kindheit und Jugend unterlagen einer klaren hierarchischen Struktur; gegenüber Eltern und älteren Standesgenossen hatte er den schuldigen Gehorsam zu leisten, von jüngeren Geschwistern und Verwandten durfte er Respekt erwarten, gegenüber der Dienerschaft hatte er die Position des Befehlenden inne. Auch in der ländlichen Adelsgesellschaft erwartete man von den Mitgliedern des eigenen Standes eine Bildung, die über elementare Grundlagen hinausging, und eine gewisse Weltgewandtheit, die man wohl eher in urbaner Umgebung erwerben konnte. Entsprechend schickte seine Familie den Jugendlichen nach Rom, um dort einerseits eine Ausbildung auf breiter Grundlage zu bekommen und andererseits, um zu lernen, sich sicher auf dem gesellschaftlichen Parkett zu bewegen. Denn Rom galt in Italien immer noch als das kulturelle Zentrum schlechthin.

Benedikts Erlebnisse in Rom müssen von so einschneidender Art gewesen sein, müssen ihn so aufgewühlt und entsetzt, so angeekelt und vielleicht überfordert haben, dass er den gleichen Weg beschritt, wie wir ihn schon bei Antonius und Pachomius verfolgen konnten: Zur Selbstreinigung und Selbstfindung entschied er sich zunächst für ein Leben als Eremit. Er zog sich von der menschlichen Gesellschaft zurück und lebte mehrere Jahre allein in strenger Askese in einer Höhle bei Subiaco. Das, was die meisten Menschen der damaligen Zeit aus den unteren Schichten der Gesellschaft als Normalität erlebten – einfache, karge, immer gleiche Nahrung, Kleider, die selten gewaschen, geschweige denn erneuert wurden, mangelnde intellektuelle Ansprache –, bedeutete für den adeligen jungen Mann, für den Luxus und Überfluss eine Selbstverständlichkeit gewesen waren, in seinen extremen Formen nun wirklich Verzicht, Aufgabe, Selbstüberwindung, ja Kasteiung. In seiner Lebensbeschreibung lesen wir von seinen Kämpfen mit Dämonen – solchen, die ihn leibhaftig anfielen, und solchen, die sich in seine Vorstellungen schlichen – und von den Mitteln, mit denen er sie zu überwinden suchte: Einerseits nahm er Zuflucht zum Gebet und andererseits tötete er ganz konkret körperliche, insbesondere aber auch sexuelle Bedürfnisse dadurch ab, dass er Wünsche und Gelüste mit körperlichen Schmerzen austrieb. Wer sich in Dornen gewälzt hat, dem mag für einige Zeit die Lust am Beischlaf vergangen sein. Er lebte allein in seiner Höhle. Aber dass und wie er dort lebte, war bekannt und nötigte Gleichgesinnten Respekt ab. Entsprechend wurde er von seiner Umgebung versorgt, zum Beispiel mit Brot, das ihm ein Bruder aus einem benachbarten Kloster an einem Seil hinabließ, wobei eine Glocke seine Gabe ankündigte. Diese rührende Szene wird auch in den künstlerischen Umsetzungen seiner Lebensgeschichte selten vergessen.

Die permanente Unterwerfung des ganzen Lebens unter das Ziel der Gotteserkenntnis stieß auf Bewunderung. So sehr, dass die Mön-

Der hl. Benedikt schreibt die klösterliche Lebensregel (Codex des 12. Jahrhunderts)
Die Regula Benedicti beschreibt unter anderem den Aufstieg zu Christus über die Stufenleiter der Demut, eingedenk des Ziels der Überwindung der Hölle durch den Glauben an Christus.

che des nahe gelegenen Klosters Vicovaro ihn baten, ihr Vorsteher zu werden. Dass Benedikt dieses Amt annahm, bestätigte gleichzeitig die Vorstellung seines Biographen Gregor von einem idealen Abt: Dieser muss von seinen Mönchen gewollt sein, er muss aber auch unter allen anderen herausragen. Er gibt das gute Beispiel, dem es nachzustreben gilt und das eigentlich unerreichbar ist. Seine Vita berichtet, dass Benedikt seine Mönche mit seinen strengen asketischen Auflagen vollkommen überforderte, bis diese nur noch eines wollten: ihn so schnell wie möglich wieder loswerden, mit allen Mitteln. Ein Giftanschlag misslang – ein weiteres Wunder, das sich an dem einzigartigen Mann erwies –, doch Benedikt hatte die Warnung verstanden. Er verließ das Kloster und zog sich erneut in seine Höhle zurück. Sein Ruhm verbreitete sich jedoch weiterhin und zog die Gläubigen in seine Nähe. Schließlich gründete er auf eigenen Antrieb hin 12 Klöster für die wachsende Schar seiner Anhänger. Auch er selbst entschloss sich zum zönobitischen Leben, d.h. zum Leben in einer klösterlichen Gemeinschaft. Auf dem Berg Monte Cassino errichtete er dort, wo zuvor ein Tempel zu Ehren Apolls gestanden hatte, ein Kloster, in dem er selbst die Abtswürde bekleidete.

Unter den Klöstern, denen er mit Rat und Tat zur Seite stand, war auch ein Frauenkloster, dessen Leitung er in die Verantwortung seiner Schwester Scholastika gab, zu der er einen engen Kontakt unterhielt. Dieses Moment war schon bei Pachomius begegnet, der ebenfalls seine Schwester als Vorsteherin eines der von ihm gegründeten Frauenklöster eingesetzt hatte, und auch Bonifatius hatte auf die Verlässlichkeit der weiblichen Verwandtschaft vertraut.

Nachdem er einige Jahre in seinem Kloster Monte Cassino die Lebensverhältnisse, die Bedürfnisse und die Schwierigkeiten des Zusammenlebens innerhalb einer monastischen Gemeinschaft am konkreten Beispiel erfahren hatte, schrieb er um 529, etwa fünfzigjährig, Grundsätze auf, nach denen sich alle, die in dieser Gemeinschaft lebten, richten sollten. Das gesamte Mittelalter hindurch blieb der schreibende Benedikt ein beliebtes Motiv der Maler und Zeichner. Die ausgewählte hochmittelalterliche Darstellung zeigt Benedikt in der Zelle einer Klosteranlage, deren Größe durch eine mehrtürmige Abteikirche suggeriert wird. Den Betrachtern wird der Heilige, der ganz auf seine Arbeit konzentriert ist, durch einen zurückgebundenen Vorhang offenbar. Benedikts einfaches Mönchsgewand kontrastiert mit dem fein geschnitzten Stuhl und dem aufwändig gestalteten Schreibpult mit dem eingelassenen Tintenhörnchen. Auf beiden Seiten ist Benedikt eingerahmt von Motiven, die dem Alten und dem Neuen Testament entnommen sind: Die Leiter, auf der Jakob im Traum die Engel hinaufsteigen und hinabstürzen sieht, mag ihm das Bild geliefert haben für die Stufen der Demut, die ein Mönch erklimmen muss; Christus mit dem Lilienzepter als dem Symbol der Gnade in der Hand, der den mehrköpfigen Drachen der Hölle bändigt, auf dass die Gerechten aus ihr emporsteigen, mag ihm immer währende Hoffnung auf die Barmherzigkeit des ewigen Herrschers gegeben haben.

Die Übergabe der Regel an ein Kloster konnte wie ein Akt der Unterwerfung gezeigt werden: Der Abt Benedikt sitzt auf einem Klappstuhl mit Löwenköpfen als Armlehnen und Klauen als Füßen, d.h. auf einer Sitzgelegenheit, die der von Fürsten und Königen in nichts nachsteht. Frontal schaut er den Betrachter an, während er der rechts von ihm knienden, kleiner wirkenden Nonne das geöffnete Buch mit der Regel reicht und sein einfach gehaltener Hirtenstab auf sie weist. Die Umschrift bezeichnet ihn als *pater et pastor*, als Vater und Hirten, der die Regel zur Freude und Belehrung übergibt. Beide, der Abt und die Nonne, haben teil an dieser gemeinsamen Orientierung, indem ihrer beider Hände das Buch umschließen.

Nicht nur sein Leben als Einsiedler, auch seine Amtszeit als Abt war laut seiner Vita von zahlreichen Wundern wie Heilungen oder Totenerweckungen begleitet. Insbesondere die Gesundung von Kranken, für die es keine andere Medizin als das Gebet gab, die Rettung aus höchster Gefahr und die ausreichende Versorgung mit Lebensmitteln angesichts überall herrschenden Mangels wurden als wirkliche Wunder erachtet, deren Bedeutung in den heutigen Zeiten moderner Medizin und des Überflusses an Nahrung in vielen Ländern wohl nur noch schwer nachvollziehbar ist. Benedikt besaß manchmal auch die Gabe, Dinge zu prophezeien, die sich in der Zukunft bewahrheiten sollten. So sah er auch seinen eigenen Tod voraus und konnte sich selbst und seine Brüder entsprechend darauf vorbereiten. Im Jahre 547 starb er; ein Mönch, der an einem anderen Ort lebte, sah in einer Vision Benedikts Seele gen Himmel aufsteigen. Knapp einhundertdreißig Jahre nach seinem Tod war das Kloster Monte Cassino von den Langobarden zerstört worden. Doch Mönche aus St-Benoît-sur-Loire konnten Benedikts Gebeine auffinden und überführten sie in ihr eigenes Kloster, wo sie als große Reliquienschätze verehrt wurden und werden. Heute wird Benedikt oft als der „Vater des abendländischen Mönchtums" apostrophiert; die Niederlegung seiner Regel 529 kann unter religionsgeschichtlichem Aspekt sogar als Beginn des Mittelalters gewertet werden.

Zahllos sind die Darstellungen Benedikts in der bildenden Kunst des Mittelalters, in der Buchmalerei, auf farbigen Glasfenstern, auf Altartafeln, Chorwangen und Schlusssteinen der Kirchengewölbe. Rabe und Dornen erinnern an seine Jahre als Einsiedler, ein zersprungenes Glas oder ein Kelch mit einer herauskriechenden Schlange an seine Zeit als erfolgloser, weil überstrenger Abt in Vicovaro. Ein Mehlsieb kündet von seiner Hilfsbereitschaft und Güte gegenüber anderen, hatte er doch schon als Kind für seine Amme das Wunder bewirkt, ein von ihr ausgeborgtes, aber durch ein unglückliches Versehen zerbrochenes Sieb wieder zusammenzufügen. Um Benedikt in seiner Würde als Abt darzustellen, bedurfte es nicht vieler Attribute. Ein Stab und ein Buch charakterisieren ihn als den Hüter seiner Herde und den Verfasser der einflussreichsten Mönchsregel des Mittelalters.

Der hl. Benedikt übergibt seine Regel einer Nonne
Der hl. Benedikt war bis ins hohe Mittelalter die ‚Vaterfigur' unzähliger Gemeinschaften: Seine Lebensregel wurde zum klösterlichen Gesetz.

Die Regula Benedicti – reine Interpretationssache

Wenn die Reformbewegungen des Mittelalters immer wieder neu die Rückbesinnung auf die Regula Benedicti forderten, beriefen sie sich auf eine alte Tradition, aber durchaus nicht auf die älteste der bekannten Mönchsregeln. Regeln des Zusammenlebens mit dem Ziel des Gotteslobes und der Gotteserfahrung waren schon zwei Jahrhunderte zuvor aufgestellt worden – erinnert sei nur an die Regel des Pachomius in Ägypten. Im 5. und 6. Jahr-

Caesarius von Arles übergibt seine Regel einer Nonne
Männliche und weibliche Gemeinschaften akzeptierten in dankbarer Unterwerfung die Vorgabe von Lebensregeln für ihre Klöster, die sie gleichzeitig miteinander im selben Streben verbanden.

hundert entwarfen Basileus, der Bischof und Metropolit des griechischen Kappadokien, und Cäsarius, der Bischof von Arles, sowie ein namentlich unbekannter Magister ihre Vorschriften zum zönobitischen Leben. Columban der Jüngere hatte für seine Gründungen ebenfalls eine eigene Regel aufgestellt, die, versetzt mit Elementen aus anderen Regeln, als Mischregel in eine Vielzahl von Klöstern Eingang fand. Damit sind nur einige Initiatoren anderer Regeln genannt. Insgesamt wird die Zahl der Regeln, die um 800 im christianisierten Süden und Westen Europas kursierten, mit über 30 angegeben. Und doch ragte die Figur des Benedikt schließlich aus allen anderen heraus, trat seine Regel über mehrere Jahrhunderte ihren Siegeszug in den abendländischen Klöstern an.

Was war so einzigartig an der Regula Benedicti, dass sich letztlich so viele von ihr überzeugen ließen? Spiegelt sie besonders gut die theologischen Vorstellungen ihrer Zeit? Entsprachen die dort festgeschriebenen sozialen Beziehungen auch einer nichtmonastischen Wirklichkeit, aus der ihre Anhänger ja alle letztlich stammten? War sie so klar und einfach, dass es keine Missverständnisse geben konnte? Eher das Gegenteil ist der Fall, oder positiv ausgedrückt: viele Teile der Regel sind letztlich so vage formuliert, dass es zu ihrer praktischen Umsetzung notwendiger Ergänzungen bedurfte (und bedarf) und dass sie neue Interpretationen je nach den sich verändernden historischen Gegebenheiten ermöglicht.

Um dies zu verstehen, muss man die Regula Benedicti ein wenig näher in Augenschein nehmen und fragen: Was regelt die Regel? Knapp zusammengefasst kann man sagen: Die benediktinische Regel umfasst, mit großen Auslegungsspielräumen, das gesamte klösterliche Leben, das innere wie das äußere. Vermutlich schuf Benedikt einen grundlegenden Corpus von Regeln des Zusammenlebens, der dann von seinen Nachfolgern ergänzt und erweitert wurde. Ein Autograph, also ein von Benedikt selbst geschriebenes Manuskript seines Textes, ist nicht überliefert. Der Text, der dem Original sicherlich am nächsten kam, wurde um 577, als Langobarden sich plündernd dem Kloster Monte Cassino näherten, von seinen Mönchen nach Rom in die päpstliche Bibliothek in Sicherheit gebracht. Nach 717 wurde das Kloster wieder aufgebaut und das Manuskript kehrte als Geschenk des Papstes an seinen Entstehungsort zurück. Karl der Große sah es dort bei seinem Besuch 787 und gab eine Abschrift in Auftrag, die man in Aachen verwahrte. Dieses so genannte Aachener Normalexemplar kopierten zwei Mönche aus dem Bodenseeraum, und diese Abschrift wiederum diente als Vorlage für eine weitere Kopie, die der Abt Grimoald von St. Gallen für sein Kloster anfertigen ließ und die sich heute als Codex sangallensis 914 noch in der dortigen Stiftsbibliothek befindet. Dieser Text liegt den modernen Ausgaben der Regula Benedicti zu Grunde.

Eine weitere interessante Kopie entstand ebenfalls im Bodenseeraum im ersten Viertel des 9. Jahrhunderts und ist als Codex sangallensis 916 bekannt. Die Abschrift wurde wohl in St. Gallen oder im Kloster auf der Reichenau angefertigt. Beide Klöster pflegten enge Kontakte miteinander, was sich auch auf das Abschreiben von Büchern aus dem Besitz des jeweils anderen erstreckte, so dass die Bibliotheken beider Klöster zum Teil deckungsgleiche Bestände aufwiesen. Der Codex sangallensis 916 ist in breiter, recht gut lesbarer Minuskel geschrieben, von Glossierungen, also Bemerkungen und Kommentaren, in althochdeutscher Sprache durchzogen, die über die lateinischen Zeilen gesetzt wurden. Damit ist er zum einen ein wichtiges Dokument zur Erforschung der frühen Volkssprache, zum anderen zeigt er vor allem aber auch, dass die Texte der Regel intensiv studiert und häufig eingesehen wurden: „Seine geringen Abmessungen, die einfache Aufmachung, die mindere Qualität des verwendeten Pergaments, die starke Abnutzung, die zahllosen Textkorrekturen und anderes mehr erweisen den Codex als eine ebenso schlichte wie handliche Gebrauchshandschrift, bestimmt zum eifrigen Studium der Benedictiregel", so Achim Masser. „Viele Blätter sind löcherig, andere durchscheinend dünn; nicht selten fehlen Ecken; der Beschnitt ist unregelmäßig; das Blattformat beträgt im Durchschnitt annähernd 19,5 × 12,5 cm. Aufgrund intensiver Benutzung der Handschrift sind viele Blätter abgegriffen, fleckig und speckig" (Masser, Die lat.-althochdt. Benediktinerregel, S. 29 u. 31). Auffallend ist bei diesem Text neben der häufigen aber durchaus üblichen Verwendung von Ligaturen und Kürzeln die Schreibweise durch die Segmentierung in Sprechsilben. Das bedeutet, dass dort, wo beim Sprechen Lücken entstehen, auch im Schriftbild eine kleine Lücke auftaucht, solche Worte dagegen, die beim Sprechen miteinander verbunden werden, auch zusammengeschrieben sind. Das gilt für den lateinischen Text wie

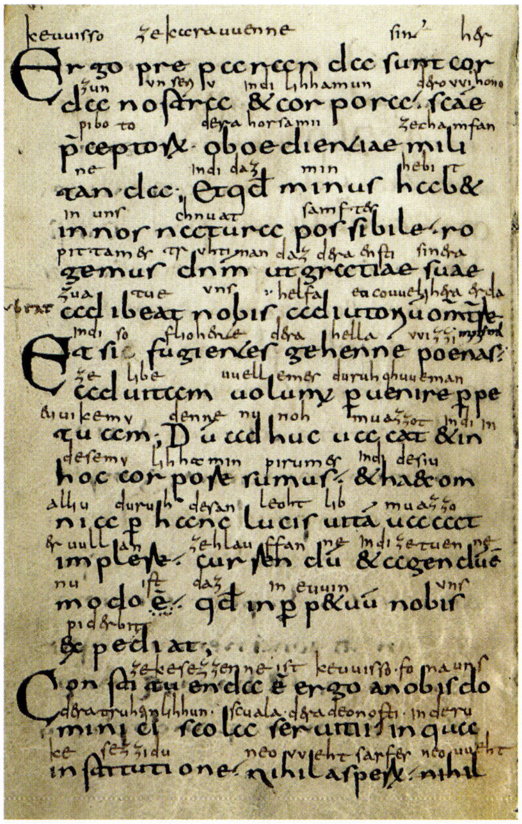

Lateinisch-althochdeutsche Regula Benedicti
Die Bearbeitungsspuren mehrerer Hände zeigen diesen Text als eine immer wieder neu reflektierte Version der Regula Benedicti und machen ihn gleichzeitig zu einem sprachwissenschaftlichen Quellenzeugnis.

für die althochdeutsche Glossierung. Da liegt die Vermutung nahe, dass der Text auch laut vorgelesen wurde, und zwar in dem durch das Schriftbild vorgegebenen Sprachfluss.

Der Text der Regula Benedicti besteht aus einem Prolog und 73 Kapiteln, ohne dass die einzelnen Abschnitte einer stringenten Gliederung folgten. Auch dies weist darauf hin, dass man Benedikt wohl nicht als alleinigen Autor ansehen kann, sondern dass man in der praktischen Umsetzung der von Benedikt erarbeiteten Grundsätze des gemeinschaftlichen Lebens die Notwendigkeit von Ergänzungen erkannte, die dann entsprechend hinzugefügt wurden. Die wichtigsten Themenkomplexe, die in der Regula Benedicti Erwähnung finden, sind: der steinige Weg zur individuellen geistigen Vervollkommnung, Formen und Inhalte des gemeinschaftlichen wie des individuellen Gebets, das soziale Verhalten der Klostermitglieder untereinander, die Hierarchie der Ämter und die Aufgabenbereiche ihrer Amtsinhaber mit der besonderen Position des Abtes als Haupt der Gemeinschaft an der Spitze dieser Ämter, der Umgang mit Personen, die nicht dem Kloster angehörten, sowie die Wahrung einer weitgehenden Unabhängigkeit des Klosters in wirtschaftlicher wie politischer Hinsicht.

Eine Schule für den Dienst des Herrn sollte das Kloster sein und in der Ausbildungszeit, dem Noviziat, sollten sich die künftigen Mönche und Nonnen auf diesen Dienst vorbereiten. Drei Dinge mussten ihnen zu einer inneren Grundhaltung werden, um sich für eine endgültige Aufnahme in eine klösterliche Gemeinschaft zu qualifizieren: Demut, Gehorsam und Schweigsamkeit. Über zwölf Stufen eines inneren Reifungsprozesses, so erläutert es die Regel, führt die Demut langsam zur Liebe Gottes hinauf. Der Gehorsam und das Schweigen sind auf diesem schwierigen Pfad die geeigneten Wegbegleiter. Der strikte Gehorsam erfordert die bewusste Zurückdrängung des eigenen Willens, die Abtötung individueller Wünsche und Begierden durch die Unterwerfung, um auf diese Weise, unbehindert durch eigenes Wollen, offen für die göttliche Weisung zu sein. Damit verbunden verhindert das Schweigen ein durch eigene Wünsche bestimmtes Aufbegehren und ermöglicht gleichzeitig das Hören ins eigene Innere, bis sich dort die Stimme Gottes vernehmen lässt. Armut und Keuschheit sowie andere Formen der Askese sind der von außen wahrnehmbare Ausdruck dieser inneren Grundhaltung von Demut, Gehorsam und Schweigsamkeit.

Das *opus dei* war die wichtigste Aufgabe der klösterlichen Gemeinschaft. Es strukturierte den Tages-, Wochen- und Jahresrhythmus. Die mittelalterliche Einteilung des hellen Tages bestand aus Zeitblöcken von jeweils etwa drei Stunden. Der Tag begann mit der Prim, es folgten Terz, Sext, Non, Vesper und Komplet. Je nach Jahreszeit waren diese Blöcke kürzer oder länger. Nach ihnen richtete sich auch das monastische Stundengebet, wobei noch zwei weitere Zeitbestimmungen hinzutraten. Mitten in der Nacht sang man die Vigilien; zur Matutin, der Stunde des Tagesanbruchs, erschollen die frühmorgendlichen Laudes; der Lobgesang setzte sich zu den übrigen genannten Zeitblöcken fort; die Hauptmesse war in der Regel zur Terz angesetzt. Im Laufe einer Woche sollte zu den Gebetsstunden einmal der gesamte Psalter, der aus 150 Psalmen besteht, gesungen worden sein. Zu den kirchlichen Hochfesten erweiterten sich die normalerweise dargebrachten Gebete und Gesänge noch einmal ganz erheblich. Neben das kollektive Gebet trat die *lectio divina*, die den Mönch und die Nonne ganz individuell gemäß ihrem jeweiligen geistig-seelischen Entwicklungsstand beim Weiterkommen auf dem Weg zu Gott unterstützen sollte: Dem Lesen, der *lectio*, folgte das Nachdenken über das Gelesene, die *meditatio*, dieser wiederum die Anwendung oder die Umsetzung durch die Hinwendung zu Gott im Gebet, die *oratio*.

Das Gotteslob war die wichtigste Aufgabe des Klosters. Realisiert werden sollte es aber in einer Gemeinschaft, die durchaus sehr heterogen zusammengesetzt sein konnte. Die Mitglieder unterschiedlicher gesellschaftlicher Stände und verschiedener Altersgruppen bedurften fester Regeln des sozialen Zusammenlebens. Generell galt das Prinzip der Anciennität, also der Vorrang des Alters. Gerade auch an diesem Punkt zeigt sich, wie wenig starr die Regula Benedicti ist und wie auslegungsfähig und -bedürftig sie sein kann. Denn Alter kann das Lebensalter ebenso meinen wie die Zeit, die jemand seit seinem Eintritt schon im Kloster verbracht hat. Darüber hinaus kann dieses Prinzip der Anciennität mit der Forderung des Gehorsams gegenüber Ranghöheren in der Amtshierarchie kollidieren, wenn etwa, wie häufig in den spätmittelalterlichen Reformen nachweisbar, sehr junge Männer und Frauen auf bischöflichen Befehl hin das Abbatiat übernahmen, ihrer Führung aber wesentlich ältere Mönche und Nonnen anvertraut waren. In jedem Falle, so mahnt die Regel, soll das Miteinander im Kloster durch gegenseitige Liebe und durch Respekt gekennzeichnet sein.

Nicht nur das Miteinander muss nach festen Grundsätzen geregelt sein, sondern auch die geistige und materielle Versorgung sowie die interne Aufgabenverteilung. Der Abt ist das

Die Vermehrung der Mehlsäcke durch den hl. Benedikt (Fresco vom Beginn des 16. Jhs. aus dem Kloster Monte Oliveto Maggiore)
Auch am Ende des Mittelalters war es keine Selbstverständlichkeit, stets genug Mehl vorrätig zu haben, um Brot für alle backen zu können. Wer dies schaffte, vollbrachte wahrhaftig ein Wunder.

Haupt der Gemeinschaft, an das hohe Anforderungen gestellt werden. Idealiter besteht das Wesen des Abbatiats aus Sorge und Dienst für die Gemeinschaft. In seiner konkreten historischen Erscheinungsform bedeutete es die Ausübung von Herrschaft. Dem Abt obliegt die spirituelle und institutionelle Leitung seiner mönchischen Gemeinschaft sowie die konkrete Herrschaftsausübung im sozialen, politischen und wirtschaftlichen System seiner Umgebung. Er war gleichzeitig *dominus* (Herr) und *pater* (Vater), Leib-, Grund- und Gerichtsherr, die Verkörperung von Obrigkeit für alle monastischen Belange. Oder, anders formuliert, zu seinen Befugnissen zählt die *potestas gubernativa* (die Aufsicht und Lenkung von Personen), die *potestas administrativa* (die Verwaltung der Güter) und die *potestas coactiva* (Korrektur- und Strafgewalt). So war die „ausgeübte Herrschaft der mittelalterlichen Äbte ein *imperium compositum*, eine aus unterschiedlichen Rechten zusammengesetzte Gewalt. Sie bezog sich sowohl auf die Gemeinschaft der Mönche als auch auf die *familia* der Laien, den Verband der zu Diensten und Abgaben verpflichteten Ministerialen, Hörigen und Leibeigenen" (Schreiner, Abtsherrschaft, S. 71). Der Abt ist also nicht nur der geistige und geistliche Führer des Klosters, sondern auch sein weltlicher Vertreter. Als geistlicher Lenker ist er der Lehrer seiner Mönche, der wichtigste Ratgeber, der lobende, richtungweisende, aber auch der strafende Vater und natürlich das lebende Vorbild in allen geistlichen Fragen. Als weltlichem Vertreter seines Klosters ist ihm der Schutz seiner Herde anvertraut, wie es in den bildlichen Darstellungen von Äbten und Äbtissinnen durch das Attribut des Hirtenstabes symbolisiert wird. Dazu zählt an erster Stelle die ausreichende Versorgung mit Lebensmitteln. Was in großen Teilen der westlichen Welt heute selbstverständlich ist – sich selbst oder seiner Gemeinschaft genügend Nahrungsmittel zu beschaffen, ohne sonderlich darüber nachdenken zu müssen –, stellte in mittelalterlichen Jahrhunderten und weit darüber hinaus Tag für Tag und Jahr für Jahr eine Herausforderung dar, von deren erfolgreicher Bewältigung nicht mehr und nicht weniger als die nackte Existenz einer Gemeinschaft abhing. „Die mit Herrschaft verbundene *prosperitas temporalis* (weltlicher Besitz, d. A.) der Klöster stellte keinen Widerspruch zur *vita apostolica* dar, sondern bildete deren fundamentale Voraussetzung. Nur wenn Mönche und Kanoniker über einen gesicherten Lebensunterhalt verfügen, seien sie in der Lage, ihre geistlichen und karitativen Aufgaben im Interesse der Gesamtkirche zu erfüllen", so sah es die mittelalterliche Vorstellung (Schreiner, Abtsherrschaft, S. 80). Und so wird man in vielen Viten heiliger Äbte und Äbtissinnen – erinnert sei nur an Patrick, den Apostel der Iren – oder auch in den Klosterchroniken, in denen vorbildhafte Klostervorsteher und -vorsteherinnen beschrieben werden, von den Wundern lesen, die ihnen durch göttliche Gnade zuteil wurden, damit es auch in Notzeiten genügend Nahrung gab. In der Lebensbeschreibung des hl. Benedikt, wie sie Papst Gregor der Große niederlegte und wie andere sie später nacherzählten, heißt es in der Version der Legenda Aurea des Jacobus de Voragine, einer der meistverbreiteten Sammlungen von Heiligengeschichten des 13. Jahrhunderts:

Einmal hatte sich eine Hungersnot über ganz Kampanien verbreitet: es fehlte überall an Nahrungsmitteln, und alle waren in großer Not. Schon war im Kloster des Benediktus kein Weizen mehr vorhanden, und man hatte das Brot fast ganz aufgezehrt, so dass sich zur Stunde der Mahlzeit für die Brüder nur noch fünf Brote finden ließen. Als der ehrwürdige Abt alle Brüder traurig sah, wollte er sie einerseits wegen ihres Kleinmuts mit mäßigem Tadel zurechtweisen, andererseits aber auch durch eine Verheißung ermutigen, und sprach: „Warum betrübt sich euer Herz wegen des Mangels an Brot? Heute ist freilich nur wenig vorhanden, doch morgen wird Überfluss sein ..." Am folgenden Tag aber fand man vor der Türe des Klosters zweihundert Scheffel Mehl in Säcken. Es blieb bis heute unbekannt, durch wen der allmächtige Gott sie hatte hinbringen lassen. Als die Brüder das sahen, sagten sie dem Herrn Dank und lernten daraus, auch in der Not nicht zu verzweifeln und auf künftigen Überfluss zu hoffen (Legenda Aurea, S. 143).

Und noch in der weit weniger bekannten Chronik des westfälischen Klosters Herzebrock aus dem 16. Jahrhundert erzählt die Chronistin über das Wunder, das Gott an einer Äbtissin wirkte, die zur Mitte des 15. Jahrhunderts ihre klösterliche Gemeinschaft zur Beachtung der Regula Benedicti zurückführte: Ihr Glaube an die Gnade Gottes war so unerschütterlich, dass sie in Zeiten einer Hungersnot weiterhin Almosen austeilen ließ, gegen den Rat der Nonne, die die auf ein Minimum geschrumpften Vorräte verwaltete, und siehe da, Korn und Mehl vermehrten sich und erschöpften sich nicht, so lange es der klösterlichen Werke der Barmherzigkeit bedurfte (Chronik Anna Rode, S. 46ff.).

Allein die Versorgung mit Nahrungsmitteln reicht nicht aus. Die Regula Benedicti sieht auch eine kontrollierte Ausgabe der übrigen notwendigen Alltagsgegenstände wie Kleidung und Schuhe vor. Darüber hinaus aber war es vor allem auch Aufgabe des Abtes, freundschaftliche Beziehungen zu den herrschaftlichen Kräften in der Umgebung des Klosters aufzubauen, damit es nicht von Feinden bedrängt würde. Die Äbte und Äbtissinnen, die zu ihrem größten Teil aus adeligen Familien stammten, waren durch ihre familiäre Sozialisation auf diese Aufgabe bestens vorbereitet. Sie sprachen die Sprache des Adels, sie beherrschten adelige Umgangsformen, sie kannten die Regeln der Konfliktaustragung und -vermeidung. Da nimmt es nicht wunder, dass Äbte immer wieder zu diplomatischen Missionen herangezogen wurden, dass sie als Vermittler in Konfliktsituationen agierten und in diesen Rollen zu Trägern und Mitgestaltern politischer Entscheidungen wurden. Äbte und Äbtissinnen bekamen als Zeichen ihrer Aufgabe bei der Amtseinsetzung den Hirtenstab überreicht. Doch „aus pastoralen Sinnzeichen wurden Zeichen legitimer Herrschaft" (Schreiner, Abtsherrschaft, S. 88). Bei der Investitur wurde mit dem Stab bald mehr überreicht als nur eine geistliche Aufgabe, nämlich auch die „Leitungsgewalt über den Konvent, Verfügungsgewalt über klösterliche Besitzungen, Gerichts-, Gebots- und Verbotsgewalt gegenüber einer abgabe- und dienstpflichtigen klösterlichen *familia*" (ebd., S. 89). Die Abtseinsetzung gestaltete sich schließlich als eine Sequenz symbolischer Handlungen, die einer Herrschaftseinsetzung wie bei einer Krönung gleichkam. Nach der Übernahme des Stabes folgte die Setzung auf den Abtsstuhl. Dem Treueid der Gefolgsleute entsprach der Kuss oder Eid der Mönche. Alle Schlüssel wurden dem künftigen Vorsteher des Klosters überreicht und dieser reichte sie zurück an die Amtsträger. Wenn ein Abt oder eine Äbtissin des Amtes enthoben wurde, erfolgte dies begleitet von einer ebenso symbolischen Handlung – der Hirtenstab wurde zerbrochen. Unter einem Hirtenstab verstand man ursprünglich nur einen Stock mit einem einfachen Querholz am oberen Ende. Zahlreiche Äbte verwandten viel Energie darauf, als besonderes Privileg einen Stab mit einem gedrehten Knauf in bischöflicher Manier zu erhalten, ebenso wie sie andere bischöfliche Insignien anstrebten, um auf diese Weise ihren Anspruch auf Ranggleichheit mit Bischöfen zum Ausdruck zu bringen.

Viele der Tätigkeiten eines Abtes widersprachen dem Gebot der *stabilitas loci*, der örtlichen Gebundenheit von Mönchen an ihr Kloster. In der Praxis bedeutete dies, dass der Abt einen Stellvertreter brauchte. Während seiner Abwesenheit übernimmt also der Propst oder Prior die spirituellen und institutionellen Leitungsfunktionen. Fehlt aus irgendwelchen Gründen auch er, so steht der Dekan, dessen Hauptaufgabe die Wacht über die liturgischen Abläufe war, an dritter Stelle in der klösterlichen Hierarchie. In die Zuständigkeit des Kämmerers, des Cellerars, fällt es, Keller und Vorratsgebäude gefüllt zu halten sowie die Einnahmen des klösterlichen Besitzes entgegenzunehmen und zu überprüfen. Der Bibliothekar sorgt für die Beschaffung liturgischer Bücher und die Pflege des Buchbestandes; er bestimmte in den mittelalterlichen Jahrhunderten auch die Texte, die in einem Kloster angeschafft oder kopiert wurden, und überwachte die Ausgabe der kostbaren Bücher für die *lectio divina* der Mönche. Der Pförtner entscheidet im Eingangsbereich des Klosters, wer eingelassen wird, er überprüft Arme, Kranke und Gäste. Wieder andere übernehmen die Versorgung der Kranken und die Unterbringung von Pilgern und Gästen oder auch die Organisation der verschiedenen, dem Kloster zugehörigen Werkstätten. Der Novizenmeister kümmert sich um die Unterweisung der angehenden Mönche sowohl mit Blick auf die inhaltlichen wie die formalen Fragen.

Die klösterliche Gemeinschaft wurde in hierarchischer Abstufung von notwendigen Amtsträgern ‚gemanagt'. Das ‚Unternehmen Kloster' bedurfte verschiedener Abteilungen mit ihren jeweiligen Abteilungsleitern und einer Gruppe von Helfern und Ausführenden. Wie aber stand es mit deren Möglichkeiten der ‚betrieblichen Mitbestimmung'? An diesem Punkt ist die Regula Benedicti besonders interpretationsbedürftig, oder anders formuliert: Hier gibt es den größten Spielraum für variantenreiche Auslegungen je nach der individuellen Lage des einzelnen Klosters oder den historisch sich ändernden Situationen. Die Regel lässt sowohl eine herausragende Stellung des Abtes als allein Bestimmenden zu als auch die Möglichkeit, in Gemeinschaft mit einem beratenden Gremium oder sogar in der Gesamtheit der Konventsgemeinschaft Entscheidungen zu treffen. Letztlich bleibt es aber dem Abt vorbehalten, in welcher Weise er seine Gemeinschaft führen will. Er muss nicht, aber er kann bei wichtigen Fragen eine Konventsversammlung einberufen, in der dann alle, alters- und amtsunabhängig, gleiches Stimmrecht haben. Was aber wichtig genug ist, um alle an der Entscheidungsfindung zu beteiligen, bestimmt der Abt. Er kann ein beratendes Gremium bilden, aber er ist nicht dazu verpflichtet, und in jedem Fall bestimmt er dessen Zusammensetzung – zu seinen Vertrauten mag er Jasager oder bedächtige Kritiker bestimmen, verlässliche Gefolgsleute oder Mahner und Warner.

Insgesamt misst die Benediktregel aber auch den pragmatischen Fragen des Mönchseins großes Gewicht bei. Welche Kleidung steht einem Mönch zu, was und wie viel darf er essen, welche Gegenstände zählen zu seiner persönlichen Ausstattung? Benedikt und die übrigen Verfasser der Regel legten offenbar großen Wert darauf, sich in Askese zu üben, ohne diese zum Selbstzweck zu erheben. *Temperantia*, Mäßigkeit, ist in allen diesen Fragen der bestimmende Tenor. Die Mönche müssen sich einfach kleiden, aber sie sollen nicht frieren müssen. Sie sollen bescheiden essen, aber sie sollen nicht hungern; sie sollen nur weniges zu ihrem persönlichen Gebrauch besitzen, aber das, was Not tut, sollen sie haben. Zur Grundausstattung an Kleidung zählten im Mittelalter ein Sommer- und ein Wintergewand in Form einer Kukulle, also ein weiter, körperverhüllender Mantel mit Kapuze, zwei Tuniken als Untergewänder sowie ein Arbeitskittel, Socken und einfache Schuhe. Zu den Gegenständen des persönlichen Gebrauchs rechnete man einen Gürtel, um die Kleidung notfalls zusammenraffen zu können, ein Messer als Besteck und allgemeines Werkzeug, eine Schreibtafel mit einem Griffel, eine Nadel, um die Kleidung selbst flicken zu können und ein Allzwecktuch, das zu allem Möglichen vom Abwischen bis zum Zusammenbinden eingesetzt werden konnte. Die Schlafgelegenheiten waren denkbar einfach: Eine Matte deckte man mit einem Tuch ab, darauf lag eine Decke und ein Kopfkissen. Die regelmäßigen Mahlzeiten nahmen die Mönche zweimal am Tag gemeinschaftlich ein: Die Hauptmahlzeit wurde um die frühe Mittagszeit serviert, eine weitere Mahlzeit gegen Abend, möglichst noch bei Tageslicht. Man reichte jeweils zwei gekochte Speisen, dazu abhängig von der Jahreszeit auch Obst oder frisches Gemüse. Fisch war die gängige Fastenspeise, ansonsten konnte aber auch Geflügel gereicht werden. Anfangs waren die Zutaten einfach – Heringe und Hühner –, später liest man auch von Edelfischen und delikatem Geflügel wie Zander und Hecht, Rebhuhn und Fasan, die – seien sie der eigenen Zucht entnommen, seien sie als Geschenke an das Kloster gekommen – auf dem Speiseplan standen. Das Fleisch von Vierfüßlern war kranken Mönchen vorbehalten, wenn es dazu beitrug, den Genesungsprozess positiv zu beeinflussen. Als Getränk sollte jedem Mönch neben Wasser eine geringe Menge Wein zur Verfügung stehen, der nördlich der Alpen oftmals durch Bier ersetzt wurde, dazu eine bestimmte Menge an täglichem Brot, das man sich selbst über den Tag hin einteilte.

Erste Reformen nach benediktinischem Modell – Benedikt von Aniane

Karl der Große hatte sein Reich in Bestätigung seines Königtums durch die Fürsten von seinem Vater übernommen und dehnte es während seiner Herrschaft insbesondere über die Rheingrenze weit nach Osten aus. Es war ein riesiges Territorium, das ihm als König huldigte: von der Nordsee bis zu den Pyrenäen und Mittelitalien, vom Atlantik bis zur Elbe, ein Reich von einer Größe, wie sie in West- und Mitteleuropa kein Königtum und kein moderner Staat mehr erreichte. Aber es war kein einheitliches Gebiet, nicht in seinen politischen Strukturen, nicht in der sozialen Schichtung seiner Bewohner, nicht in seiner wirtschaftlichen Organisation, nicht in seinen kulturellen Leistungen oder gängigen Kommunikationsformen. Das Ziel des Königs der Franken und seiner Ratgeber am Hof war eine größtmögliche Vereinheitlichung auf unterschiedlichen Ebenen des Reiches. In der historischen Rückschau kann man geradezu von einem karolingischen Reformprogramm sprechen. Einige besonders herausragende Ansätze mögen dies verdeutlichen: Die Kapitularien, die königliche Gesetzgebung, sollten in allen Reichsteilen greifen, die königliche Domänenverwaltung, ebenfalls in Kapitularien geregelt, zeigte beispielhaft, wie grundherrschaftliches Wirtschaften straff organisiert werden konnte (vgl. Kap. VI). Die Einführung des Denars, des silbernen Pfennigs, als einheitliche Münze mit Geltung im ganzen Reich vereinfachte den Handel und regte den Umlauf von Bargeld an. Die Vereinheitlichung der Schrift durch die Entwicklung der karolingischen Minuskel in einem der führenden Klöster erleichterte den Schriftkundigen das Lesen fremder Texte und damit den intellektuellen Austausch.

Und die Klöster schließlich sollten sich – so das hoch gesteckte Ziel – einer einzigen für alle verbindlichen Regel unterwerfen, auf dass alle Betenden im Land zu gleicher Zeit mit den gleichen Worten und im gleichen Geiste das Gotteslob mit umso größerer Wirksamkeit verkündeten. Der königliche Herrscher, seit dem Weihnachtstag des Jahres 800 Kaiser und in der Tradition seines Vorgängers Pippins des Jüngeren auch Beschützer der Christenheit, sah sich durchaus befugt, ja verpflichtet, in Angelegenheiten der Kirche nicht nur schützend oder beratend, sondern auch Recht setzend einzugreifen. Er verstand sich – so weist es die Sprache der Urkunden in der Intitulatio aus, der Nennung des Urkundenausstellers mit allen seinen Titeln – als von Gott gekrönt, *a deo coronato*, und rückte damit in eine Sphäre auf, die nicht mehr nur von dieser Welt war. Viele seiner Ratgeber und Gelehrten am Hof waren christliche Geistliche, nicht nur aus fränkischem Territorium, sondern weit darüber hinaus, wie Paulus Diaconus aus Italien oder Alkuin aus England. Die Vereinheitlichung des monastischen Lebens in dem Frankenreich Karls des Großen scheint ein Anliegen vieler gewesen zu sein. Aber auch die Zahl der monastischen Regeln, die die überall im Reich verstreuten Klöster befolgten, waren zahlreich. Bereits 789 wurden auf einer Synode in der *admonitio generalis*, also einer allgemeinen Ermahnung, bestimmte ‚Rahmenrichtlinien' für monastisches Leben aufgestellt und zur Befolgung anempfohlen. Diese betrafen zunächst jedoch nur die äußeren Formen, die, so hoffte man es vielleicht aus dem Geist der Benediktregel heraus, das innere Wesen entscheidend mitprägen würden: Alle Klosterangehörigen, auch die Vorsteher und Vorsteherinnen, sollten ihrer Residenzpflicht nachkommen, gemeinsam sollte man Speise- und Schlafräume aufsuchen, die neuen Aspiranten, die Novizen, sollten unter kontrollierter Aufsicht stehen, niemand sollte durch Gaben von außen irgendwelche Vorteile genießen. Und dies alles würde automatisch eingehalten werden durch die Befolgung der Regula Benedicti, die man als die für alle verbindliche Regel anstrebte. Liest man den Text der *admonitio generalis* gegen den Strich, so bedeutet das: Die monastischen Einrichtungen folgten unterschiedlichen Regeln; Äbte und Äbtissinnen

Westfassade des Klosters Murbach
Vom hl. Pirmin in einem Talende am Fuß der südlichen Vogesen gegründet und auf die Regel des hl. Benedikt verpflichtet, entwickelte sich Kloster Murbach zu einem prosperierenden Herrschaftsmittelpunkt seiner Umgebung.

absentierten sich regelmäßig und ohne Gewissensbisse, und wohl auch ohne Widerstand von Seiten der Klosterinsassen, von den ihnen Anvertrauten, und pflegten weiterhin ihre früheren sozialen und familiären Kontakte; Mönche und Nonnen lebten nicht zönobitisch, sondern individuell nach ihren persönlichen Vorstellungen in eigenen Haushalten oder doch zumindest eigenen Räumlichkeiten und genossen die Gaben und Geschenke, die ihnen durch Verwandte und Freunde zuflossen; die Ausbildung der Novizen erfolgte nicht nach festgeschriebenem Plan, sondern nach Gutdünken eines jeden Klosters.

Die *admonitio generalis* war ein wichtiger Versuch, klösterliches Leben zu vereinheitlichen, doch die Ermahnung scheint auf geringe Akzeptanz gestoßen zu sein. Im Jahr 802 veranlasste man die Überprüfung der konkreten klösterlichen Lebensweisen und die Berichte, die die damit beauftragten Königsboten erstellten, ergaben ein wenig überzeugendes Bild, was die Einhaltung der Regeln des hl. Benedikt anlangt. Vielleicht lag es an den Äußerlichkeiten, die vordringlich in der *admonitio generalis* angesprochen worden waren, vielleicht an mangelnder Einsicht, vielleicht an einem fehlenden positiven Vorbild. Letzteres fand man jedoch bald in der Gestalt des Benedikt von Aniane und nutzte es zur Umsetzung der herrschaftlichen Zielsetzungen.

Benedikt von Aniane (750–821) erhielt ursprünglich den Namen Vitizier und stammte aus einer südfranzösischen gräflichen Adelsfamilie. Entscheidende Elemente seiner Biographie sind durchaus vergleichbar mit denen seines berühmten Vorbildes, dessen Namen er annahm, um damit ein ganzes Programm klösterlicher Lebensführung zum Ausdruck zu bringen. Nach etwa einem Jahrzehnt im Kriegsdienst der fränkischen Könige Pippin und Karl entschied er sich 773 noch als junger Mann für ein Leben als Mönch und trat mit dreißig Jahren in ein Kloster bei Dijon ein. Seine strenge asketische Haltung, so die Vita, traf auf den Widerstand der dortigen Mönche, so wie es auch Benedikt von Nursia in Vicovaro ergangen war, und er zog sich auf sein Erbgut Aniane zurück. Nach zwei Jahren des Einsiedlertums gründete er dort ein Kloster, das er auf die strikte Befolgung der Regula Benedicti verpflichtete. Im Vorwort zur Anianischen Gottesdienstordnung heißt es dazu:

> *Er widmete sich mit ganzem Herzen dem Studium der Benediktregel ... Er bestellte für sein Kloster Gesangs- und andere Lehrer, Sprachgelehrte und Kenner der heiligen Schriften ... Er sammelte eine große Menge Bücher, er trug kostbare liturgische Gewänder zusammen, silberne Messkelche und Hostienteller. Und was er sonst an liturgischem Gerät für den Gottesdienst für notwendig erachtete, erwarb er mit höchstem Eifer. So wurde er allen bekannt, und der Ruhm seiner Heiligkeit erreichte endlich auch die kaiserlichen Ohren* (Monumenta aevi Anianensis, III., S. 311).

Im Jahr 814 holte König Ludwig der Fromme den glühenden Anhänger der benediktinischen Regel an seinen Hof und übertrug ihm die Aufgabe, alle Klöster auf fränkischem Herrschaftsgebiet zu reformieren und dort die Benediktregel als allein gültige monastische Regel durchzusetzen. Um ihn für diese Aufgabe zu legitimieren, schuf der Herrscher das Amt eines Generalabts des Frankenreiches. In den folgenden Jahren bis zum Tod Benedikts von Aniane im Jahr 821 in dem von ihm gegründeten Kloster Kornelimünster verfolgte Ludwig der Fromme seine Vorstellung von der Vereinheitlichung des Reiches und der Kirche – *unitas regni* und *unitas ecclesiae* – auch auf dem Gebiet des klösterlichen Lebens auf zwei Ebenen: Zum einen ließ er regelmäßig Synoden und Konzilien, also Bischofs- und Kirchenversammlungen einberufen, die immer wieder die Befolgung der Regula Benedicti als einzige Grundlage für alle fränkischen Klöster einforderten. Es galt, *uniformis mensura in potu, in cibo, in vigiliis, in modulationibus cunctis observanda* (ebd., S. 312), ein einheitliches Maß beim Essen und Trinken, im Gottesdienst und der gemeinsamen Lebensweise zu befolgen. Zum anderen entsandte er Benedikt von Aniane in die Klöster, die nach Auswertung der offiziellen Berichte als „reformbedürftig" eingestuft wurden. Dort sollte er über einen gewissen Zeitraum am Leben des jeweiligen Klosters teilnehmen und korrigierend eingreifen sowie durch sein vorgelebtes Beispiel die Äbte und Mönche der besuchten Abteien von der Richtigkeit dieses Weges überzeugen. Benedikt selbst war auf diese Weise in etwa 15 Klöstern erfolgreich tätig, seine Vertreter, die er wohl überwiegend aus seinem eigenen Kloster Aniane rekrutierte, reformierten etwa 40 weitere Klöster. Die politischen und die praktischen Maßnahmen zur Reformierung der Klöster zugunsten der Einhaltung der Benediktregel stützten sich gegenseitig. Im Laufe der nächsten Jahrzehnte wurde dadurch die Regula Benedicti in der Tat zu der monastischen Lebensgrundlage schlechthin. Für alle Klöster sollte mit Blick auf die Regel wie auf ihre Auslegung die Maxime gelten: *una regula – una consuetudo.*

Die sichtbare Gestalt der Regel – der St. Galler Klosterplan

Benedikt von Aniane und seine Mitstreiter verbreiteten den Text der Regel, lebten ihn notfalls für eine bestimmte Zeit in einer klösterlichen Gemeinschaft vor oder schulten abgesandte Delegationen aus solchen Klöstern, die willig waren, den Bestimmungen der Regel zu folgen, in den Möglichkeiten ihrer praktischen Umsetzung. Am Klosterplan von St. Gallen lässt sich ablesen, wieweit die Anforderungen an das gemeinschaftliche Leben, aber auch an die dem Kloster notwendige wirtschaftliche Versorgung und äußere Repräsentation in Architektur umgesetzt wurden. Die Bewertung des Planes innerhalb der historischen Forschung schwankt. Mal wird er als architektonisches Maximalprogramm für benediktinische Klöster aufgefasst, mal als die Utopie eines perfekten Klosters ohne Realitätsbezug gewertet, mal wird herausgestellt, dass, so wie die Regula Benedicti, auch der St. Galler Klosterplan eine Anpassung an die jeweilig vorgegebene Lebenswirklichkeit ermöglicht. Man kann es auch so auffassen: Die gesamte monastische Anlage – so wie im St. Galler Klosterplan konzipiert – war die architektonisch verkörperte Ordensregel.

Der Plan entstand um 820 in St. Gallen, wo, wie oben erwähnt, auch die verlässlichste Abschrift der benediktinischen Regel angefertigt wurde. Ob er je so umgesetzt wurde, kann man heute nicht mehr beurteilen, wohl aber kann man die architektonischen Grundzüge, wie sie dieser Plan vorgibt, bis heute in den Klöstern, die der Regula Benedicti folgen, wieder erkennen. Der zeitgenössischen Maxime *una regula – una consuetudo* könnte man aus heutiger Kenntnis hinzufügen *et una architectura*. Denn dies dürfte auch eines der hoch gesteckten Ziele der Vereinheitlichung der karolingischen Klöster gewesen sein: Wo immer ein Mönch ein Kloster betrat, sollte er sich umgehend zurechtfinden – in den Strukturen der Gemeinschaft, im täglichen Lebensrhythmus und eben auch in den Räumlichkeiten. Der St. Galler Klosterplan besteht aus fünf zusammengenähten Pergamentstücken von insgesamt 112 × 78 cm Größe und wurde mit roter und schwarzer Tinte gezeichnet und detailliert beschriftet. Alle Gebäude sind im gleichen Maßstab erfasst mit Ausnahme der Abteikirche, die größer erscheint.

Die Abteikirche, steingewordene Liturgie, bildet das Zentrum des Klosterkomplexes. Sie erstreckt sich von Westen nach Osten von zwei den Eingang flankierenden Westtürmen vor der Eingangshalle, dem Narthex, über einen dreischiffigen Mittelteil zunächst bis zum Querschiff, dann weiter bis zum Chor mit der halbrunden Apsis. Der Grundriss der Kirche entspricht also der Kreuzform. Der Chor war der Ort des gemeinschaftlichen Gebets für die Mönche. Dort stand das Chorgestühl und vielfach auch der Hauptaltar. Im St. Galler Plan steht der Hauptaltar mit den Gebeinen des hl. Gallus im Hauptschiff vor dem Querhaus, wohl nicht zuletzt deshalb, damit Pilger und andere Gläubige sich diesem so weit wie möglich nähern konnten. Im Süden der Abteikirche schließt sich das Klausurgeviert mit dem Kreuzgang und den für das Leben der Mönche vorbehaltenen Räumlichkeiten an. In der Mitte dieses Gevierts liegt der Friedhof der Mönche. Die eine Seite des Kreuzganges bildet die Kirchenwand. Im Osten befindet sich im unteren Bereich der Kapitelsaal, also

St. Galler Klosterplan: Umzeichnung

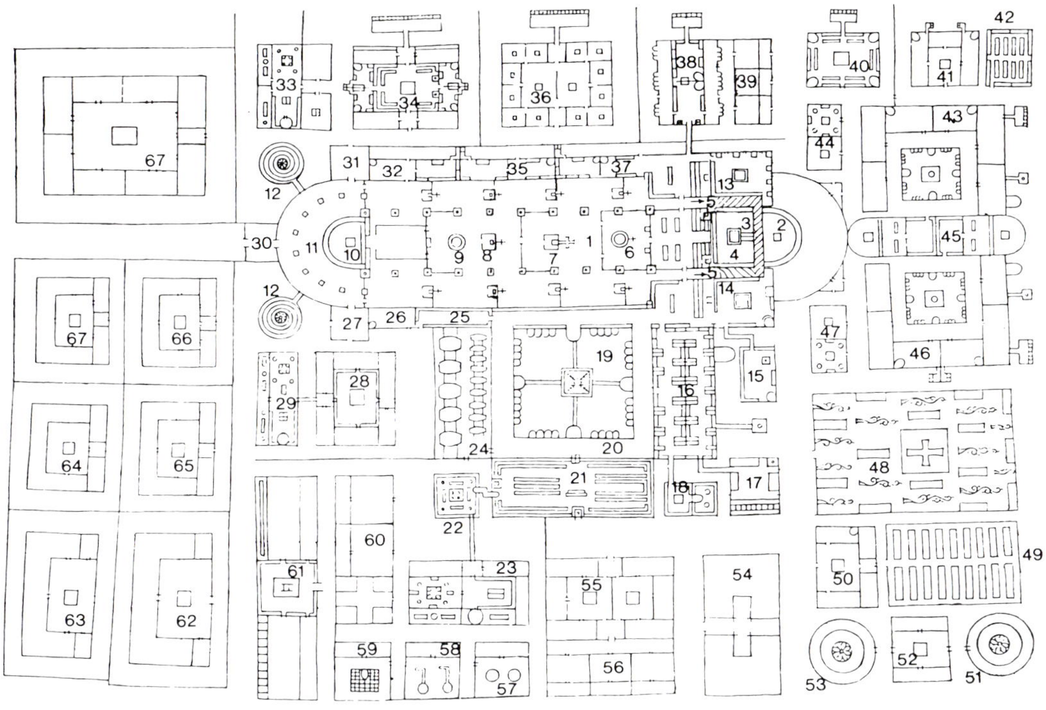

1 Kirche
2 Paulus-Altar oder -Memorie
3 Gallus-Sarkophag
4 Altar der hll. Maria und Gallus
5 Kryptaeingänge
6 Ambo
7 Kreuz-Altar
8 Altar der beiden Johannes (Bapt. u. Ev.)
9 Taufbecken
10 Petrus-Altar oder -Memorie
11 Paradies
12 Türme der hll. Gabriel und Michael
13 Schreibstube im EG, Bibliothek im OG
14 Sakristei im EG, Kammer für die liturgischen Gewänder im OG
15 Zubereitungsraum des heiligen Brotes und Öles
16 Wärmeraum der Mönche im EG, Dormitorium im OG
17 Latrinen
18 Bade- und Waschraum der Mönche
19 Kreuzgarten
20 Kreuzgang
21 Refektorium im EG, Kleiderraum der Mönche im OG
22 Küche der Mönche
23 Bäckerei und Brauerei der Mönche
24 Wein- und Bierkeller der Mönche im EG, Vorratsraum im OG
25 Sprechraum der Mönche
26 Wohnung des Verwalters des Pilger- und Armenhauses
27 Zugangshalle zum Pilger- und Armenhaus
28 Pilger- und Armenhaus
29 Brauerei, Bäckerei und Küche des Pilger- und Armenhauses
30 Eingangshalle zum Paradies
31 Zugangshalle zum Haus für vornehme Gäste und zur Äußeren Schule
32 Wohnung des Pförtners
33 Küche, Bäckerei und Brauerei des Hauses für vornehme Gäste
34 Gästehaus for vornehme Gäste
35 Wohnung des Vorstehers der Äußeren Schule
36 Äußere Schule
37 Wohnung für durchreisende Ordensbrüder
38 Doppelgeschossiges Abtshaus
39 Küche, Keller und Badhaus des Abtes
40 Aderlaß-Haus
41 Ärztehaus
42 Garten für Heilkräuter
43 Hospital mit Kreuzgang
44 Küche und Bad des Hospitals
45 Doppelkapelle für Hospital und Noviziat
46 Noviziat mit Kreuzgang
47 Küche und Bad des Noviziats
48 Mönchsfriedhof, zugleich auch Obstgarten
49 Gemüsegarten
50 Gärtnerhaus
51 Hühnerstall
52 Haus der Hühner- und Gänsewärter
53 Gänsewärter
54 Kornscheune
55 Haupthaus der Werkleute
56 Nebenhaus der Werkleute
57 Mühle
58 Stampfe
59 Darre
60 Küferei, Drechslerei und Getreidehaus der Brauer
61 Pferde- und Ochsenstall mit Wärterunterkunft
62 Kuhstall mit Kuhhirten-Unterkunft
63 Stall für die trächtigen Stuten und Füllen mit Wärterunterkunft
64 Schweinestall mit Schweinehirten-Unterkunft
65 Ziegenstall mit Ziegenhirten-Unterkunft
66 Schafstall mit Schafhirten-Unterkunft
67 unbekannt

Legende nach H. Reinhardt 1952, W. Horn und E. Born 1979 sowie W. Jacobsen 1981.

der Versammlungsraum des Konvents, wo zu Beginn einer Zusammenkunft ein Kapitel aus der Bibel verlesen wurde. Über dem Kapitelsaal liegt das Dormitorium, der Schlafsaal, der über eine Treppe mit der Kirche verbunden ist. Im Norden des Kreuzganges erstreckt sich das Refektorium, der Speisesaal. Der Wärmeraum – der einzig beheizbare Raum des Klosters – und die Latrinen liegen gut erreichbar zwischen Schlafsaal und Speisesaal. Auf der anderen Seite des Refektoriums befindet sich die klösterliche Küche. Im Westen schließlich grenzen die Vorratsräume das Klausurgeviert ab. Dieser innerste Bereich des Klosters war ausschließlich den Mönchen und ihren wichtigsten geistlichen Aufgaben vorbehalten; dort verbrachten sie die Zeit des kollektiven und des individuellen Gebets. Der Klausurtrakt wird von unterschiedlichen weiteren Gebäuden umrahmt. Im Norden der Abteikirche findet sich direkt angrenzend die Schreibstube und vermutlich auch die Bibliothek. Etwas abgerückt davon liegt das Abtshaus, wo der Vorsteher der Gemeinschaft seinen repräsentativen Pflichten gegenüber hoch gestellten Gästen mit eigenen Räumlichkeiten und einer eigenen Küche nachkommen kann. Daran schließt sich ein Schulgebäude an, vielleicht für eine Form des öffentlichen Unterrichts für die Kinder der umliegenden adeligen Familien gedacht, schließlich noch ein Gästehaus, um Besucher der Abtei angemessene Unterkunft zu bieten. Im Westen steht Pilgern ein weiteres Haus zur Verfügung. Östlich der Kirche schließen sich zwei kleinere einfache Gebäudekomplexe an, die die wichtigsten Elemente des Klausurtraktes wiederholen. Ein Bereich ist den Kranken, ein anderer den Novizen vorbehalten, die sich gemeinsam die kleine Kirche teilen, zu der von beiden Bereichen ein eigener Eingang führt. Ein Friedhof und ein Obstgarten, ein Kräutergarten und weitere kleinere landwirtschaftliche Flächen schließen sich an, mit einem Haus für den Gärtner und den Geflügelhirten. Im Süden des Klausurgevierts sind Gebäude für verschiedene Handwerke vorgesehen: Schuster, Sattler, Schwertfeger, Schildmacher, Drechsler, Gerber, Goldschmiede, Eisenschmiede, Walker. Aus den Quellen anderer Klöster lassen sich als weitere klösterliche Handwerksbereiche noch nennen: Grobschmiede, Pergamenthersteller, Schleifer, Gießer, Zimmerleute und Maurer. Zweck der Aufnahme spezialisierter Handwerker innerhalb der Klostermauern war die Freistellung der Vollmönche für das geistliche Offizium, d.h. für Messe und Gebet. In der Nähe des Pilgerhauses, weit weg von den hauptsächlichen Aufenthaltsräumen der Mönche, liegen die Ställe. Lärm- und Geruchsbelästigung werden so weit wie möglich vom Klausurtrakt fern gehalten.

Die Regula Benedicti ebenso wie der St. Galler Klosterplan beweisen ein gutes Maß funktionalen Denkens. Die Vorstellungen der Regel sind in bauliche Gestalt umgesetzt. Zum Ersten gibt es im Klausurtrakt notwendigen und ausreichenden Raum für die *vita contemplativa*, das Gebet in der Kirche, die Meditation im Kreuzgang. Die Unruhe und die Versuchungen der Welt sind hier quasi ausgesperrt zugunsten von Ruhe und Abgeschiedenheit. Zum Zweiten bieten sich verschiedene Möglichkeiten für die Wahrung der Außenkontakte: für den Empfang von Gästen, die Begrüßung von Pilgern, die Ausbildung von externen Schülern. Zum Dritten wird den Kranken und Novizen, die zum Klöster gehören, den Klausurtrakt aber zeitweilig nicht oder noch nicht betreten dürfen, eine Art Ersatz- oder Probeklausur angeboten, und zwar an bevorzugter Stelle, nämlich im Osten, nahe des Chores der Abteikirche, und zum Vierten schließlich sind ausreichend Gebäude für das leibliche Wohl der Klosterinsassen und die Versorgung mit den nötigen materiellen Gütern vorgesehen. Bis heute ist diese überzeugende Anordnung monastischer Gebäude nachvollziehbar; in den Klöstern, die die Jahrhunderte überdauert haben ebenso wie in solchen, die nur noch als Ruinen erkennbar sind. Und wer einmal Ruhe zu innerer Einkehr, zu Meditation oder Gebet sucht, wird sie auch heute noch im Abschreiten der Arkaden eines Kreuzganges finden, in kühlem Schatten von Joch zu Joch, von Säule zu Säule, von Stein zu Stein, mit dem Blick auf ein lichtdurchflutetes Viereck in der Mitte – eine absolut verkehrsberuhigte und lärmfreie Zone.

Eine Nonne entzündet die Altarlampe
„Und das Licht möge euch ewig leuchten", steht in dem vor der Küsterin aufgeschlagenen Buch.

V.

Geist und Körper – Gestalt und Aufgaben des klösterlichen Alltags

Spätestens seit karolingischer Zeit zählten Klöster und Stifte zu den Institutionen mit höchster Reputation, Äbte und Äbtissinnen, Mönche und Nonnen zur gesellschaftlichen Elite. Die Mitglieder der Konvente verfügten zum einen über besondere, hoch geschätzte Fähigkeiten, die sie in den Dienst der Gesellschaft stellten. Zum anderen waren sie von den Forderungen befreit, die ein ‚normales' gesellschaftliches Leben an jeden Einzelnen herantrug: Sie verbrachten ihre absolut geregelten Tage, Wochen und Jahre in der Gewissheit, dass für ihren lebensnotwendigen Unterhalt gesorgt war – alles andere als selbstverständlich in den Jahrhunderten des Mittelalters. Als Gegenleistung für diese Sicherheit, die ihnen die Zuwendungen der reicheren Mitglieder der Gesellschaft garantierte, standen sie in der Pflicht, zwischen dem Jammertal der Welt und den glückseligen Gefilden des Himmels zu vermitteln. Diese Mittlerrolle erfüllten sie im *opus dei*, im Gotteslob in Gebet und Gesang; dies war ihre gesellschaftliche Aufgabe und ihr Dienst für die Gemeinschaft. Des Weiteren gehörten sehr viele von ihnen zu der kleinen Gruppe der *literati*, der Lese- und Schreibkundigen. Das erhob sie über diejenigen, die ihr Wissen durch die praktische Nachahmung und die Empirie, das Lernen durch Erfahrung, erwarben. Denn die *literati* waren zum einen in der Lage, sich ihre Kenntnisse unabhängig von anderen Personen über die Texte, die sie lasen, zu erarbeiten. Und zum anderen wiederum speicherten sie das geschriebene Wort und das ihm innewohnende Wissen dauerhaft für sich und andere, die die Kunst des Lesens beherrschten. Weil sie über diese Qualifikationen verfügten – Beten, Singen, Lesen, Schreiben –, übten sie selten auf lange Sicht schwere körperliche Arbeit aus. Die monastische Regel des hl. Benedikt strebte ein ausgeglichenes Verhältnis zwischen *orare* und *laborare*, zwischen beten und arbeiten an. Die Mönche, die zu den *literati* zählten, machten die Kopfarbeit zu ihren *labores*. Weil ihnen die Verausgabung durch körperliche Arbeit erspart wurde, blieb ihnen die Zeit, die Kraft und die Verpflichtung, sich mit intellektuellen Problemen auseinander zu setzen. Das heißt jedoch nicht, dass die mittelalterlichen Klöster Orte völliger Vergeistigung waren. Im Gegenteil stellte bei fast allen Aktivitäten Körperlichkeit einen eigenen Aspekt dar. Die Übereinstimmung zwischen Form und Inhalt ist bei allem monastischem Tun das erstrebte Ziel, in der Gewandung der Klosterangehörigen wie in Gebet und Gesang, in den liturgischen Geräten wie im Schriftgut.

Das mönchische Gewand als Kleid der Seele

Die Kleidung für Mönche und Nonnen sollte einfach und funktional sein. So sah es die Regula Benedicti vor. Die mönchische Gewandung bestand aus der Tunika, einem Unterkleid, der Kukulle, einem weiten Obergewand mit Kapuze, und bei Bedarf dem Skapulier, einer Art Schürze oder Kittel. Sie hüllten den Träger vom Kopf bis zu den Füßen ein und nivellierten individuelle körperliche Merkmale. Gleichzeitig ließen sie ausreichende Bewegungsfreiheit für die verschiedensten Tätigkeiten. Das einfache Skapulier, das weit weniger Stoff als die übrigen Kleidungsstücke benötigte und entsprechend leichter und schneller zu waschen war, schützte die langen Gewänder darunter vor dem Schmutz der Gartenbeete, dem Staub der Werkstätten, den Säuren und Flüssigkeiten der Apotheke, den Spritzern bei der Farbherstellung. Das Material für das verwendete Tuch richtete sich nach den Jahreszeiten oder den klimatischen Bedingungen. Leinenstoffe verwendete man für die Sommer-, Wollstoffe für die Winterkleidung. Damit die notwendige Hygiene gewährleistet war, erhielt jeder Mönch zwei Tuniken, die er zur Nacht wechseln oder bei Bedarf waschen konnte. Die Reisekleidung bestand aus etwas besseren Materialien – schließlich war der Mönch auch Repräsentant seines Klosters –, musste aber nach der Rückkehr ins Kloster zurückgegeben werden. Es fiel in den Aufgabenbereich des Abtes oder eines von ihm dazu Beauftragten, dafür Sorge zu tragen, dass abgetragene Kleidung eingezogen und durch neue ersetzt wurde.

Die Kleidung der Nonne setzte sich ähnlich zusammen wie die der Mönche, nur dass das Obergewand nicht in einer Kapuze endete. Die Nonnen hatten mit dem Gebinde, das das Gesicht umrahmte, und dem darüber gelegten Schleier eine eigene Kopfbedeckung, die eine der weiblichen Zierden, das Haar, vollständig unsichtbar machte. In den klausurierten Konventen blieb die einfache Gewandung eigentlich immer die vorgeschriebene Kleidung. Sie sollte die Demut derer ausdrücken, die mit ihrer weltlichen Kleidung auch die Fixierung auf Pracht und Luxus abgelegt hatten. Die Einkleidung war ein wichtiger Bestandteil der Zeremonie, mit der ein Mönch oder eine Nonne in ihre neue Gemeinschaft aufgenommen wurde. Während ihres Noviziats, quasi ihrer Lehrlingszeit, hatten die Aspiranten des Klosterlebens ihren künftigen Lebensrhythmus erlernt. Nun galt es, ihrer Entscheidung für ein neues Leben einen für alle sichtbaren Ausdruck zu verleihen. Dies geschah in einer aufwändigen Feier. Die Aufnahme vollzog sich in mehreren Schritten. Zunächst kleidete sich der Novize oder die Novizin in ihre früheren weltlichen Gewänder. Dann zog man ihnen diese Kleidung wieder aus, um damit die Lösung von sämtlichen bisherigen Bindungen kundzutun. Stattdessen empfingen sie aus der Hand des Abtes oder der Äbtissin ihr neues, klösterliches Gewand. Des Weiteren verkündeten sie ihren Entschluss in der schriftlichen, rechtsverbindlichen Form einer Urkunde, der so genannten Professurkunde. Diese lag während der folgenden Zeremonie auf dem Altar. Die neuen Konventsmitglieder bezeugten ihren Willen zu Demut und Gehorsam durch eine unmissverständliche Unterwerfungsgeste. Sie warfen sich dem im Chorgestühl versammelten Konvent zu Füßen, wurden schließlich aber vom Abt oder von der Äbtissin wieder aufgehoben und empfingen dann von den künftigen Brüdern oder Schwestern einen Willkommenskuss, der sie in die neue Gemeinschaft aufnahm. Die Aufgabe des eigenen Willens, der Übergang in ein neues Leben und die vollkommene Unterstellung unter Gottes Wort wurde oftmals noch dadurch betont, dass das neue Klostermitglied auch einen neuen Namen, quasi eine neue Identität, erhielt.

Anders sah es in den adeligen Stiften aus, also den Gemeinschaften, die zusammenkamen, um gemeinsam zu beten, zu singen und einem gottgefälligen Tun nachzukommen, deren Mitglieder jedoch kein Gelübde ablegten und die auch nicht an die Klausur eines Klosters gebunden waren. Dort gab es zwar auch eine verpflichtende Tracht, die man zu den Gottesdiensten trug, doch war diese für gewöhnlich erheblich aufwändiger und schmuckvoller als in den Klöstern. Pelz- und Spitzenbesatz, edle Stoffe mit kostbaren Borten waren durchaus üblich und spiegelten in gewisser Weise die hohe Herkunft ihrer Träger und Trägerinnen wider. Für Laien waren die Gewänder von Mönchen und Nonnen auch ein deutlicher, unzweifelhafter Hinweis auf die Ordenszugehörigkeit. Nachdem sich im 12. Jahrhundert die Ordenslandschaft zu differenzieren begann, bedurfte es weiterer äußerer Unterscheidungsmerkmale. So erschienen künftig die Benediktiner auf Grund der Farbe ihres Gewandes dem Auge als die „schwarzen" Mönche, die Zisterzienser sprach man als die „grauen" oder „weißen" Mönche an. Die Franziskaner trugen braune Kutten, die mit einem Strick gegürtet waren, in den drei Knoten für die Gelübde der Armut, der Keuschheit und des Gehorsams geschlungen waren, die Dominikaner erkannte man an ihren schwarzweißen Gewändern, um nur einige wenige Ordenstrachten zu nennen. Auch die Zusammensetzung eines vollständigen mönchischen Gewandes konnte variieren. In jedem Fall waren die Zeitgenossen in der Lage, aufgrund des optischen Erscheinungsbildes Mönche und Nonnen den verschiedenen Orden zuzuordnen.

Harmonie, Rhythmik, Metrik – der Chorgesang

Gesang bedeutet geistiges Wissen ... Der Gesang ist ein Teil des kontemplativen Lebens. So führte es bereits Hrabanus Maurus (780–856) aus, Benediktinermönch, Schüler des gelehrten Angelsachsen Alkuin, Abt des Klosters Fulda und seit 847 Bischof von Mainz. In seinen Gedanken „Über die natürlichen Dingen, die Angemessenheit der Worte und die Bedeutung der mystischen Dinge" widmet er sich unter anderem der Musik, nicht als Mittel der Unterhaltung, sondern als Wissenschaft und Bildungszweig. Hrabanus Maurus war keineswegs der Einzige, der sich in seinen philosophischen Traktaten mit der Musik beschäftigte. Musik, vokale wie instrumentale, wurde in ihre Bestandteile zergliedert und so definiert als *die Einteilung der Töne, die Mannigfaltigkeit der Stimmen und die Melodie beim Singen* (Alkuin, zit. nach Assunto, S. 180), als Grundlage der Mathematik oder als dreiteilige Wissenschaft von Harmonik, Rhythmik und Metrik (Hrabanus Maurus, De musica). Darüber hinaus suchte man in der Regelmäßigkeit der Tonfolgen und in den Harmonien einen Ausdruck der göttlichen Schöpfung zu erkennen: *ohne die Musik kann keine Wissenschaft vollkommen sein. Auch existiert nichts ohne sie. Denn wird nicht gesagt, dass die Welt selbst aus einer Harmonie von Tönen zusammengesetzt ist, und dreht sich nicht auch der Himmel im Klang der Harmonie?* (Hrabanus Maurus, zit. nach Assunto, S. 181). Musik und Gesang konnten vielleicht sogar mehr zum Ausdruck bringen als ein hervorragend formulierter Text: *Jubel ist ein Ruf, dessen Ausdruckskraft durch die Leidenschaft des Geistes bedingt ist: es bedeutet die unsagbare Freude, die die menschliche Sprache nicht ausdrücken kann* (ebd.). Der Aufbau der Musik folgt aber bestimmten Gesetzen, die es einzuhalten gilt: *Da die Musik die Wissenschaft des richtigen Singens ist, werden alle Gesänge aus der Musik ausgeschlossen, die nicht richtig, sondern regelwidrig und ohne Ordnung gesungen werden* (Bernhard von Clairvaux, zit. nach Assunto, S. 198).

Im monastischen Chorgesang verbanden sich Form und Inhalt, das gesungene Wort, zum perfekten Gotteslob. Als Ursprung des Chorgesangs wird der jüdische Lesegesang in den Synagogen angenommen; ein solcher Lesegesang wurde dann über die Ostkirche in die römische Kirche getragen. Der Psalmengesang war in der Benediktregel für das Stundengebet vorgeschrieben. Die erste Zusammenstellung liturgischer Gesänge schreibt man im westeuropäischen Raum Papst Gregor dem Großen (540–608, Pontifikat seit 590) zu. Im 8. Jahrhundert begann man auch in den Klöstern des Frankenreiches die römischen Gesänge anzustimmen. Dort entwickelte sich dann auch der gregorianische Choral mit seinem System von 8 Tönen als einstimmiger, unbegleiteter liturgischer Gesang, dessen lateinische Texte in Melodien aus kleinen Tonintervallen in ruhigem getragenen Tempo dargeboten werden. Bei der hohen Bedeutung, die der liturgische Gesang allmählich einnahm, bedurfte es auch einer entsprechenden Schulung der ausschließlich dem Klerus angehörenden Sänger. Unter Karl dem Großen, der die Förderung eines sich vereinheitlichenden Klosterwesens in sein herrschaftliches Programm aufgenommen hatte, entstand die *schola cantorum*, eine Gesangsschule, deren Ziel die textliche und melodische Festlegung der liturgischen Gesänge war. Immer wieder bis ins späte Mittelalter hinein wird in den klösterlichen Chroniken von Gesangslehrern berichtet, die sich Klöster eigens zur Schulung des korrekten liturgischen Gesangs ihrer Mitglieder untereinander ‚ausliehen', damit sie diesen so wichtigen Teil des *opus dei* in der gebotenen Weise erfüllen konnten.

So wie es schon bei der Regula Benedicti und den liturgischen Texten notwendig geworden war, mussten auch die Melodien sicher fixiert und damit in stets gleicher Weise wiederholbar werden. Die Schrift für die Musik, die Notation, die man zur Zeit der Einrichtung der *schola cantorum* erfand, bestand aus den Neumen, Tonzeichen, die Rhythmus und Bewegung der Melodie, nicht aber die genauen Intervalle der Töne angaben und wohl vor allem dem Vorsinger bei der Einübung und Leitung der Gesänge dienten.

Der Chorgesang entwickelte sich zu einem in höchstem Maße formalisierten Gesang, in dem vorgeschriebene Texte passend zu den jeweiligen liturgischen Ereignissen in ebenso festgelegte Gesangsabläufe eingebunden waren. So begann das Singen eines Psalmes stets mit dem *initium*, einer Art gesanglicher Einleitung, setzte sich fort in der *mediatio*, dem Psalmentext und endete mit der *terminatio* und dem endgültigen *finalis*, dem Schlussgesang. Ein weiteres Charakteristikum des mönchischen Chorgebetes war der Wechselgesang: Im ersten Schritt sang der Vorsänger einen Text vor, den der Chor dann wiederholte (*repetitio*) oder auf den er mit einem anderen vorgegebenen Text antwortete.

Zum richtigen Gesang gehörte ebenso wie zum Gebet die angemessene Haltung. Außerdem erforderte er besonders große Konzentration, da die Stimmen ja nicht instrumental begleitet wurden. In einigen monastischen Reformbewegungen galten Instrumente, selbst die Orgel, als der Intensität des *opus dei* sogar abträglich. Andererseits legte man auf vielen mittelalterlichen Darstellungen der himmlischen Chöre verschiedene Instrumente in die Hände der Engel. Für die heutige Musikwissenschaft sind die Abbildungen auf Kirchenwänden, Buchinitialen oder auch gestickten Teppichen wertvolle Zeugnisse, um das Aussehen und die Varianten mittelalterlicher Instrumente zu erfassen. Das lange Stehen im Gestühl des Chores wurde später durch die hölzernen Verbreiterungen an den hochgeklappten Sitzen, die so genannten Misericordien, erleichtert, in denen die Holzschnitzer in klösterlichen wie anderen Kirchen ihre Phantasien in Szenen und Motive aller Art umsetzten, die manchmal zum Schmunzeln reizen, manchmal aber auch ganze theologische Lehrprogramme bieten.

Uns bleiben nur nackte Namen – die *memoria*

... quorumque nomina scripta sunt in libro vitae et supra sancto altario sunt posita („Deren Namen in das Buch des Lebens eingeschrieben und auf den heiligen Altar gelegt worden sind", MGH, Nec. 2, S. 42). Das Buch des Lebens war ein Schlüsselbegriff für die Verbindung, die die diesseitige Welt mit dem Jenseits eingehen konnte. Auf der einen Seite war es das Buch, das im Himmel über die Taten eines jeden einzelnen Gläubigen geführt wurde. Das, was dort aufgezeichnet war, würde beim Jüngsten Gericht darüber entscheiden, ob die Seele Aufnahme im Paradies fände oder auf ewig in die Hölle verbannt würde. Auf der anderen Seite schuf man auf Erden bereits ein Buch, in das man die Namen von Lebenden und Verstorbenen eintrug, um damit bei der Nennung des Namens in der Messe eine Gebets- und Fürbittgemeinschaft zu schaffen. Das Gebetsgedächtnis – die *memoria* – stellte eine Beziehung her zwischen Lebenden und Verstorbenen, stiftete eine Gemeinschaft, deren Mitglieder die Verpflichtung zu gegenseitigem Beistand eingingen. Von Seiten der Lebenden wurden die Verstorbenen – insbesondere natürlich die Märtyrer und Heiligen – um Hilfe angerufen. Sie waren das Bindeglied zur göttlichen Allmacht und sollten das Flehen der Irdischen um himmlischen Beistand durch ihre Intervention unterstützen. Die Toten wiederum durften erwarten, dass die Gebete der Lebenden ihre Leiden lindern und ihre Strafen verkürzen würden. Der Fürsprache vor Gott bedurfte es also von beiden Seiten. Das Gebet war das rechte Mittel für diese Fürsprache und wer wäre geeigneter gewesen, die ‚richtigen' Gebete zu sprechen, als die Mitglieder der monastischen Gemeinschaften? Aufgabe der Klöster war es also auch, durch die Fixierung der Namen und ihre kontinuierliche Weitergabe sowie die laute und öffentliche Nennung dieser Namen die Erinnerung, die *memoria*, über die Jahrzehnte und Jahrhunderte zu gewährleisten. Es gab verschiedene Möglichkeiten, die Namen zu fixieren, die zum Teil unabhängig voneinander oder auch in Mischformen Anwendung fanden. In Martyrologien schrieb man die Namen der Märtyrer und Heiligen, die man aufrief, um sich ihrer Fürsprache zu vergewissern. Verbrüderungsbücher enthielten die Namen der Angehörigen von solchen klösterlichen Gemeinschaften, die diese Listen miteinander austauschten, so dass nicht nur die Mitglieder der eigenen Gemeinschaft für ihr Heil beteten, sondern eben auch andere Gemeinschaften dieses Werk vollbrachten.

In der Darstellung des Beginns einer Gebetsbruderschaft zwischen den beiden fran-

Die Gebetsbruderschaft zwischen den Abteien von Sint-Vaast und Cîteaux
Miniatur in einem Kommentar des hl. Hieronymus zum Propheten Jeremias.

zösischen Abteien Cîteaux und Sint-Vaast (Arras) stehen die beiden bereits als Heilige verehrten Äbte, durch ihre Hirtenstäbe und die seitliche Beschriftung ausgewiesen, zu Füßen der gekrönten Gottesmutter, die sich selbst über einem Altar erhebt. Vor dem Altar präsentiert ein Mönch der Himmelskönigin mit gebeugtem Knie ein aufgeschlagenes Buch, in dem die Gebetsbruderschaft niedergelegt ist. Seine Gestalt ist deutlich kleiner als die der anderen drei Personen. Mehrere Bögen deuten die verschiedenen Sphären an, in denen sich die Dargestellten bewegen. Maria steht zu zwei Dritteln im Himmel. Das Rund ihres Heiligenscheins wiederholt sich im Rund des mit geometrischen Ornamenten gefüllten Himmelsgewölbes. Dieses wird erst durch den seitlich hochgerafften Vorhang eines weiteren Bogens sichtbar. Dem Himmelsgewölbe vorgelagert stehen die beiden heiligen Äbte. Ihr Aktionsraum ist horizontal geteilt. Mit ihren Häuptern ragen sie in die himmlische Welt, mit ihren Füßen stehen sie auf Ornamenten, die wiederum der unteren irdischen Sphäre zuzurechnen sind. In diese tritt auch der Mönch quasi aus dem unteren ornamentalen Rahmen hinein. Sein Buch mit der schriftlich fixierten Gebetsbruderschaft bildet mit der Mitte des Altars und der Gestalt Mariens eine vertikale Achse, die wichtigste Linie, die die Gebetsbruderschaft über das Geschehen am Altar mit der himmlischen Welt verbindet. Maria war die Patronin des Zisterzienserordens, dem beide Abteien angehörten. Mit ihrem Segensgestus nimmt sie das am Altar dargebotene Buch an. Eine ähnliche Konstellation findet sich im Fraternitätsbuch von Corvey und Helmarshausen. Hier jedoch flankieren die beiden kleineren Äbte den gemeinsamen Patron Stephan. Ihnen zu Füßen kniet der Mönch, der unter dem entzündeten Licht am Altar das Verbrüderungsbuch niederlegen wird. Alle Personen sind von einer mit Zinnen bekrönten Mauer mit Türmen umrahmt. Der obere und der untere Teil dieser zweigeteilten Mauer ist durch je eine seitliche Säule miteinander verbunden, die nur wenig kleiner sind als die beiden Äbte. Fast sollte man meinen, sie könnten an deren Stelle rücken, selber zur Säule ihrer Klöster und ihrer Bruderschaft werden.

Ergänzt wurden die Verbrüderungsbücher durch die *rotuli*. Auf diese Pergamentrollen schrieben die geistlichen Gemeinschaften die Namen derjenigen, die im Laufe eines Jahres

Das Fraternitätsbuch der Abtei von Corvey

in ihrer Mitte verstorben waren und die sie dann an die übrigen Gebetsgemeinschaften sandten, mit denen sie verbunden waren. Nekrologe schließlich nahmen kalendarische Einträge auf, also nicht nur den Namen, sondern auch den Todestag einer Person. Das Todesjahr war dabei uninteressant, denn in der sich jährlich wiederholenden Liturgie war es nur von Bedeutung, dass zu einem bestimmten Tag die Namen der Verstorbenen aufgerufen wurden, um diese in der betenden Gemeinschaft gegenwärtig zu halten. Neben dem Namen sind manchmal auch Aufgabe, Titel oder soziale Stellung des Verstorbenen genannt. Auf diese Weise rücken die Namen von Mönchen und Bischöfen, Witwen und Presbytern, von Königen und Mägden auf einer Seite zusammen. Neben die schriftlichen memorialen Verzeichnisse traten die Bildwerke. Grabplatten nannten den Namen des Verstorbenen und riefen den Betrachter zum Gebet auf; Stifter ließen sich, klein und unscheinbar, aber doch deutlich erkennbar, bei der Überreichung ihrer Gabe malen; die Gabe, das Geschenk selbst, etwa ein Kelch oder eine Monstranz, war mit dem Namen des Stifters oder seinem Wappen versehen und forderte so stets den Benutzer auf, seiner zu gedenken. Gerade dies weist bereits darauf hin, wie sich eine Person ihre *memoria* sichern konnte. Gebetsgedächtnisse wurden in der Regel nicht als Selbstverständlichkeit auf die bloße Bitte einer Person hin erbracht. Bereits die Verbrüderungsbücher der Klöster machen deutlich, dass es sich um eine Art „frommen Geschäfts" handelte. Man tauschte die Namenlisten aus, um gegenseitig füreinander die Gebetsleistungen zu erhöhen. Bei Einzelpersonen, die ein Kloster um eine Erinnerungshilfe angingen, kam es ebenso darauf an, dass beide Vertragspartner aus dieser Verbindung Nutzen zogen. Konkret heißt das, dass man sich für die Aufnahme in das Totenbuch eines Klosters durch eine Gegengabe bedankte. Im praktischen Alltag und profan gesprochen bedeutete es, dass man sich in das Gebetsgedächtnis einer Gemeinschaft einkaufte und diesen Vorgang als ein verbrieftes, urkundliches Rechtsgeschäft absicherte.

Schenkungen wie Ländereien, Naturalien und Geldsummen als einmaliger Akt oder Stiftungen, die die Dauerhaftigkeit der zur Verfügung gestellten Mittel garantieren sollten, vergrößerten den Besitz der klösterlichen Gemeinschaften, erhöhten aber auch ihre Gebetsverpflichtungen. Bei vielen dieser Schenkungen und Stiftungen war es mit dem bloßen Gedächtnisgebet nicht getan, sondern das Gedächtnis wurde an ein Werk der Barmherzigkeit gekoppelt – eine Armenspeisung zumeist, oder die Verteilung von Kleidung. Gerade die hoch angesehenen Klöster trachteten danach, ihre Memorialleistungen auszubauen, da sie diese als ihre wichtigste Aufgabe erachteten. Und ebenso waren die Gläubigen gern bereit, einem solchen Konvent diese Leistung anzuvertrauen und dafür entsprechend auszustatten. Ein oft zitiertes Beispiel ist das Kloster Cluny in der zweiten Hälfte des 11. Jahrhunderts, in dem insbesondere die Äbte Odilo und Hugo die Leistungen des Memoriengedächtnisses erhöhten, so dass schließlich eine Vielzahl von Priestern vom Morgen bis zum Abend an zahlreichen Altären die notwendigen Messen lasen, damit das Kloster den eingegangenen Verpflichtungen gerecht wurde. Durch die mit den Memorienstiftungen verbundenen Armenspeisungen geriet das Kloster – so überlegen Wirtschafts- und Sozialhistoriker und stützen sich dabei auch auf klösterliche Chroniken – an die Grenze seiner wirtschaftlichen Leistungsfähigkeit. Abt Odilo verstand die Ausweitung des Gebetsgedächtnisses aber offenbar nicht nur als Geschäft, denn er führte zusätzlich zum Allerheiligentag am 1. November den Allerseelentag am 2. November ein, damit jedem verstorbenen Christen der Gebetsbeistand der cluniazensischen Mönche sicher war.

Die Mediävistik hat Verbrüderungsbücher, Nekrologe und die Rechtsdokumente zu Schenkungen und Stiftungen seit langem als bedeutende Quellenzeugnisse erkannt. Seit einigen Jahrzehnten werden sie bearbeitet, teilweise ediert und ausgewertet, denn sie geben Auskunft über die politischen und gesellschaftlichen Verknüpfungen, die von Seiten der Klöster eingegangen wurden. Wenn auch die

Identifizierung von Personen aufgrund der mangelnden Datierung insbesondere bei den Nekrologien schwer fällt und oftmals nachgerade unmöglich ist, so lässt doch eine Vielzahl von Untersuchungen mit unterschiedlichen Ansätzen manche Rückschlüsse zu. Es bleiben uns doch etwas mehr als die nackten Namen. So konnten für einige klösterliche Gemeinschaften die engen Verbindungen mit verschiedenen gesellschaftlichen Bereichen bestätigt werden. Viele der großen Klöster wie St. Gallen, Fulda oder die Gemeinschaften der Bodenseeinsel Reichenau nahmen neben Mitglieder des eigenen Konvents auch Kaiser und Könige, die Mitglieder der umliegenden Adelsfamilien, Bischöfe und Kleriker, die Verstorbenen anderer Klöster und eben auch eine Vielzahl weiterer, nicht immer klar einzuordnender Personen in ihr Gebetsgedächtnis auf. Und manche Stiftungs- und Schenkungsurkunden belegen, welche Gebetsverpflichtung in welcher Höhe ‚honoriert' wurde.

Kostbarer Inhalt und kostbare Form – liturgisches Gerät und kirchliche Ausstattung

„Für einen kostbaren Inhalt die bestmögliche Verpackung." Den Spruch, mit dem im Jahr 2002 die Kartonverpackung für ein nahrhaftes Getränk beworben wurde, könnte man in leicht abgewandelter Form durchaus auf mittelalterliches Altargerät münzen. Das ist keineswegs geringschätzig gemeint: Für einen kostbaren Inhalt bedurfte es einer kostbaren Form. Inhalt und Form mussten nach mittelalterlichem Verständnis miteinander korrespondieren, wie es schon für verschiedene Bereiche gezeigt wurde. Ihre Übereinstimmungen bedeuteten Harmonie, Einklang und Wahrheit. Es ist insbesondere für die ersten Jahrhunderte des Mittelalters nicht leicht, schöne, das heißt ästhetisch ansprechende und materiell wertvolle Dinge zu finden, die keinen kirchlichen Bezug aufweisen. Schönheit verstand man als ein Abbild des Himmels. Die hoch qualifizierten Handwerker, die sich darauf verstanden, Gold und Silber zu schmieden, zu treiben und zu punzieren, Elfenbein zu schnitzen, Perlen, Edelsteine und antike Gemmen zu fassen, Emailleschmelzen zu gießen und feinste Ziselierungen zu stechen, schufen nach mittelalterlicher Vorstellung keine Kunstwerke, sondern übertrugen die Schönheit himmlischer Geistigkeit und die Anmut demütiger Heiligkeit in sichtbare Materie. Und dazu brauchte man mehr als nur handwerkliche Fähigkeiten. Es bedurfte der Erkenntnis des himmlischen Strahlens, um es in Rubinen und Opalen, in Bernstein und Bergkristall zum Leuchten zu bringen. Es bedurfte des Wissens um die bib-

Darstellung der Messe in einem Psalter (Mitte 13. Jahrhundert)
Im Wunder der Eucharistie verwandelt der Priester das Brot, die flache Hostienscheibe, in den Leib Christi, und der so immer wieder neu auferstehende Christus selbst spendet seinen Segen demjenigen, der dieses Wunder mit offenen Augen glaubend miterlebt.

Cruzifixus (Kloster Werden um 1060)
Um die erste Jahrtausendwende beginnt der Wandel der Vorstellungen von Christus als Herrscher und Richter zum leidenden Gottessohn.

lischen Zahlen, um in der Anordnung von Steinen und Perlen göttliches Tun zum Ausdruck zu bringen. Es bedurfte klarer Vorstellungen von den korrespondierenden Schlüsselszenen des Alten und des Neuen Testamentes, um sie in angemessenem Zusammenhang ins Bild zu setzen. Handwerker und Kundige der heiligen Schriften mussten eng zusammenarbeiten oder sich gar in einer Person vereinigen, um die adäquaten Formen zu finden. Demütig, bescheiden, für einen höheren Auftrag als die Kunst arbeitend, blieben die Künstler in den meisten Fällen unbenannt und unbekannt. Die Ausübung der *ars* machte sie zu Handwerkern, denn *ars* bedeutet im Lateinischen neben ‚Kunst' vor allem Geschicklichkeit, Gewandheit und eben Handwerk. Nur höchst selten sind wir über Schreiber und Maler des Frühmittelalters informiert, und erst im Hochmittelalter begannen einige wenige Künstler, im Stolz auf das geschaffene Kunstwerk den eigenen Namen dort zu verewigen. Mit ihren Werken schufen sie für jeden Gläubigen eine Art visueller Ansprache. Die Mitteilungen, die sie zu machen hatten, standen weit über dem normalen Alltag. Alle Sinne wurden angesprochen, wenn die Priester mit dem kostbaren Gerät die vorgeschriebenen Handlungen zelebrierten. Das galt nicht nur für den einfachen Gläubigen, sondern sicherlich auch für Mönche und Nonnen, die sich mit Blick auf ihre eigene Person der Einfachheit in Kleidung, Nahrung und individuellen Gebrauchsgütern verpflichtet hatten. Im liturgischen Zeremoniell jedoch erlebten sie regelmäßig die Kostbarkeit ihres Glaubens. Bis heute lernen diejenigen, die sich auf ihre Aufgaben als Messdiener vorbereiten, die Anordnung der Gerätschaften auf dem Altar, die alle ganz bestimmte Funktionen im Rahmen der Messe erfüllen. Kreuz und Messbuch, Kelch und Patene, Weihwasserkessel und Handwaschbecken, Kerzenleuchter und Lesepult, dazu die liturgischen Gewänder, deren Grundfarben im Laufe des Kirchenjahres wechseln – all dies kann den Eindruck von Ernst und Feierlichkeit und wunderbarer Bedeutsamkeit vertiefen.

Doch auch Glaubensvorstellungen unterliegen dem historischem Wandel. Die Veränderung des Kreuzes oder, genauer gesagt, die Darstellung des Gekreuzigten reflektiert am eindringlichsten die Veränderung der Vorstellungen über das Wesen des christlichen Gottes. Das Kreuz ist das Symbol schlechthin für den christlichen Glauben, verweist auf das Opfer Christi am toten Holz und doch auch auf den Baum des Lebens, auf Tod und Auferstehung gleichermaßen. Die Kreuzesszene wandelte sich in der Vorstellung der Menschen und in der Darstellung der Maler und Schnitzer. Der Christus der ersten Jahrhunderte des Mittelalters ist ein strenger, unnahbarer Herrscher, ein gekrönter König und unbestechlicher Richter, oft im langen Gewand. Er steht mehr am Kreuz, als dass er hängt, mit ausgebreiteten Armen ein Beherrscher der Welt, das Kreuz mehr Stütze als Marterinstrument. Langsam, ganz allmählich nur tritt noch ein weiterer Christus seit dem 10. Jahrhundert nach und nach in die Vorstellungen ein: Christus in seiner Doppelgestalt als Gott und Mensch. Als Mensch erfasst man ihn nach und nach in seiner Körperlichkeit und in seinem Leiden. Das Kreuz von St. Gereon in Köln und

Schlesisches Kruzifix, zweite Hälfte des 14. Jahrhunderts
Schmerz, Pein und Qual gehören zu den alltäglichen Erfahrungen der mittelalterlichen Menschen. Das Opfer Christi, der all dies und sogar den Tod auf sich nahm, verspricht die Erlösung von allen irdischen Lasten im Jenseits.

das Kreuz des Klosters Werden zeigen es als Erstes: Da ist ein Mensch, in dessen Gesicht sich Schmerz und Trauer eingegraben haben; doch seine Gestalt ist noch fast gerade, das Antlitz ebenmäßig und noch im Leid schön. Im Laufe der nächsten Jahrhunderte, verstärkt dann im 14. und 15. Jahrhundert, „vermenschlicht" die Christusdarstellung immer mehr. Je mehr die Ausübung des Glaubens nicht ausschließlich professionellen Betern überlassen wird, sondern sich auch die Laien zur *vita apostolica*, zur Nachfolge Christi, berufen fühlen (vgl. Kap. XII), spiegelt das Leiden Jesu die verletzliche Körperlichkeit eines jeden Menschen. Christi Tod am Kreuz verdreht seinen Körper, der Leib sackt nach unten und renkt seine Arme aus, die vorangegangenen Foltern offenbaren sich in dem zerschundenen, verzerrten Gesicht, die Qualen am Kreuz in dem blutüberströmten, zerrissenen und fast nackten Körper. Und doch birgt das ganze schreckliche Grauen des Kreuzestodes die Verheißung der Entsühnung. So furchtbar, wie der Vater den Sohn leiden lässt, muss es für etwas gut sein – für die ganze Menschheit ist die Menschlichkeit des Sohnes ihre Rettung, sie darf auf Gnade und Barmherzigkeit vor dem ewigen Richter hoffen. Das Holz, an dem der Retter leidet, wird für die, die an ihn glauben, zum grünenden Baum der Hoffnung. An Kreuzen und Monstranzen, auf Buchdeckeln und an Reliquiaren übersetzte man mit Hilfe ausgesuchter Materialien seine Glaubensgewissheit in Bildlichkeit und Symbolik.

Das Kreuz war allgegenwärtig: als Triumphkreuz markierte es, im Bogen vor Altar- und Chorraum hängend, den Eintritt in eine andere Sphäre. Als Vortragekreuz bezeugte es nicht nur den christlichen Glauben in der Prozession, sondern auch die Position seines Besitzers. Dies lässt sich zum Beispiel wunderbar an den vier großen Vortragekreuzen des Damenstifts Essen ablesen, insbesondere am Otto-Mathilden-Kreuz, dessen Emailleplatte am Fuß des Kreuzes den Stifter und die Empfängerin, den Herzog, *dux* Otto und die Äbtissin, *abbatissa* Mathilde, gleichberechtigt nebeneinander stehen lässt. Beide gehören derselben einflussreichen herrschenden Familie der Liudolfinger an, dem sächsischen Königsgeschlecht des 10. Jahrhunderts. Beide ergreifen in der Darstellung das Kreuz und werden, so kann man es wohl interpretieren, für die Verteidigung dieses Kreuzes im Glauben einstehen – in aller Demut, an seinem Fuße stehend, aber doch unbeirrbar, der eine auf weltlichem, die andere auf kirchlichem Feld. Auch andere liturgische Geräte kamen gemäß ihrer Funktion zum Einsatz. Nur einige wenige seien genannt. Bei der Messfeier waren wohl Kelch und Patene die wichtigsten. Denn im Kelch verwandelte sich während des eucharistischen Wunders der Wein in das Blut Jesu Christi, auf der Patene reichte man den Anwesenden seinen Leib. Kelch und Patene haben während vieler Jahrhunderte ihre Form nur unwesentlich verändert; Stiel und Fuß des Kelches erhielten andere Verzierungen oder wurden mit dem Wappen des Stifters versehen, der Rand der Patene wurde vielleicht punziert. Die geweihten Hostien wurden in einem eigenen Behältnis, der Pyxis, aufbewahrt, die gemäß ihrem Inhalt nicht einfach eine Dose, sondern ein Schmuckkästchen war, ja nach den gegebenen Möglichkeiten mehr oder weniger reich verziert. Weihrauchgefäße, Leuchter und Aquamanile (kleine Gießgefäße) entsprachen ebenfalls in ihrer Materialität und handwerklichen Ausarbeitung dem Anspruch, einen besonderen Platz im Rahmen einer heiligen Handlung einzunehmen.

Einen eigenen Bereich bilden die Reliquiare, die Haus und Abbild der Heiligen wurden. Jedes Kloster und viele Kirche verehrten in ihren Mauern insbesondere auch die Heiligen, über die sie ganz real verfügten, die sie mit ihren Händen greifen konnten und deren sterblichen Überresten sie ganz besondere Sorgfalt zukommen ließen. Höchstes Ansehen genossen die Herrenreliquien, also die Gegenstände, mit denen nach frommem Glauben Jesus Christus in Berührung gekommen war, dann folgten Marien-, Apostel-, Märtyrer- und andere Heiligenreliquien. Mit einer Reliquie – sie mochte den ganzen Leichnam umfassen oder auch nur ein winziges Knöchelchen – hatte man den Heiligen in seiner Ganzheit bei sich. Pars pro toto war er immer gegenwärtig in jedem seiner Teile, und sei es noch so klein. Hilfe suchte man bei den Heiligen: Heilung, eine sichere Reise, Schutz vor allen möglichen Gefahren, vor allem aber ein gutes Wort, das sie als Mittler zwischen Himmel und Erde für die sündigen Sterblichen beim höchsten Richter einlegen sollten. Nach und nach wies man ihnen mehr oder weniger klare Aufgabenbereiche zu, insbesondere die Laien, die Helfer in der Not brauchten. In den Klöstern waren es vor allem ihre Gründer oder die ersten dorthin verbrachten Heiligen, denen herausragende Verehrung zuteil wurde. Manche dieser heiligen Gebeine wurden direkt aus den römischen Märtyrergräbern ‚besorgt'. Das heißt, man suchte sie selbst an dem Ort oder der Stelle, die Kenner der Szene empfahlen, oder man wandte sich an mehr oder weniger vertrauenswürdige professionelle Reliquienhändler, die ihre Kunden von der Echtheit ihrer Ware überzeugen konnten. Andere Reliquien überführte man ganz oder teilweise von einem Kloster zum anderen, damit sie auch an ihrer neuen Wirkungsstätte heilkräftig tätig sein sollten. Viele Klöster sind aufgrund ihrer Heiligen bis heute Pilgerstätten für Gläubige geblieben. Translation (Überführung) und Grablege von Reliquien waren wichtige Gelegenheiten, bei denen die Reliquien bereits ihre Wirksamkeit unter Beweis stellen konnten, wie es die Translationsberichte erzählen, die den künftigen Generationen über die Bedeutung von Heiligen Auskunft geben sollten. Es waren gleichzeitig gute Gelegenheiten, damit Schenkende und Beschenkte sich ins rechte Licht rücken und sich als großzügig Gebende und zu Recht Empfangende erweisen konnten. Gerade die Translationen der frühmittelalterlichen Jahrhunderte waren darüber hinaus politische Demonstrationen, die den christlichen Glauben der neuen Herrscher mit sichtbaren Zeichen in die eroberten Gebiete einführten.

Die Heiligen verschwanden nicht aus den Augen der Gläubigen. Sie erhielten ein Grab, über das ein Schrein errichtet wurde, oder, wenn es sich nur um ein kleines Stück vom Ganzen handelte, ein ihrem Rang angemessenes Haus, ein Reliquiar. Reliquien bestimmter Körperteile – ein Fuß- oder Handknochen, ein Arm- oder Beinknochen, ein Schädel – formte man in ihrer äußeren Hülle nach. Andere Reliquien wurden, in kostbares Leintuch gewickelt und beschriftet, hinter gläsernen Kapseln, die häufig in ein Kreuz eingelassen waren, sichtbar gemacht. Für den Gläubigen materialisiert sich in den Splittern vom Holze Christi, den Milchtropfen der Jungfrau Maria, den Gewandfetzen, Nägeln, Haaren eines Heiligen sein Glaube als etwas Greifbares, Sichtbares, etwas, an das man sich klammern kann, als ein realer Ort, an dem man von seinen Ängsten, Sorgen und Nöten entbunden wird.

Bildlichkeit und Symbolik umschlingen sich auf Kreuzen und Monstranzen, Buchdeckeln und Reliquienkästchen, Pyxen und Ziborien. Aber auch da, wo man vielleicht als ersten Wert die Schriftlichkeit erwartet, im Buch, begegnet man in hohem Maße dem ins Bild gebrachten Glauben.

Steifgefrorene Finger, schmerzender Rücke, müde Augen – das Skriptorium

Bücher waren der geistige Schatz eines Klosters, und den Bestand an Büchern zu erweitern gehörte zu den wichtigen Aufgaben des Bibliothekars. Texte, die man nicht selbst besaß, musste man aus anderen Klöstern für die Zeit des Abschreibens erbitten. So fragte etwa Abt Gottfried von Admont um 1150 bei dem in ein anderes Kloster versetzten Mönch an: *Und so, mein Geliebter, erbitte ich von dir aus der berühmten Bibliothek deiner Kirche einiges, was wir nicht besitzen, entweder zur Abschrift oder von dir geschrieben, so dass unserem Mangel aus eurem Überfluss abgeholfen werden kann und dadurch die*

Eine Initiale mit dem Schreibermönch Rutger de Berka
Schreiben war neben dem Gebet die wichtigste Aufgabe. Dem Eifer, der Ausdauer und der Sorgfalt der schreibenden und malenden Mönche verdanken wir einen guten Teil der schriftlich überlieferten Quellen des Mittelalters.

Erinnerung an deine Liebe in uns wachsen möge. Wegen des Werks des Josephus über die Zerstörung Jerusalems und den berühmten römischen Triumph des Vespasian und des Titus bitte ich um gründliche Nachforschung, ob eure Bibliothek es besitzt, und, bei deiner Hilfsbereitschaft, keine Zeit zu verlieren, es uns zum Abschreiben zu schicken (zit. nach: Mittelalterliche Buchkunst. Haus der bayrischen Geschichte, März, 13. Woche).

Maler und Schreiber wussten um ihre Bedeutung und verstanden dies auch zu formulieren. Dem Mönch Eadwin verfasste ein anderer Schreiber einen Lobpreis und fügte ihn in eine von Eadwin hergestellte Handschrift ein: *Scriptor: Ich bin der Erste unter den Schreibern und weder mein Lob noch mein Ruhm wird danach untergehen. Sage du, mein Buchstabe, wer ich bin! Littera: Dich Eadwin, den eine gemalte Figur bezeichnet, preist dein Ruhm als einen, der durch die Jahrhunderte leben wird und dessen Begabung der Schmuck dieses Buches anzeigt. Dieses (Buch) und ihn selbst nimm, o Gott, als ein angenehmes Geschenk, das er dir gegeben hat* (zit. nach: Mittelalterliche Buchkunst. Haus der Bayrischen Geschichte, Mai, 20. Woche).

Die Schreiber waren sich ihres Wertes bewusst, aber auch der Mühen, die sie auf sich nahmen. Schreiben war *labor* im ganzen Spektrum seiner Bedeutungsebenen. Es war nicht nur Arbeit, sondern auch Mühe, Plackerei, nicht nur geistige, sondern auch körperliche Anstrengung, wie es der berühmte Seufzer eines unbekannten Schreibers ausdrückt: *O wie schwer ist das Schreiben: es trübt die Augen, quetscht die Nieren und bringt zugleich allen Gliedern Qual. Drei Finger schreiben, der ganze Körper leidet* ... (zit. nach Trost, Skriptorium, Einband).

Am Ende der Antike schrieb man noch auf Papyrusrollen, Schriftrollen, wie sie der eine oder andere mittelalterliche Illuminator noch so manchem Evangelisten in die Hand malte. Doch bereits im frühen Mittelalter wandelte sich der Beschreibstoff. Papyrus wurde durch Pergament, die Rolle durch das Buch aus mehreren zusammengefalteten Lagen ersetzt. Das Nachschlagen von Textstellen erleichterte man sich dadurch enorm, brauchte man doch nicht mehr eine Rolle an zwei Enden gleichzeitig auf- oder abrollen, sondern blätterte bequem mit der Hand von einer Seite zur nächsten.

Vor allem brauchten die Klöster eine Vielzahl liturgischen Schriftgutes. Nur dieselben Gebets- und Liedtexte, dieselben Formeln für die verschiedenen liturgischen Abläufe garantierten ihren Gleichklang im *opus dei*, unabhängig von Ort und Zeit. Um die ausreichende

De officiis ministrorum
Es bedurfte vieler Hände, um ein Buch entstehen zu lassen!

Versorgung mit liturgischen Büchern sicherzustellen, bedurfte es – noch vor den Schreibern – bestimmter wirtschaftlicher Grundlagen und kenntnisreicher Spezialisten, die das Rohmaterial – Beschreibstoffe, Tinten und Farben – aufbereiteten.

Zur Erstellung eines einzigen großen Codex wie etwa der Bibel, waren ungefähr 400 Schafshäute erforderlich. Da musste eine ganze Herde ihre Haut den Gerbern überlassen. Über viele Jahrhunderte war also in den Klöstern intensive Schaf- und Ziegenhaltung notwendig. Sie wurde entweder auf den selbst bearbeiteten Gütern betrieben oder aber man forderte die Tiere als Abgaben von den abhängigen Bauern ein. Gute Schlachter zogen den toten Tieren die Haut so ab, dass es möglichst keine Fehlstellen, Löcher oder Risse gab, die die Haut für wertvolle Bücher unbrauchbar gemacht hätten. Qualifizierte Gerber machten aus den abgezogenen Häuten in vielen Arbeitsgängen das begehrte Pergament. Sie entfleischten und enthaarten die Häute, weichten sie ein, schabten alle noch anhängenden Reste herunter, weichten sie nochmals, manchmal so oft, bis sie fast durchsichtig waren, glätteten und spannten sie. Dann erst konnte das reißfeste und doch geschmeidige, saugfähige und beständige Material an den Mönch oder die Nonne übergeben werden, die nun nach Bedarf die Ränder gerade schnitten und das so gewonnene Stück mehrfach falteten, so dass sich eine Lage aus mehreren Blättern ergab. Der Schreiber oder die Schreiberin, die eine solche Lage zum Kopieren eines Textes erhielt, legte vor dem eigentlichen Schreiben den Seitenspiegel fest und zog feine gleichmäßige Linien über die Pergamentseite, damit die zu schreibenden Worte gerade untereinander und in gleichen Abständen stehen würden. Federn verschiedener Stärke lagen auf dem schräg gestellten Schreibpult bereit, dazu ein Messer zum Anspitzen der Feder oder zur Rasur von schlecht, falsch oder unleserlich geschriebenen Stellen sowie kleine Tintenhörnchen. Dann musste noch die Tinte zubereitet werden. Eine der beliebtesten dunklen Tinten wurde aus Dornen hergestellt. Die Dornen wurden zu einem Brei zerstampft und wiederholt ausgekocht. Den so gewonnenen Sud ließ man wieder einkochen. Zum Schreiben verdünnte man ihn mit einem Gemisch aus Wein und Wasser. Noch viel komplizierter gestaltete sich die Gewinnung von Farben. Die pflanzlichen, tierischen, metallischen und mineralischen Grundstoffe waren zum Teil nur schwer zu beschaffen und manchmal extrem teuer. Helles Grün presste man aus den Galläpfeln, die sich unter Eichenblättern bilden, mühselig in der Gewinnung, aber eigentlich immer zu haben. Purpurrot dagegen gewann man aus einer Drüse der Purpurschnecke, die nur im Mittelmeer beheimatet ist, und das strahlende Himmelblau aus dem gestoßenen Halbedelstein Lapislazuli. Beides war sehr kostspielig und musste von Fernhändlern auf den internationalen Märkten erworben werden. Manche Farben konnten problemlos miteinander gemischt werden, andere vertrugen sich nicht oder nur unter bestimmten Bedingungen. Das empirisch gewonnene Wissen der Künstler und Handwerker wurde zunächst wahrscheinlich nur mündlich weitergegeben, doch es war zu wichtig, als dass man sich nur auf die mündliche Weitergabe verlassen wollte. Es war auch keine geheimnisvolle Magie, die nur eingeweihten Gefolgsleuten weitergereicht werden sollte, sondern Spezialwissen für eine professionelle Anwendung. Traktate des Theophilus aus dem 12. Jahrhundert zeigen auf, wie sich der Verfasser um eine möglichst präzise Beschreibung der einzelnen Arbeitsschritte bemühte, damit diejenigen, die das Handwerk und die Kunst, die *ars* der Farbherstellung lernen wollten, auch wirklich die gewünschten Resultate erzielten, wenn sie seinen Anweisungen genau folgten.

Pergament-, Tinten- und Farbherstellung war bis ins hohe Mittelalter hinein Sache der Klöster oder ihrer Handwerker. Im Zuge der Urbanisierung seit dem 11./12. Jahrhundert entwickelten sich in den Städten daraus eigene Berufe und spätestens in den Rechnungsbüchern des ausgehenden Mittelalters kann man lesen, dass die Klöster die für ihr Skriptorium benötigten Materialien auf den städtischen regionalen und überregionalen Märkten einkauften.

Viele der Bilder, die uns heutigen Betrachtern in den überlieferten Manuskripten Schreibende vor Augen führen, zeigen diese als einsame Gelehrte an ihrem Schreibpult; ihre Hand ist nur das Werkzeug, das die Feder führt, ihr Kopf dagegen ein Werkzeug Gottes, denn seine Engel flüstern den Schreibenden die Worte ein, die ihm dann von der Feder auf das Pergament fließen. Manchmal ist demjenigen, der die heilige Botschaft empfängt und sie in Worte übersetzt, noch ein Schreiber beigegeben. Klein sitzt dieser, der nur die körperliche Arbeit des Schreibens ausübt, zu Füßen desjenigen, der die eigentliche Anstrengung leistet, die geistige Verarbeitung der himmlischen Mitteilungen. Doch nur die wenigsten Mönche in den Skriptorien waren Gelehrte. Sie waren vor allem Kopisten, saßen zu mehreren in einem großen Saal mit vielen Pulten, nahmen ihre Aufträge entgegen und schrieben ab, was ihnen zugewiesen wurde und mochten manchmal einander über die Schulter sehen, voneinander Anregungen aufgreifen, miteinander lernen. Die *scriptores* entschieden nicht selbst, welche Bücher ihrem Können und ihrer Sorgfalt anvertraut wurden. Sie empfingen ihre Weisungen vom Bibliothekar, der die Bestände seiner Bibliothek kannte und der wusste, welche Bücher fehlten, welche schadhaft geworden waren und welche erneuert werden mussten. Ein guter Kopist musste nicht unbedingt selbst (Latein) lesen können,

Der hl. Gregor mit seinen Schreibern (Elfenbeinplatte)
Die Heiligen schrieben nach ihrem eigenen Verständnis nach göttlichem Auftrag, Kopisten sorgten dafür, dass das göttliche Wort weiterverbreitet wurde.

aber er musste einen Blick für die graphische Gestalt von Worten, Zeilen und Seiten haben. Verballhornungen lateinischer Vokabeln, Auslassungen, die einen Text unverständlich machen, Einsetzung ähnlicher, aber doch anderer Worte – alle diese Fehler zeigen, dass durchaus nicht alle Kopisten wussten, was sie schrieben, sondern dass sie abschrieben, dies aber nach bestem Vermögen.

Wie schon mehrfach betont, waren es in erster Linie liturgische Texte, die man abschrieb. Um den Inhalt dieser Texte auch für das Auge zu gliedern, wurden zunächst nur die Anfangsbuchstaben neuer Absätze groß und farbig, oft rot, gekennzeichnet. Der nächste Schritt war dann die Ausgestaltung dieser Initialen. Zuerst begann man mit ornamentalem Schmuck, dessen Vielfalt in Musterbüchern festgehalten war, die den Schreibenden zur Anregung dienten. Nach und nach begann man, szenischer zu malen. Die Formen der Initialen und die Inhalte der Texte lieferten die Vorgaben. Zur Arbeit des Schreibens trat die des Malens, des Ausleuchtens, des Illuminierens eines Textes. Neben den Initialen boten die freien Seitenränder Raum für die Illuminatoren, die Aussagen der Texte in fromme Bilder zu fassen oder ihrer Phantasie freien Lauf zu lassen. Gerade die Illuminationen der Seitenränder verlassen oft die Inhaltsebene der Texte, geben Kunsthistorikern und Historikern Rätsel auf, bieten die Möglichkeiten zu meist widersprüchlichen Interpretationen, begeistern den Betrachter auch heute noch durch Farb- und Formenvielfalt, durch Drôlerien, Bilder einer verkehrten oder absurden Welt, deren Sinn sich uns manchmal nur unter Schwierigkeiten entschlüsselt, oder durch naturgetreue Darstellungen aus der Pflanzen- und Tierwelt. Wenn ein Text fertig gestellt und vielleicht mit anderen, passenden Texten zusammengefügt worden war, galt es noch, dem Ganzen eine äußere Form zu geben. Die einzelnen Pergamentlagen wurden zusammengenäht, zu einem Block gefügt und mit Buchdeckeln aus Holz versehen. Und wenn man es sich leisten konnte, passte man die äußere Form dem kostbaren Inhalt an – die Buchdeckel wurden zu eigenen aussagekräftigen Kunstwerken.

Die Macht des Wissens – die Bibliotheken

Klösterliche Skriptorien und Bibliotheken waren gleichermaßen die Schatzkammern wie die Produktionsstätten des Wissens. Neben die liturgischen Gebrauchstexte traten die Auslegungen der Schrift, wie sie von den geistlichen Lehrern in Traktaten und Briefen niedergelegt worden waren. Überlieferungen der antiken Gelehrten, der Schriftsteller und Historiker, der Philosophen und Staatstheoretiker, der Mathematiker und Mediziner fanden, wenn auch nur unvollständig, den Weg in die Schreibsäle und von dort in die klösterlichen Bücherschränke. Das Nachdenken über den eigenen Glauben, die Deutung der Geschichte im großen Rahmen des christlichen Heilsgeschehens, Überlegungen zum Aufbau der den Menschen umgebenden Natur, Musiktheorien ebenso wie praktische Anweisungen zu handwerklichen Tätigkeiten wurden auf Pergamentstreifen festgehalten, zu Codices gebunden und dem Bestand des fixierten Wissens einverleibt.

Klöster waren stolz auf ihre Bibliotheken. Einige von ihnen, wie die Klöster auf der Reichenau, bildeten eigene Schreib- und Malschulen mit besonderen Kennzeichen aus. Mit ihrer Hilfe lassen sich heute zum Teil die ehemaligen mittelalterlichen Buchbestände einer Bibliothek rekonstruieren, die nach der Auflösung der Klöster in die Museen und Bibliotheken in alle Welt zerstreut wurden. Doch in Zeiten der Handarbeit verfügte auch eine große Bibliothek in der Regel nur über einige hundert, im günstigsten Fall über wenige tausend Bücher.

In der Regula Benedicti liest man nichts über die Pflege eines eventuell vorhandenen Buchbestandes. Und doch wurden bereits im 6. Jahrhundert große Anstrengungen unternommen, das bestehende Wissen zu bewahren. So richtete etwa der Kleriker Cassiodor, obzwar selbst nicht Mönch, in dem italienischen Kloster Vivarium eine Bibliothek ein „mit dem klaren Ziel, das bedrohte Erbe der Antike zu wahren …; er arbeitete einen Studienplan für die Mönche aus, in den er die antiken ‚Freien Künste' integrierte. Er schrieb eine Psalmenerklärung, *Expositio in psalterium*, in der er die

Die Übergaben von heiligen Texten am Beispiel des Hornbacher Sakramentars
Bücher waren eine Kostbarkeit, die man demütig – und vielleicht doch voller Stolz und mit dem Wunsch nach Anerkennung – immer weiter die Stufen zum Himmel hinaufreichte: der Schreiber dem Stifter, der Stifter dem Abt, dieser dem Heiligen seiner Abtei und Letzterer schließlich dem Allerhöchsten.

antike Physik und Mathematik ständig heranzog. Er war ein leidenschaftlicher Büchersammler; er richtete eine Schreibstube, *scriptorium*, ein und pries das Bücherabschreiben als einen siegreichen Kampf gegen den Teufel. Er kümmerte sich um Kalligraphie und Interpunktion; er verfasste eine eigene Schrift über die Orthographie. So begründete er theoretisch wie praktisch die mittelalterliche Klosterbibliothek. In seinen *institutiones* gab er an, was darin zu stehen hatte: Neben der Bibel und neben theologischen Werken – unter denen Augustin ein besonderer Platz zukam – sollten Kirchengeschichte, Kosmographie, Geographie und die klassische Literatur vertreten sein. Er besorgte die Übersetzung griechischer Bücher ins Lateinische. Auch medizinische Werke wurden übersetzt, und er forderte die Mönche auf, die griechischen Ärzte wenigstens in der Übersetzung zu studieren. Seine Bibliothek enthielt noch die Werke Homers, Hippokrates', Galens, Platons, Aristoteles', Euklids, Ptolemäus' und Archimedes'. Von den lateinischen Schriftstellern besaß sie Ennius, Terenz, Lucretius, Varro, Cicero, Sallust, Vergil, Horaz, Seneca, Plinius, Quintilian und Macrobius. Einige Handschriften aus Vivarium existieren heute noch" (Flasch, Philosophie des Mittelalters, S. 148f.).

Das Interesse an der Tradierung klassischer Texte nahm im Laufe der nächsten zwei Jahrhunderte deutlich ab. Stattdessen überwogen in karolingischer Zeit die liturgischen Handschriften: „In der Regel war das Amt des Bibliothekars mit dem des Cantors vereinigt – ein Indiz, wie sehr die Belange des Gottesdienstes die Bibliotheken bestimmten. Die meisten Texte enthielten biblische Bücher und Bibelerklärungen; es folgten Heiligenlegenden, wie die Lebensbeschreibungen der Wüstenväter, das Leben des hl. Martin von Tours von Sulpicius Severus und die des hl. Benedikt von Gregor dem Großen in seinen Dialogen. In der Regel besaß man die Werke Gregors und einzelne Bücher der anderen lateinischen Kirchenväter Ambrosius, Augustin, Hieronymus. Von Augustin waren selten das Gesamtwerk, häufig die Bibelerklärungen, die Bekenntnisse und der Gottesstaat vertreten; man kann auch mit vielen Zitatsammlungen (Florilegien) rechnen. Von Boethius waren fast immer der Trost der Philosophie, seltener die Aristoteles- und Cicero-Kommentare sowie die Schriften über Arithmetik und Musik vorhanden" (ebd., S. 152). Einen erneuten großen Aufschwung nahm die Rezeption der antiken Schriften dann erst wieder seit dem 12. Jahrhundert, als durch die Kreuzzüge materielle und geistige Güter von West nach Ost und von Ost nach West wanderten.

Zum liturgischen Schriftgut zählte vor allen die Bibel mit dem Alten und Neuen Testament. Die Evangeliare, die in der Regel mit einem Autorenbild eingeleitet wurden, fanden ihren Einsatz während der Messe, dem Studium und der privaten Lesung. In den Lektionaren waren die Textstellen für die gottesdienstliche Lesung versammelt. Die Gesänge des Stundengebetes für die Solisten und den Chor finden sich in den Antiphonaren, die Tages- und Nachtgesänge oder auch Winter- und Sommergesänge unterscheiden. Dazu kamen die kalendarischen Verzeichnisse der Martyrologien und die nach dem Kirchenjahr monatsweise geordneten Heiligenviten, die Menologien. Der Psalter enthielt die 150 Psalmen des Alten Testamentes; das Brevier oder Stundenbuch kompilierte verschiedene Texte für die private Andacht oder auch das öffentliche Gebet.

Kosmologische Darstellung
eines Jahres,
aus dem Kloster Zwiefalten

VI.

Herrschaft über Land und Leute – Wirtschaft im Kloster

Klöster und Stifte waren zum einen Gebetsgemeinschaften und zum anderen Wirtschaftsunternehmen. Ihrem hohen Grad an Schriftlichkeit und ihrer Langlebigkeit über viele Jahrhunderte verdanken wir einen Großteil der Quellen, die uns über den Aufbau und die Organisation mittelalterlicher Agrarwirtschaft informieren.

Die meisten Menschen des Mittelalters lebten in einem Rhythmus, der vorwiegend von den landwirtschaftlichen und den klimatischen Gegebenheiten bestimmt war. Die klösterlichen Illuminatoren haben dies in zahlreichen Überlegungen zum Aufbau des Kosmos dargestellt. Sonne und Mond, Tag und Nacht bestimmten das Jahr, das auf der einleitenden Darstellung als hockender Mann im Zentrum des Kosmos erscheint. Sein Kopf und seine ebenmäßige Gestalt kontrastieren mit seiner hockenden Stellung und vor allem seiner starken Körperbehaarung, die an mittelalterliche Darstellungen der so genannten „wilden Männer" erinnern. Das Rund des Jahres dreht sich zwischen den vier immer wiederkehrenden Personifikationen der Jahreszeiten, denen ihre Attribute beigegeben sind – der ausschlagende Baum kennzeichnet den Frühling, die Sichel den Sommer, der gefüllte Früchtekorb den Herbst und das lodernde Feuer, an dem man sich die Füße wärmt, den Winter. Auch die Himmelsrichtungen sind angeführt, wenn auch außerhalb des ornamentalen Rahmens, denn sie sind nicht ganz so entscheidend für das, was sich im Laufe des Jahres abspielt. Die Gestirne aber kreisen rund um das Jahr, wie es die Sternzeichen anzeigen. In einem weiteren Kreis beziehen sich die Sternzeichen auf die dann jeweils notwendigen landwirtschaftlichen Arbeiten: Zu Beginn des Jahres im Januar und Februar, während der Wochen des Steinbocks, ruht die bäuerliche Arbeit, man kann vielleicht der Jagd nachgehen; während der Zeit des Wassermanns wird noch Holz geschlagen für die kalte Zeit, am Ende des Winters, zur Zeit der Fische, muss für die Fastenwochen Fisch gefangen werden. Außerdem müssen Bäume und Reben beschnitten werden. Im März und April, zur Zeit des Widders, geht das bäuerliche Jahr richtig los: die Felder werden vorbereitet und bestellt, die ersten Aufbindearbeiten müssen erledigt werden. Wachsen und Gedeihen wird die Natur im April und Mai im Zeichen des Stieres. Land und Tier bedürfen der Hege und Pflege, dann kann im Zeichen der Zwillinge noch einmal gepflügt werden. Zurzeit des Krebses muss man die Sensen schärfen und das erste Heu einbringen, die Getreideernte mit der Sichel fährt der Bauer im Juli und August im Zeichen des Löwen ein, die Wintersaat bringt man mit der Jungfrau im August und September aus, die Weinlese findet im Zeichen der Waage statt und im späten Herbst dann geht es dem Schlachtvieh an den Kragen, damit im Winter, im Dezember, wenn der Schütze zu sehen ist, Schweinespeck, Schinken und Braten als Festschmaus auf den Tisch kommen.

Ein armes Kloster konnte weder seinen Gebetsverpflichtungen nachkommen noch seinen Auftrag erfüllen, beispielhaft im Sinne der christlichen Barmherzigkeit zu wirken.

So wurden schon bei ihrer Gründung die Klöster in der Regel mit ausreichend landwirtschaftlichem Besitz ausgestattet, dessen Erträge und Einnahmen den Konventsmitgliedern eine gesicherte Existenz ermöglichten. Bereits die Gründungsberichte oder -urkunden mochten dies festschreiben. So heißt es beispielsweise zur Ausstattung des Klosters Hirsau nicht nur, dass die Mönche *secundum regulam sancti Benedicti*, gemäß der Regel des heiligen Benedikt leben sollten, sondern dass ihnen *quantum ad corporalem sustentationem sufficeret*, so viel übertragen werde, wie sie zum Erhalt ihrer körperlichen Kräfte bedurften.

Felder, Wiesen, Wälder und je nach Region auch Weinberge waren die Basis für die klösterliche Landwirtschaft, die den Erhalt der monastischen Gemeinschaft gewährleistete. Die wachsende Größe der Konvente erforderte „eine durchgreifende Gestaltung der Klosterwirtschaft und damit eine bewusste Organisation des ökonomischen Rahmens" (Hägermann, Der Abt als Grundherr, S. 348). Dieter Hägermann hat die Aufgaben der Klosterökonomie in drei Punkten zusammengefasst: „1. Ernährung und Kleidung des Konvents: *ad victum, vestimenta et calceamenta seu etiam ceteros usus neccessitas* (es geht um Nahrung, Kleidung, Schuhwerk und die anderen notwendigen Gebrauchsgegenstände). 2. Gastung und Armenfürsorge, Pflichten der *porta* und *matricula*, 3. Leistungen für den Staat, insbesondere Kriegsdienste" (ebd., S. 359).

Der Besitz musste verwaltet, organisiert und kontrolliert werden. Die darauf Bezug nehmenden Rechtsvereinbarungen und das Schriftgut, das man in den einzelnen Klöstern für diese Besitzverwaltung anlegte, informieren über eine der grundlegenden Wirtschaftsverfassungen des Mittelalters, die *bipartite* (zweigeteilte) Grundherrschaft (Villikationssystem). Die Formel, mit der die historische Forschung diese Form des Wirtschaftens und der Organisation ländlichen sozialen Miteinanders zu fassen suchte, ist immer noch nicht überholt. Grundherrschaft bedeutete Herrschaft über Land und Leute, auch im monastischen Bereich, gekoppelt an eine bestimmte Form der Eigenwirtschaft.

Das Zentrum einer klassischen Grundherrschaft war die *villa*, die Domäne, der ländliche Herrensitz, im monastischen Bereich eben ein Kloster. Zu diesem Zentrum gehörte der Boden, den eigene Landarbeiter, Sklaven und Hörige, bewirtschafteten. Ihre Arbeit wurde durch Frondienste der Bauern ergänzt, die auf Bauernstellen saßen, welche die Grundherrschaft zur Bewirtschaftung vergab. Eine solche Bauernstelle bezeichnet man auch als Mansus oder Hufe. In antiker Zeit bedeutete Mansus lediglich Haus oder Hofstätte, in der mittelalterlichen Grundherrschaft dagegen eine von der grundherrlichen Domäne abhängige und ihr verpflichtete Wirtschafts- und Haushaltseinheit. Die Größe einer Hufe variierte je nach Bodenbeschaffenheit und war idealerweise so groß, dass sie die in der Haushaltseinheit lebenden Männer und Frauen ernähren konnte. Die Bauern standen in unterschiedlichen Rechts- und Abhängigkeitsverhältnissen zum Grundherrn. Je nach Größe des herrschaftlichen Besitzes mussten Unterzentren als Anlauf- und Sammelstellen eingerichtet werden: als Anlaufstellen für Fragen und Bitten, Streitsachen und Konflikte der Bauern, als Sammelstellen für die zu leistenden Abgaben. Der Grundherr war in allen Angelegenheiten – wirtschaftlichen, gerichtlichen und persönlichen – die entscheidende Instanz. Alle Angehörigen einer Grundherrschaft waren in einer *familia* zusammengefasst, über die der Grundherr, in einer klösterlichen Grundherrschaft also der Abt oder sein Vertreter, als patriarchalischer Vorstand gebot. Die *familia* bezeichnet demnach die Gesamtheit aller, die in eine Grund- (und Gerichts)herrschaft eingebunden waren. Dem Abt oblag die agrarwirtschaftliche Organisation, die Verteilung der vorhandenen Arbeitskräfte auf die Bauernstellen und die Regelung des sozialen Miteinanders. Ein Abt musste demnach auf verschiedenen Gebieten die notwendigen Fähigkeiten mitbringen: Einerseits musste er Talent für die Organisation wirtschaftlicher Abläufe haben, ein Händchen für den Einsatz von Finanzmitteln und Verständnis für agrartechnische Fragen. Andererseits bedurfte es eines stets aktualisierten Wissens um gängige Rechtsverhältnisse und hinreichender Qualitäten als Schlichter und Vermittler. Viele der bedeutenden klösterlichen Grundherrschaften waren regelrechte Großbetriebe. Das nordfranzösische Kloster Wandrille besaß im Jahr 787 1400 besetzte, also voll arbeitende Bauernstellen (Mansen) und betrieb 39 Mühlen; St-Germain-des-Prés im Jahr 829 verwaltete mit Hilfe von 25 Herrenhöfen etwa 1700 Bauernstellen. Das bereits mehrfach erwähnte Kloster Werden an der Ruhr weist in seinen Büchern mehrere Hundert abgabenpflichtige Höfe aus. Die Liste ließe sich lange fortsetzen.

Was nun berichten uns die schriftlichen Quellen über die Bearbeitung dieses großen Aufgabenfeldes? An erster Stelle stehen die Urkunden, die rechtlich verbindlich Schenkungen, Stiftungen, Kauf oder Tausch von Gütern festschrieben. Man kann darin ablesen, wer dem jeweiligen Kloster wann und was zu welchen Bedingungen übertragen hatte. In den Zeugenlisten tauchen vielfach die Namen von Konventsmitgliedern auf oder von denjenigen, die in besonderer Beziehung zu dieser monastischen Gemeinschaft standen. Handelt es sich um die Übertragung von Grundbesitz, lässt sich zum Teil rekonstruieren, wo sich dieser Grund befand und wie sich im Laufe von Jahrzehnten und Jahrhunderten der klösterliche Besitz verändert und erweitert, zerfasert oder sich in bestimmten Regionen konzentriert hat. Meist wird die Art des übertragenen Grundbesitzes genau definiert, so dass wir erfahren, ob Felder oder Wiesen, Wälder oder Weinberge den Besitzer oder zumindest den Nutznießer wechselten. Dasselbe gilt für die Art der Übertragung und die Ausstattung mit Arbeitskräften. Wird nur die Nutzung von Ländereien übertragen oder geht der Besitz als solcher in die Hände eines Klosters über? Sind die Grundholden (die Hörigen) darin eingeschlossen oder werden sie von den neuen Verhältnissen ausgeschlossen? Die Urkunden sind demnach Momentaufnahmen, die geänderte Besitz- oder Nutzungsverhältnisse für die Gegenwart und die Zukunft festschrieben. Die einzelnen Pergamentblätter, die für diese Zwecke beschrieben wurden, sammelte man im Archiv eines Klosters. Damit der eventuelle Verlust eines solchen einzelnen Blattes jedoch kompensiert werden konnte, legten die Verwalter oder Archivare eines Klosters Kopiare an, also Bücher mit den Abschriften der originalen Urkunden, um so im Zweifelsfall bei einem Rechtsstreit Ansprüche geltend machen zu können. „Die häufige Gemengelage der Güter zwischen verschiedensten Herren, die Mobilität des Grundbesitzes durch Vererbung, Teilung, Tausch, Kauf und Verkauf, die Landflucht der hörigen Bevölkerung, die Renitenz der zu Leistungen aller Art Verpflichteten, Unterschleif und Unvermögen der Verwalter, rechtswidrige Eingriffe von außen (von Hungersnöten, Epidemien, Kriegsereignissen, Raub und Brandschatzung ganz zu schweigen) führten dazu, dass auch ein gut dotiertes Kloster sich durch Engpässe häufig in seiner Versorgung bedroht sah. Vorab in diesen Notsituationen sind nicht wenige der Bestandsaufnahmen in Form der Polyptycha oder Urbare entstanden, die das jeweilige Leistungsniveau der grundherrschaftlich organisierten Klosterwirtschaft, repräsentiert in den Einzel- und Gesamtsummen der Aufzeichnungen, zu erfassen suchen, um der Klosterleitung den unabdingbaren Informationsstand zu geben" (Hägermann, Der Abt als Grundherr, S. 355 f.). Die Urbare waren also Güterverzeichnisse, die die allmählich gewachsenen Besitzverhältnisse festhielten. Sie waren Gebrauchstexte für die klösterlichen Wirtschaftsverwalter, die sich mit ihrer Hilfe eine zusammenfassende Kenntnis über die Besitzdichte und die Streulage des Besitzes verschaffen konnten. Vielfach findet man in solchen Urbaren den ersten schriftlichen Nachweis für die Existenz eines Ortes, der dort namentlich erwähnt wird. Streubesitz war für viele Klöster ein ernstes Problem. Das Ansehen eines Klosters bewegte auch weit entfernt lebende Gläubige dazu, Schenkungen und Stiftungen für ihr Seelenheil eben einem solchen Kloster zu widmen. Die Ansammlung von Besitzungen, die überall im Lande verstreut waren, erschwerte jedoch seine Kontrolle ganz erheblich: Man musste Boten aussenden oder Außenstellen einrichten, und die Abgaben mussten daraufhin geprüft werden, ob sie für den Transport auf dem langen Weg zum grundherrschaftlichen Kloster überhaupt geeignet waren oder vielleicht besser gleich an Ort und Stelle oder doch zumindest auf dem nächsten Markt verkauft werden sollten. Ein Besitzstandsverzeichnis war das wenigste, was man tun konnte, um den Überblick zu behalten. Ein anderes war es, zu versuchen, den Besitz zu arrondieren, d. h. mit Hilfe von Tausch und Kauf die näher liegenden Güter abzurunden und entfernteren Besitz abzustoßen. Auf diese Weise veränderte sich der Grundbesitz immer wieder, nicht grundlegend, aber doch so, dass das alte Besitzstandsverzeichnis irgendwann einmal nicht mehr der wirtschaftlichen Realität des Klosters entsprach. Lange Zeit konnte man sicherlich Ergänzungen hinzufügen, Radierungen vornehmen, Einträge neben und zwischen die bereits beschriebenen Zeilen setzen. Irgendwann war dann aber eine genauere Übersicht fällig und der gerade amtierende Abt ließ ein weiteres, verbessertes Urbar anlegen, das die Besitzverhältnisse auf neuestem Stand spiegelte.

Noch detailliertere Informationen erschließen sich aus den Heberegistern, also den Verzeichnissen der Abgaben, die die einzelnen

Bauernstellen leisten mussten. In den typischen Grundherrschaften des frühen und hohen Mittelalters, eben auch den klösterlichen, unterscheidet man zwischen Naturalabgaben, Frondiensten und Zins. Sie listen die bäuerlichen Leistungen auf und zeigen damit ebenso den Bedarf des Grundherren. Zu den Naturalabgaben zählten Getreide, Feld- und Gartenfrüchte. Die vier hauptsächlich genannten Getreidesorten waren Weizen, Roggen, Gerste und Hafer. Den relativ anfälligen Weizen forderte man gerade in klösterlichen Grundherrschaften immer ein, denn aus Weizen buk man die kostbaren Oblaten. Aber auch in anderen Zusammenhängen war Weißbrot stets Herrenbrot; musste man auf schwarzes Roggenbrot ausweichen, wurde das in adeligen Kreisen immer als Zeichen von beginnender Armut gewertet. So klagt noch die Chronistin des westfälischen Frauenklosters Gertrudenberg bei ihrer Beschreibung des wirtschaftlichen Niedergangs um die Mitte des 16. Jahrhunderts, man lebe so knapp, *daß man inn dieße Zeit denen Geistlichen nicht als Bier und Brodt geben konnte* (Gleba, Reformpraxis, S. 49). Roggen war ebenfalls zwar Brotgetreide, wurde aber wohl weniger für die Konventsmitglieder als für die übrigen Angehörigen des Klosters verbacken. Gerste benötigte man zum Bierbrauen. Das in mittelalterlichen Brauereien hergestellte Bier hatte einen geringeren Prozentsatz an Alkohol als heutiges Bier und ließ sich nur für kurze Zeit lagern. Es galt aber – und wohl zu Recht – als nahrhaftes und bekömmliches Getränk. Hafer wurde überwiegend als Viehfutter eingesetzt. Des Weiteren standen Gemüse und Obst, wechselnd je nach Region, oder auch Hopfen oder Senf auf den Abgabelisten. Das meiste davon wurde hauptsächlich in den bäuerlichen Gärten geerntet. Deren Bewirtschaftung gehörte zu den Aufgabenbereichen der weiblichen Agrarbevölkerung ebenso wie die Haltung des Klein- und Großviehs, die mit der Abgabe von Schweinen, Schafen, Geflügel, Eiern und Daunen belegt war. Aus der heimischen handwerklichen Produktion erwartete man gesponnene Wolle- und Leinenbündel, gewebte Kleidungsstücke oder Stoff (Frauenarbeit), fertig behauenes Bau- und Feuerholz, hölzerne Dachschindeln und Fassreifen (Männerarbeit).

Die Fron setzte sich aus Hand- und Spanndiensten zusammen. Handdienst bedeutete die Ableistung einer festgelegten Anzahl von Arbeitstagen auf den Feldern des Grundherren in Ergänzung zu den Arbeiten, die dessen Hörige leisteten – zum Pflügen und zur Aussaat, zum Grasschnitt und zur Ernte. Dazu kamen die Spanndienste. Sie beinhalteten zum einen eine bestimmte Zahl von Tagen, an denen ein Bauer Transportleistungen erbringen musste, zum Beispiel Mist-, Getreide- oder Weinfuhren. Zum anderen musste er auch die notwendigen Transportmittel zur Verfügung stellen, also Wagen oder Karren und Zugtiere, Pferde- oder Ochsengespanne. Beides, Hand- und Spanndienste, bedeuteten sowohl die Aufwendung von Material als auch den Einsatz von Arbeitszeit. Denn diese Tage, die man auf den Feldern des Grundherrn oder auf den Fahrten mit den grundherrlichen Produkten zu den näher oder ferner gelegenen Märkten oder beim Holzschlagen in den Wäldern zur Deckung des grundherrlichen Holzbedarfes verbrachte, fehlten zur Bewirtschaftung des eigenen Bodens.

Als Drittes sind noch die Zinsabgaben (Bargeld) zu nennen, die ebenfalls bereits seit dem frühen Mittelalter in den Heberegistern zu finden sind, oftmals in Form einer Kopfsteuer. Gerade diese Abgabe erlaubt es auch manchmal, die personelle Zusammensetzung bäuerlicher Wirtschaften zur rekonstruieren. Selten finden sich mehr als zwei Generationen unter einem Dach, die Zahl der Kinder ist durchaus begrenzt, Ersteres wohl bedingt durch die geringere Lebenserwartung der Menschen, Letzteres durch die hohe Rate der Kindersterblichkeit. Manchmal erfährt man noch von Knechten und Mägden, die auf einem Hof lebten, auch hier waren es selten mehr als ein oder zwei. Den erhobenen Zins, die Kopfsteuer, verwendeten die Klöster, die dem König als Lehnsherrn unterstanden, um ihre Steuern zu zahlen oder um ihre militärischen Verpflichtungen gegenüber dem Lehnsherrn zu erfüllen.

Eine S-Initiale aus dem hochmittelalterlichen Güterbuch der Abtei Tennenbach in der Ortenau

Schriftlichkeit war ein herausragendes Merkmal der klösterlichen Grundherrschaft, die sie gleichzeitig kontrollier- und nachvollziehbar machte. Die Entstehung und Nutzung der Güterverzeichnisse der Zisterzienserabtei Tennenbach in der Ortenau ist in einer Initiale ihres Güterbuches aus dem 14. Jahrhundert in komprimierter Form dargestellt. Im oberen Bogenfeld kniet in demütiger Haltung der Abt, der das Verzeichnis anlegen ließ. Der Hirtenstab verweist auf seine Stellung, die beigegebene Umschrift benennt ihn als Bruder und Abt Johannes Zenlin. Im unteren Bogen sitzt ein schreibender Mönch an einem Schreibpult vor einem Buch, dessen Seiten dicht beschrieben sind. Zwei Männer stehen vor seinem Pult: Der vordere ist durch sein gestutztes Haar und sein langes Gewand als Gehilfe des Klosters ausgewiesen. Er zeigt mit dem Finger auf den Mann hinter ihm. Es dürfte sich wohl um einen Bauern handeln, mit unordentlichem Haar, gebeugtem Rücken, nur knielangem Kittel, einen Stock in der Hand, der dem anderen auf die Schulter tippt. Vielleicht ist er gekommen, um seine Abgaben zu liefern, damit der Schreiber sie in sein Buch eintragen kann. Vielleicht bittet er aber auch um Aufschub und schickt den klösterlichen Bediensteten vor, damit dieser für ihn spreche.

Die so genannten Kettenbücher zeigen, dass man sich nicht scheute, die schriftlich niedergelegten Forderungen auch öffentlich kontrollieren zu lassen. So enthielt beispielsweise das Kettenbuch des Essener Damenstiftes Angaben über die von den einzelnen Hofstellen zu leistenden Abgaben und lag in der westlichen Eingangshalle der Stiftskirche für jeden, der wollte, zur Einsicht aus. Damit dieses wichtige Schriftgut also einerseits allgemein zugänglich, andererseits aber keinesfalls abgängig sein konnte, war es angekettet worden.

Seit dem 12. Jahrhundert setzte eine grundlegende Wandlung in den landwirtschaftlichen Organisationsformen ein. Sie bestand vor allem in der allmählichen, aber unaufhaltsamen Ablösung der Frondienste und der meisten Naturalabgaben mit Ausnahme von Getreide und Wein durch Zinsleistungen. Die Eigenbewirtschaftung der *villa* wurde nach und nach aufgegeben, das frei werdende Land ebenso wie auch die übrigen Bauernstellen verpachtet. Die Monetarisierung und die Ablösung des Villikationssystems durch das Pachtwesen hatte für die Bauern den Vorteil, nun ganz nach eigenen Vorstellungen – aber eben auch auf eigenes Risiko – wirtschaften zu können, d. h. über den Anbau von Produkten und die Zucht von Vieh frei zu entscheiden. Es bedeutete aber auch, dass sie sich künftig um den Vertrieb ihrer Produkte selbst kümmern mussten und von den Schwankungen des Marktes abhängig waren. Missernten verteuerten ihre Waren, ein Überangebot ebenso wie sinkende Nachfrage in Zeiten von seuchenbedingtem Bevölkerungsrückgang ließen die Preise fallen. Trotzdem mussten die Bauern für ihre Grundherren jährlich dieselbe Pachtsumme aufbringen.

Die Grundherren ihrerseits konnten bei der Umstellung von der Eigenbewirtschaftung auf Pachtverträge mit größeren Bargeldeinnahmen rechnen, die sie auf den städtischen Märkten für nichtagrarische Produkte ausgeben konnten. Klösterliche Ausgabenbücher des späten Mittelalters zum Beispiel berichten vom Kauf von Pergamenten, Farbpigmenten und Büchern, aber auch von erlesenen Weinen, von teuren Gewürzen wie Safran und Muskat, von Reis, Rosinen und Mandeln. Mit der Aufgabe der Eigenbewirtschaftung lockerte sich möglicherweise auch die Beziehung zwischen Grundherren und Bauern, wie sie durch die gemeinsamen Erfahrungen und Kenntnisse in der Bewirtschaftung des Landes entstanden waren. Wer nur noch Bargeld eintrieb, konnte nicht mehr wissen, wie schwer Sturm, Hagel, Regen, Mäuse, Heuschrecken und Würmer gewütet hatten, konnte nicht mehr einschätzen, wie viele der Klagen über die zu hohen Abgaben dem üblichen Lamento zuzurechnen und welche davon mehr als berechtigt waren. Die Basis der gemeinsamen lebensweltlichen Erfahrungen und damit das Verständnis füreinander dürfte auf Dauer immer kleiner geworden sein.

Das gesamte Mittelalter hindurch waren Klöster und ihre Verwalter Agrarprofis, in der Organisation ebenso wie in der Praxis. Zum einen betrieben sie seit dem frühen Mittelalter die Erschließung von Land, gekoppelt an missionarische Bestrebungen, und gaben ihre Erfahrungen etwa in der Rodung von Wäldern und der Entwässerung von Mooren und Sümpfen an andere Klöster weiter. Zum anderen experimentierten sie in den eigenen Gärten: Sie veredelten Weinreben, um hochwertigen Messwein und akzeptablen Tafelwein zu keltern, sie okulierten Obstbäume, um verschiedene Sorten zu gewinnen, sie legten Kräuterbeete an, um Speisen zu verfeinern und Krankheiten durch die natürlichen Heilkräfte heimischer Pflanzen zu bekämpfen. Schließlich entwickelten sich etliche Klöster zu technischen Innovationszentren ihrer Umgebung: sie betätigten sich im Kanal-, Stollen- und Aquäduktbau, legten Teiche an und betrieben Fischzucht, richteten Salzgewinnungsanlagen ein und ließen Wasser- und Wind-, Stampf- und Walkmühlen für sich arbeiten. Vor allem aber organisierten sie nicht nur die direkte eigene umliegende Klosterwirtschaft, sondern ein verzweigtes Netz von bäuerlichen Betriebsstellen. Sie verteilten die agrarische Bevölkerung auf die Hofstellen, sie entwickelten für diese Hofstellen eine einträgliche Fruchtfolge, deren Einhaltung durch die Abgabeforderungen gewährleistet war, sie richteten Sammelstellen ein, damit die eingehenden Abgaben ohne allzu große Transportverluste kontrolliert und effektiv genutzt werden konnten.

Als Grundherren verfügten die Klöster über den *Grund*, aber sie waren auch *Herren* und übten damit Herrschaftsrechte aus. In dieser Funktion waren sie nicht mehr Betende für die christliche Gemeinschaft, sondern Wächter über eine offenbar gottgegebene Ordnung, die jeden Einzelnen an seinen Platz stellte. Die soziale Zusammensetzung in der mittelalterlichen Grundherrschaft war außerordentlich vielschichtig. Ludolf Kuchenbuch hat sich um eine Gliederung für die frühmittelalterliche Grundherrschaft bemüht: 1. Zuerst ist das auf den Herrenhöfen lebende und arbeitende Personal zu nennen (*mancipia intra curtem/servi non casati*); dazu gehören auch landlose Häusler (*haistaldi/prebendarii*). Begrifflich lässt sich dieses Verhältnis als ‚patriarchaler Nexus' fassen. 2. Die selbstständig wirtschaftenden Bauern leben als Abgabenverpflichtete im Rahmen einer Hebeordnung oder auch als Dienstpflichtige in diesem auf das Herrengut, die Domäne, ausgerichtetem System. Ihr Landbesitz (*mansus, colonica, hoba*), ihre Pflichtensumme (*census* oder *servitium*) und ihre Rechtslage (*servus*

Das so genannte Kettenbuch des Damenstiftes Essen

oder *colonus/ingenuus/lidus*) eint diese Schicht nach außen und teilt sie nach innen. Man kann diese Beziehung als ‚patrimonialen Nexus' bezeichnen. 3. Die im ‚ministerialen Nexus' lebenden grundherrlichen Leute zerfallen in zwei Gruppen: a. die *ministri* der lokalen Ebene – Bauern, die in den Domänen, Villikationen / Hebestellen als herrschaftliche Stellvertreter wirken: Meier, aber auch Leutpriester, Müller, Förster, Hirten; b. die *ministri*, die standortbedingte Sonderleistungen für die Herrschaft erbringen (Bergleute, Salzsieder, Schiffer, Boten und Ad-hoc-Gefolge) und deshalb neben oder über den Angehörigen der bäuerlichen Normalform oder Domäne stehen. Diese Gliederung gibt nur die Möglichkeiten der sozialen Differenzierung oder Schichtung innerhalb der Grundherrschaft an. Zur konkreten Ausformung der *familia* könnte man zuspitzend sagen: so viele Domänen bzw. *villae*, so viele sozialstrukturelle Einheiten (nach Kuchenbuch, Klostergrundherrschaft, S. 332).

Für die Friedenswahrung innerhalb der grundherrschaftlichen Gesellschaft, für Schutz und Schirm zahlten die Bauern nicht nur mit Naturalabgaben, Frondiensten und Zins, sondern auch mit unterschiedlichen Graden rechtlicher Abhängigkeit, die sich auf eine Sphäre bezog, die wir heute als privat bezeichnen würden. Wer heiratete, bedurfte dazu der Erlaubnis des Grundherrn, denn durch eine Heirat verschoben sich die Zugehörigkeiten der Arbeitskräfte an einer Hofstelle. Wer starb, haftete dem Grundherrn noch im Tod für seinen Ausfall durch das beste Stück Vieh, das beste Gewand oder Ähnliches. Aber auch der öffentliche Rechtsraum war berührt: Wer sich mit seinem Nachbarn gewalttätig auseinandergesetzt hatte, musste sich vor dem Grundherrn dafür verantworten. Wer sich aber mit jemandem außerhalb der eigenen grundherrlichen *familia* angelegt hatte, konnte auch darauf zählen, dass sein Grundherr ihn gerichtlich vertreten würde. Und wer seine Abgaben, zu denen er verpflichtet war, aufgrund unverschuldeter Umstände nicht erbringen konnte, durfte hoffen, dass sein Grundherr für dieses Jahr die Leistungen stunden oder doch in erträglichem Maße mildern würde. „Gleichwohl kann kein Zweifel daran bestehen, dass der forcierte Ausbau der geistlichen Großgrundherrschaften bei enormer Besitz- und Machtzusammenballung unter Führung der Äbte als Wirtschaftsexperten ... nicht nur positive Aspekte für die sozialen und politischen Verhältnisse des Karolingerreiches zeitigte: Die gezielten ökonomischen Maßnahmen führten nicht nur zu einem Anwachsen der Konvente, zur Ausgestaltung der Armenfürsorge und zu steigenden Leistungen für das Pilger- und Beherbergungswesen im engeren klösterlichen Bereich; sie förderten nicht nur den Landesausbau, die Marktentfaltung und die Entwicklung der geldwirtschaftlichen Elemente sowie der agrikolen und technischen Innovationen in der Region, sondern sie führten auch zu Verwerfungen im *ordo monasticus* selbst, nicht zuletzt bedingt durch den ständigen Güterzuwachs, den sozialen Wandel der Mitglieder und die Einbindung der Klöster und ihrer Vorsteher in das Netz ‚staatlicher' Organisation. Diese Fehlentwicklung, die keineswegs allein oder auch nur vornehmlich auf das regelwidrige Verhalten so genannter Laienäbte (zurückzuführen ist), wurde bereits auf den allgemeinen Reichsversammlungen Karls des Großen und den späteren Reformsynoden Ludwigs d. Frommen lebhaft beklagt; insbesondere die Be- und Unterdrückung der armen Freien (*pauperi homines*) durch Äbtissinnen und Äbte, die *oppressio* der genannten Schichten und deren damit verbundene, mehr oder minder gewaltsame Eingliederung in die klösterliche *familia* und ökonomisch in die Grundherrschaft" (Hägermann, Abt als Grundherr, S. 383).

Schutz und Schirm sowie gesicherte, verlässliche Rechtsverhältnisse gegen Abgabenleistungen – dieses Gegenseitigkeitsprinzip der Grundherrschaft lässt trotzdem keinen Zweifel an dem strikten hierarchischen Aufbau von Gesellschafts- und agrarischer Wirtschaftsordnung. So führt es auch ein bekannter spätmittelalterliche Holzschnitt vor, der Christus auf dem weltumspannenden Regenbogen die Welt in drei Stände ordnen lässt: Zu seiner linken, etwas weniger guten Seite steht die Dreiergruppe der Adeligen, der Könige und Kämpfer, denen er befiehlt, alle anderen zu schützen – mit politischen Herrschaftsmitteln, wie es die Kronen der Herrscher andeuten, ebenso wie konkret militärisch, wie es die Schutz- und Trutzwaffen ihrer Träger zeigen. Zu seiner Rechten, seiner besten Seite, drängt sich die Gruppe der weltlichen und geistlichen Kleriker, ein Papst, ein Bischof und ein Mönch, die ihre Würden- und Herrschaftszeichen – Hirtenstab, Tiara, Mitra und Tonsur – ebenso präsentieren wie ihre gesellschaftliche Aufgabe im beigegebenen Buch symbolisiert ist und denen der Weltenherrscher die Pflicht überträgt, für alle anderen zu beten. Und erst dann, unter den Füßen Christi, der Kleriker und der Adeligen, mühen sich zwei bäuerliche Arbeiter in einfachen, beinfreien Kitteln mit lose um den Kopf geschlungenen Tüchern, die vor Sonne und Regen schützen, Hacke und Spaten in der Hand, um die Erfüllung der ihnen zugewiesenen Aufgabe: Du arbeite.

Allegorien und Personifikationen auf den Säulenkapitellen von Cluny – hier der „Frühling“ – begleiteten die Mönche auf ihren Prozessionswegen durch das Kirchenschiff

VII.

Cluny – système écclesial

Als Benedikt von Aniane sein Reformprojekt betrieb, galt es, einheitliche Grundlagen für ein Reich von einer Ausdehnung zu schaffen, wie sie in West- und Mitteleuropa bis heute kein Herrscher für sein Territorium mehr dauerhaft erreichte. Die Nachfolgeregelungen der Karolinger sahen jedoch eine gleichberechtigte Berücksichtigung aller männlichen Erben vor. So wurde das Reich Karls des Großen und seines Sohnes Ludwigs des Frommen 843 im Vertrag von Verdun unter Ludwigs Söhnen dreigeteilt in ein westfränkisches, ein mittelfränkisches (nach dem Inhaber seiner Krone als Lotharingien bezeichnet) und ein ostfränkisches Reich. Die einzelnen Reichsteile entwickelten sich von nun an unterschiedlich und entsprechend wirkten auch jeweils andere Gewalten auf die übrigen Lebensbereiche, einschließlich der klösterlichen, ein. Die Inhaber der Königsherrschaft mühten sich letztlich in allen drei Reichen vergeblich, die alte Macht der Karolinger aufrechtzuerhalten. Regionale und lokale Adelsfamilien gewannen mehr und mehr an Einfluss. Karl der Große hatte mit seinen Reformen versucht, eine zentralisierte Herrschaft durchzusetzen, nicht indem er eine ‚Hauptstadt' zum Mittelpunkt seines Reiches machte, sondern indem er Rechte festschreiben ließ, die überall in gleicher Weise gelten sollten. Doch nach der Teilung des Reiches geriet die königliche Gewalt in immer heftigere Konkurrenz zu den übrigen adeligen Herrschaftszentren und wurde schließlich auf ein Kerngebiet beschränkt. Hinzu kamen weitere außenpolitische Schwierigkeiten, wie zum Beispiel die Raubzüge der Normannen, der die königliche Gewalt keine ausreichenden Kräfte entgegensetzen konnte.

In Rom wurde der Stuhl Petri und die Vergabe des päpstlichen Amtes zu einem machtpolitischen Instrument in den Händen der römischen stadtadeligen Familien, die ihre eigenen Interessen nicht zuletzt mit Hilfe der höchsten kirchlichen Würdenträger durchzusetzen trachteten. Die Päpste wurden dabei als ihre Marionetten und Handlanger missbraucht. Im 10. Jahrhundert bekleideten insgesamt 23 Männer das Amt des Bischofs von Rom; keinem von ihnen war eine lange Amtszeit vergönnt.

Ein neuer Anfang – die Gründung Clunys

Im Westfränkischen Reich gehörte Wilhelm von Aquitanien, der später den Beinamen „der Fromme" erhielt, zu einer derjenigen Familien, die im Süden des Landes eine eigene größere Herrschaft hatten aufbauen können. Er vereinigte mehrere Territorien unter seiner Herrschaft. Er titelte als Herzog von Aquitanien, Graf der Auvergne, Markgraf von Burgund, Graf von Mâcon und von Bourges. Des Weiteren war er Laienabt des Klosters Brioude, das man als das Hauskloster dieser Familie ansehen könnte. Wilhelm bestimmte es zu seiner Grablege und wurde nach seinem Tod 918 dort bestattet. Weitläufig verwandt mit dem alten Königsgeschlecht der Karolinger und verheiratet mit einer Prinzessin der Provence besaß er über seine Herkunft, seine Besitzungen und zukünftigen potentiellen Gebietserweiterungen – die sich dann allerdings nicht realisieren ließen, da seine Ehe kinderlos blieb – große moralische und politische Autorität im Westfränkischen Reich. Als Laienabt folgte er der gängigen Praxis adeliger Familien, die sich durch die Gründung von ‚eigenen' Klöstern geistliche Stützpunkte schufen. Einerseits statteten sie diese selbst mit den notwendigen Mitteln zur Versorgung einer betenden Gemeinschaft aus. Andererseits behielten sie sie unter eigener Kontrolle, indem Familienangehörige dort die Leitungspositionen besetzten oder sich doch zumindest die Entscheidung über die Besetzung des höchsten klösterlichen Amtes vorbehielten. Als man am 11. September des Jahres 909 die Gründungsurkunde von Cluny unterzeichnete und siegelte, begann ein neues Kapitel klösterlicher Entwicklung. Wilhelm von Aquitanien setzte mit seiner Stiftung ein Experiment in Gang, dessen Erfolg er sicherlich keinesfalls vorausgesehen hatte. Die Gründung Clunys entsprach in vielen Dingen ganz dem traditionellen Vorgehen bei der Einrichtung eines neuen Klosters, doch es wurden einige Regelungen festgeschrieben, die in eine neue Richtung wiesen. Diese Bestimmungen aus der Gründungsurkunde werden im Folgenden benannt und kommentiert.

Wie für Stiftungen üblich, wurde auch die Stiftung von Cluny für einen bestimmten Zweck eingerichtet, den der einleitende Satz der Urkunde so allgemein und so umfassend wie möglich umreißt. Das neue Kloster sollte eine Stiftung sein *zugunsten von uns Gläubigen in früheren, heutigen und zukünftigen Zeiten.* Jeder Christ sollte von Cluny profitieren, die Stiftung diente keinem Selbstzweck, sondern der gesamten Christenheit zu allen Zeiten. Wilhelm von Aquitanien bestimmte, *dass ein Kloster zu Ehren der Heiligen Peter und Paul errichtet werde, dessen Mönche in der Gemeinschaft der Regel des glückseligen Benedikt leben sollen.* Mit den für Cluny auserwählten Patronen richtet sich der Blick direkt auf Rom. Nicht die in der näheren Umgebung oder im Diözesanbezirk verehrten Heiligen wählte Wilhelm aus, sondern zum Ersten den Stellvertreter Christi auf Erden und zum Zweiten den erfolgreichsten Missionar der frühen Glaubensverkündigung, die beide in Rom das Martyrium erlitten. Um dieser Verbindung auch eine materielle Substanz zu geben, wurde die Asche von Petrus und Paulus aus dem römischen Kloster San Paolo nach Cluny verbracht und 981 in die dortige neue Kirche überführt. In den nachfolgenden Jahrhunderten konnte eine fromme Pilgerfahrt nach Cluny die lange Reise nach Rom ersetzen. Mit der Festlegung auf die benediktinische Regel umgriff man alle Lebensbereiche der künftigen Gemeinschaft: die individuelle geistige Vervollkommnung, die Abläufe von Gebet und Arbeit in der monastischen Gemeinschaft, die Organisation der weltlichen, praktischen Fragen und das Verhältnis der Mitglieder dieser Gemeinschaft untereinander. Die Besitzungen, die Wilhelm dem neu gegründeten Kloster durch seine Stiftung übergab, wurden ohne jede Einschränkung übertragen. Es sollte *die Güter auf ewig besitzen, behalten, ihr Eigen nennen und verwalten.* Dies war die Voraussetzung dafür, *dass an dieser Stelle ein Ort der Zuflucht für das Gebet entstehe, wo sich treulich ihre Bitten und Fürbitten erfüllen.* Nichts Geringeres als den *Dialog mit dem Himmel* erwartete der Stifter als Gegenleistung für seine Großzügigkeit, *Gebete, Bitten und Flehen ohne Unterlass an den Herrn.*

Die Professionalisierung mönchischen Daseins fand hier wie auch in den Stiftungsurkunden für andere Klöster einen deutlichen Ausdruck. Dabei machte er diese Stiftung durchaus nicht uneigennützig – womit er sich im Einklang gängiger Stiftungspraxis wusste. Denn der Gewinn aus dem eingeforderten Tun – das Gebet – sollte auch ihm zugute kommen, ebenso wie denjenigen, *deren Andenken ich aufgerufen habe,* also für die Gläubigen aller Zeiten, wie sie im Einleitungssatz benannt werden. Doch es ist nicht nur das Gebet, zu dem Cluny in Gegenwart und Zukunft verpflichtet war, sondern darüber hinaus erwartete Wilhelm von seiner Gründung die Erfüllung des christlichen Gebotes der Barmherzigkeit, dass man sich *der Armen, der Bedürftigen, der Fremden und der Pilger annehme.* Die Erfüllung dieser Forderung, wie sie schon die Benediktregel formuliert, sollte später ein ernstes wirtschaftliches Problem für Cluny darstellen.

Bis hierher entspricht die Urkunde durchaus den gängigen Bestimmungen für Klostergründungen. Im Weiteren jedoch findet sich die Klausel, die das absolut Neue an der Gründung Clunys ausmachte: die Kombination von wirtschaftlicher und politischer Autonomie, denn das Kloster sollte *von keiner irdischen Macht unterjocht werden dürfen, nicht einmal von unserer eigenen noch deren unserer Verwandten noch der der königlichen Majestät.* Wilhelm nahm bei der Gründung von Cluny dezidiert Abstand von der Idee eines weiteren adeligen Hausklosters. Er legte sogar noch weitergehend fest, dass auch keine andere weltliche Gewalt herrschaftlichen Einfluss geltend machen durfte. Er verzichtete damit ausdrücklich für sich und seine Erben auf jeglichen Anspruch, die klösterliche Führung mitzubestimmen oder an möglichen wirtschaftlichen Gewinnen teilzuhaben. In einer letzten Bekräftigung dieser Absicht, das neue Kloster völlig unabhängig zu machen und ausschließlich seinen beiden hohen Heiligen Peter und Paul zu unterstellen, wurde weiterhin festgeschrieben, dass auch die geistlichen Gewalten – *kein Bischof, nicht einmal der Pontifex des römischen Stuhls* – sich weder in die wirtschaftlichen Angelegenheiten Clunys einmischen dürften noch in irgendeiner Form auf die Führung des Klosters Einfluss nehmen sollten. Damit wurde *ex negativo* die übliche Praxis skizziert, die nicht die freie Abtswahl, sondern die oktroyierte Einsetzung eines Klostervorstehers durch die jeweils vorherrschende Gewalt zur Regel hatte werden lassen, ebenso wie die Nutzung klösterlicher Güter für nichtklösterliche Interessen. Die Androhung göttlicher Strafen sollte Cluny vor solchem Unbill schützen. Anders formuliert: Cluny war autonom, frei, selbstbestimmt, aber auch ohne Schutz von Seiten einer weltlichen Macht. 910 ließ Wilhelm von Aquitanien die Stiftungsurkunde für Cluny siegeln und verlieh ihr damit Rechtsgültigkeit. 918 starb er und wurde dort begraben, wo er als Laienabt geherrscht hatte, in der Abtei St-Julien de Brioude.

Die Äbte des Klosters Cluny, die im 10. und 11. Jahrhundert dem Konvent vorstanden, hatten alle das Glück langjähriger geistiger und körperlicher Gesundheit, was sie befähigte, über viele Jahrzehnte ihr Amt ausüben zu können. Der erste Abt von Cluny, Berno, der schon fast sechzig Jahre zählte, als er sein Amt antrat, stand dem Kloster noch fast 17 Jahre lang bis 927 vor. Abt Odo, mit fast fünfzig Jahren zum Nachfolger Bernos bestimmt, war bis zu seinem Tod 942 15 Jahre, dessen Nachfolger Aymard 23 Jahre lang bis 963 im Amt. Der vierte Abt von Cluny, Majolus, war ebenfalls etwa fünfzig Jahre alt, als er zum Abt aufstieg. Er stand dem Kloster mehr als drei Jahrzehnte bis 994 vor. Mehr als ein halbes Jahrhundert und schon mit Anfang dreißig dazu bestimmt, stand Abt Odilo dem Kloster Cluny bis 1049 vor und etwa ebenso lang war sein Nachfolger Abt Hugo bis 1109 im Amt. Auch er war bereits als junger Mann mit Mitte zwanzig in diese wichtige Position berufen worden. Unter diesen sechs Äbten – die vier Letztgenannten wurden heilig gesprochen – entwickelte sich Cluny zu einem monastischen Zentrum neuer Prägung und zu herausragender wirtschaftlicher wie architektonischer Größe.

Die materielle Ausstattung, wie sie in der Gründungsurkunde vorgegeben war, mutet angesichts der späteren Entwicklung von Cluny eher bescheiden an. Doch der innovative Grundzug von Cluny – die Unabhängigkeit der betenden Gemeinschaft von allen anderen herrschaftlichen Gewalten – überzeugte offenbar so sehr, dass man von vielen Seiten aus bereit war, diesem Kloster alle denkbare Förderung zukommen zu lassen. Diese bestand vor allem in Besitzübertragungen in Form von Geld oder Ländereien. Zunächst waren es vor allem die umliegenden adeligen Familien, die sich durch Stiftungen und Schenkungen zu „Nachbarn des heiligen Petrus" machten. Sie versammelten sich quasi in gemeinschaftlichem Tun um den Heiligen. Der Kreis derjenigen, die sich mit Cluny als einem wachsenden ökonomischen und gesellschaftlichen Partner in Form der Verbrüderung und *memoria* verbanden, wuchs jedoch schnell über die nachbarschaftlichen Grenzen hinaus. Schließlich konnte man sagen: *Partout où le vent vente, l'abbé de Cluny a rente*, „überall dort, wo der Wind weht, dem Abt von Cluny ein Einkommen entsteht". Der wirtschaftliche Aufstieg Clunys ging Hand in Hand mit seiner Entwicklung zu einem monastischen Reformzentrum und zu einem in einer solchen Größe bis dahin nicht gekannten Klosterverband. Ganze Familien überschrieben sich selbst und ihre Güter dem Kloster Cluny. Dabei gewann die Vita des Grafen Gerald von Aurillac, die Abt Odo, der zweite Vorsteher Clunys, verfasste, Vorbildcharakter für andere wohlhabende Gläubige. Denn sie pries die Tat des Grafen, der sich selbst, seine Familie und das von ihm gegründete Hauskloster der Abtei von Cluny unterstellt hatte, als frommes, gottgefälliges Werk. Gerald von Aurillac stand auf diese Weise nicht nur als ein angesehener Klostergründer dar, sondern seine Reputation erhöhte sich noch durch die beispielhafte Lebensweise ‚seiner' Mönche, die die cluniazensische Lebensweise übernommen hatten. Andere adelige Familien baten die Vorsteher von Cluny um die Reformierung ihres Klosters, ohne es jedoch im Gegenzug an Cluny zu übergeben. Auch bei der Gründung neuer Klöster bat man die Äbte von Cluny um ihre Hilfe. Bereits 931 hatte Cluny für diese Reformtätigkeiten von päpstlicher Seite die offizielle Erlaubnis mit urkundlicher Bestätigung erlangt:

Ostansicht der Abtei von Cluny um 1150 unter der Amtszeit von Petrus Venerabilis

Cluny durfte jedes Kloster auf dessen eigenen Wunsch oder auf Wunsch des Eigenkirchenherrn nach den eigenen Prinzipien monastischen Lebens – Betonung des *opus dei*, des Totengedenkens und der Armenspeisung – reformieren. Durch Verträge, die das Gebetsgedenken regelten, bildeten alle Mönche der Klöster, die sich miteinander verbrüderten, eine immer währende Gemeinschaft der Lebenden und der Toten.

Die Organisation des Klosterverbandes

Das Wachstum Clunys – und damit auch die Ausbreitung der cluniazensischen Ideen – begann schon unter Abt Odo im 10. Jahrhundert, setzte sich vehement unter Abt Odilo fort und erreichte unter Abt Hugo in der zweiten Hälfte des 11. Jahrhunderts seinen Höhepunkt. Die Abtei Cluny war zum Zentrum eines Klosterverbandes geworden, zu dem etwa 1200 Klöster in unterschiedlichen Graden der Abhängigkeit gehörten. Mit dem Namen Cluny verband man nicht nur ein einzelnes Kloster, sondern ein *système écclesial*, das Klöster im West- und Ostfränkischen Reich, in Italien, in England, ja sogar in Polen einschloss. Das Kloster Cluny selbst war unter Abt Hugo mit fast 400 Mönchen, manchmal werden sogar 700 geschätzt, der personell stärkste Konvent dieses Verbandes. Dem Klosterverband können Abteien, Priorate, Unterpriorate und angegliederte Klöster zugerechnet werden. Im Todesjahr des Abtes Hugo 1109 listet eine päpstliche Urkunde 14 Abteien und 74 Priorate unter der Führung von Cluny auf. Diese Abteien waren selbstständige Mönchsgemeinschaften mit einem eigenen Abt, der jedoch dem Abt von Cluny unterstellt war. Denn der Anschluss eines Klosters an den Verband von Cluny wurde dadurch allgemein sichtbar hervorgehoben, dass der Abt des anschlusswilligen Klosters künftig nicht mehr durch den eigenen Konvent gewählt, sondern vom Abt von Cluny ernannt oder doch zumindest mitbestimmt und eingesetzt wurde. Die Priorate standen in einem stärkeren Abhängigkeitsverhältnis zu Cluny. Sie hatten keinen eigenen Abt, sondern einen Prior, der als Stellvertreter des Abtes von Cluny agierte und auch von diesem in sein Amt eingesetzt wurde. Als sich der Klosterverband im 11. Jahrhundert immer stärker in entferntere Regionen ausbreitete, gewannen die Priorate eine größere Eigenständigkeit und entwickelten sich zu Unterzentren von Cluny, was sich auch darin ausdrückte, dass sie die Führung von weiteren kleineren klösterlichen Zellen, den Unterprioraten, übernahmen. Diese Unterpriorate waren oftmals die Hausklöster adeliger Familien, die dann, trotz der Unterstellung unter den reformierten Klosterverband, versuchten, weiterhin ihren Einfluss auf die Besetzung des Abtstuhls und die Entscheidung über die Aufnahme von neuen Mitgliedern geltend zu machen.

Die ersten sechs Äbte von Cluny hatten entscheidend auf die Entwicklung der Abtei eingewirkt. Man erachtete sie als große, ja als heilige Vorbilder. Der Letzte in dieser Reihe, Hugo von Sémur, soll etwas intensiver betrachtet werden. Er stammte aus einer begüterten und einflussreichen Adelsfamilie im südlichen Burgund. Zunächst schien seine Familie ihn nicht für eine geistliche Karriere vorgesehen zu haben. Im Gegenteil berichtet seine Vita über heftige familiäre Widerstände gegen seinen Wunsch, die klösterliche Laufbahn einzuschlagen. Wie alle Viten aber – und deshalb ist diese Information mit Vorbehalt zu betrachten – wurde sie mit der Absicht geschrieben, herauszustellen, dass die ‚Hauptperson' ihren, natürlich unbeabsichtigten, Weg zur Heiligkeit gegen alle äußeren Hemmnisse von früher Jugend an ging. Jedenfalls bat Hugo mit 13 oder 14 Jahren um die Aufnahme ins Noviziat, legte nach einem Jahr in Cluny die Profess ab, wurde bereits mit 25 Jahren Großprior von Cluny, also Stellvertreter des Abtes Odilo, und nach dessen Tod 1048 sein Nachfolger im Amt. Sechzig Jahre lang leitete er das Kloster Cluny. Elf Jahre nach seinem Tod im Jahr 1109 wurde er 1120 von Papst Calixt II. heilig gesprochen.

Er war in verschiedenen Bereichen für Cluny bedeutsam. Zum einen trat er als Klostergründer hervor. Bereits 937 bestand der Klosterverband von Cluny aus 17 und am Ende des 10. Jahrhunderts aus 37 Häusern, doch unter Abt Hugo vereinigte Cluny schließlich zwischen 1200 und 2000 Klöster unter seiner Lebensweise. Mit Marcigny gründete er auch das erste Frauenpriorat von Cluny, das sein Bindeglied zur eigenen Familie blieb. Dort wurden weibliche Mitglieder der Familie von Sémur Äbtissinnen. Vorbilder für diese Konstellation wurden in den vorherigen Kapiteln bereits genannt. Auch männliche Familienmitglieder konnte er zum Eintritt ins Kloster überzeugen. Armin Kohnle hat in seiner biographischen Studie zu Abt Hugo von Cluny ausgeführt: „Das Beispiel der Herren von Sémur zeigt deutlich, wie sich der Abt das Verhältnis des Adels zum cluniazensischen Mönchtum dachte. Mit einer gewissen Rücksichtslosigkeit nahm Hugo die personellen und materiellen Ressourcen seiner Familie in Anspruch, um sein Projekt ‚Marcigny' in die Tat umsetzen zu können. Die Herren von Sémur haben sich in Dienst nehmen lassen, sind ihrem berühmtesten Spross in Scharen ins Kloster gefolgt und spielten in der Folge nicht nur im cluniazensischen Bereich, sondern auch im burgundischen Episkopat bis weit in das 12. Jahrhundert hinein eine bedeutende Rolle" (Kohnle, Abt Hugo von Cluny, S. 34). Als cluniazensischer Reformer nahm Hugo Einfluss auf Veränderungen in den *consuetudines*, also den aktuellen Auslegungen der Regula Benedicti und den sich daraus ergebenden Gewohnheiten. Das galt insbesondere für die Ausgestaltung der Liturgie, denn er führte neue Festlichkeiten ein und betonte somit noch einmal den Kern cluniazensischen Lebens. Als Diplomat vermittelte Hugo zwischen französischen Bischöfen und zwischen Bischöfen und Päpsten. Dies tat er sowohl in Cluny selbst als auch auf seinen zahlreichen Reisen. Diese führten ihn unermüdlich durch Frankreich, den Westen des Ostfränkischen Reiches und Italien. Besonders bekannt wurde sein diplomatisches Geschick, mit dem er, der Taufpate Heinrichs IV., zwischen Kaiser und Papst vermittelte. Das im Zuge des sich verschärfenden Investiturstreites wichtige Treffen auf der Burg von Canossa zwischen Heinrich IV. und Gregor VII., der die cluniazensische Lebensweise aus eigener Anschauung kannte, war durch die Intervention Hugos zustande gekommen. Als Kirchenbauer setzte er die Grundsteinlegung von Cluny III ins Werk, der nach ihrer Vollendung größten Kirche des Abendlandes. Gemäß seiner Vita geschah dies auf Grund himmlischer Weisung. Dem Mönch Gunzo war der heilige Petrus erschienen, der ihn beauftragte, Abt Hugo von seinem Traum zu erzählen und ihn von der Notwendigkeit eines neuen Kirchenbaus zu überzeugen. Abt Hugo agierte nach innen mit deutlichen, wahrnehmbaren Eingriffen als geistlicher Führer und Hirte seiner Mönchsgemeinschaft und nach außen als politischer Repräsentant seines Klosterverbandes, dessen Reputation ihn auch in weltlichen Geschäften erfolgreich sein ließ. Vielleicht ist es diese Koppelung von geistlicher und weltlicher Führungsqualifikation, dass man Abt Hugo auch „den Großen" nennt.

Die Äbte des Hauptklosters Cluny agierten im Rahmen ihres Klosterverbandes und darüber hinaus nicht mehr nur als Hirten ihrer Mönchsgemeinschaft, sondern auch in kirchendiplomatischen und politischen Missionen. Der ursprüngliche Grundgedanke, aus dem heraus das Kloster entstanden war – die politische und wirtschaftliche Autonomie der betenden Gemeinschaft zu garantieren –, wurde dabei durchaus beibehalten und auch nach außen sichtbar demonstriert. Auf welche Weise Cluny und die ihm angeschlossenen Klöster ihre Unabhängigkeit auch in den direkten Kontakten zu weltlichen Herrschaftspersonen zum Ausdruck zu bringen wussten, zeigen die Bestimmungen zur Auslegung des 53. Kapitels der Regula Benedicti in den *consuetudines Farfenses* (994–1049) und den *consuetudines Bernhardi* (1049–1109), die den *adventus* des Herrschers zum Gegenstand haben. Während in der Regula Benedicti der Herrscher ebenso wie jeder andere Gast als Repräsentant des göttlichen Herrn gesehen und als solcher begrüßt wird, stand in der Interpretation des 11. Jahrhunderts beim herrschaftlichen Besuch

Heinrich IV. kniet vor der Markgräfin von Tuszien (aus der Vita Mathildis)
Das politische Ereignis des Gangs nach Canossa, vermittelt durch Hugo, Abt von Cluny und Taufpate Heinrichs IV.

nicht mehr der Gast und sein Empfang durch den Abt sowie der feierliche Gesang bei seiner Einholung im Mittelpunkt, sondern der Einzug in die Abteikirche und die Zeremonie am Altar mit Gebeten und Psalmen, deren Inhalt das Geschenk des kirchlichen Friedens ist.

Die Mönche von Cluny und ihre Äbte waren angetreten, sich als Arme, als *pauperes*, in positivem Sinne von den Reichen und Mächtigen, den *divites et potentes*, abzusetzen, da ihre Lebensführung die gottgefälligere und damit die vor Gott würdigere war. Mit der Armut ging die Demut, *humilitas*, einher – so sah es Abt Odo von Cluny –, doch aus beidem, in der Unterwerfung unter Gottes Herrschaft, erwuchs den Cluniazensern ihre spirituell begründete *auctoritas* und geistliche *potestas*. In dieser Argumentationskette, die die geistliche vor die praktisch-reale Legitimation stellte, werteten die Äbte von Cluny sich selbst auf und begannen, sich von der weltlich-politischen Ordnung zu emanzipieren, trennten geistliche *potestas* von weltlicher Gewalt. Während sich in karolingischer Zeit die Äbte und Äbtissinnen eng an die Herrscher angelehnt hatten, fühlten sich die Äbte von Cluny den weltlichen Herrschern auf geistlichem Gebiet, und vielleicht nicht nur dort, überlegen. Dass auch weltliche Herrscher Cluny als eine besondere Institution anerkannten, zeigt sich deutlich in der Person Kaiser Heinrichs II. Er gab an Cluny den Reichsapfel weiter, den er selbst vom Papst als Geschenk erhalten hatte.

Im Laufe des 10. und in der ersten Hälfte des 11. Jahrhunderts wuchs die Überzeugung, dass kirchliche Angelegenheiten auch nur von kirchlichen Institutionen entschieden werden sollten. Keine weltliche Herrschaft sollte die Macht haben, über die Besetzung eines geistlichen Amtes zu verfügen. Kein König sollte einen Bischof oder einen Abt zu seinem Hirtenamt bestimmen dürfen, kein Adeliger automatisch den Zugriff auf den Vorstand und die Zusammensetzung eines von ihm gegründeten Klosters haben. Unabhängigkeit und Selbstbestimmung der kirchlichen Institutionen und die Frage der Über- oder Unterordnung der weltlichen unter die geistliche Herrschaft – um diese Fragen ging es dann auch in der zweiten Hälfte des 11. Jahrhunderts im Investiturstreit. Einer der Nachfolger Gregors VII. war der Neffe des ehemaligen cluniazensischen Abtes Odo und rief als Papst Urban II. 1095 in Clermont-Ferrand zum Kreuzzug auf, womit die kirchlichen Bemühungen um Universalität und um Mitbestimmung in allen Belangen der Christenheit schließlich erfolgreich waren, da die weltlichen Mächte, wenn auch durchaus in eigenem Interesse, der Idee des Kreuzzugsgedankens folgten und sich ihm unterordneten. Trotzdem wird von Seiten der Forschung mittlerweile betont, dass es wohl eine gemeinsame Grundtendenz von monastischem und weltkirchlichem Reformdenken gegeben hat, keineswegs aber eine vorbehaltlose Unterstützung der gregorianischen Reformen durch Cluny. Die zahlreichen Forscher, die von verschiedenen Blickwinkeln das Phänomen Cluny betrachtet haben, tun sich schwer damit, genau zu bestimmen, was denn die Größe dieses burgundischen Klosters eigentlich ausgemacht habe. Und immer wieder wird man auf die liturgischen Leistungen, das in Form und Inhalt vollendete Gebet der cluniazensischen Mönche zurückverwiesen, denn dies bestimmte ihren Tagesablauf bis ins Kleinste.

Rund um den Tag

Joan Evans hat aus den *consuetudines* den täglichen Rhythmus der Betenden rekonstruiert und in narrativer Form zusammengefasst. Die weiteren Ausführungen folgen weitgehend dieser Beschreibung, die die strikte Orientierung an der Regula Benedicti und die Intensität der cluniazensischen Gebetsleistungen deutlich macht. Der Tag gliederte sich nach den Stundengebeten und richtete sich nach dem Sonnenaufgang. Entsprechend waren die Abstände zwischen den Gebetsstunden im Sommer größer als im Winter, dafür die Stunden der Nachtruhe im Winter länger. In den *consuetudines* ist genau festgelegt, mit welcher Disziplin die Mönche den Erfordernissen der Stundengebete zu folgen hatten: Beim ersten Klang der Glocke in der Nacht erhoben sie sich, zogen sich an, falteten ihr Bettzeug und gingen in die Kirche. Während des nächtlichen Gottesdienstes ging einer der Mönche mit einer Lampe an den betenden und singenden Mönchen vorbei, damit keiner wieder einschlafen möge. Wenn er einen Bruder fand, von dem er glaubte, dass er schliefe, hielt er ihm die Lampe unter die Augen. Hatte er sich geirrt, so musste er sich entschuldigen. Hatte er recht, so hielt er die Lampe ganz dicht an die Augen des Schlafenden, damit dieser aufwachte. Wenn er dies im Laufe seiner Runden dreimal machen musste, so sollte er den Schläfer wecken und dieser musste dann an seiner statt mit der Lampe umhergehen. Nach dem Nachtgebet gingen die Mönche wieder zu Bett. Zur Morgendämmerung, der Matutin, standen sie erneut auf, zogen sich an, wuschen sich Hände und Gesicht im Kreuzgang, trockneten sich an einem der drei dort hängenden Handtücher ab und kämmten sich, bevor sie in die Kirche gingen. Sie sangen die Psalmen im Stehen, sollten sie aber zu müde sein, so durfte sich reihum jeweils einer von ihnen setzen. Wenn sie das Gloria eines Psalms sangen, sollten ihre Hände innerhalb der Ärmel ihrer Kutte stecken, um diese hochzuhalten, wenn sie sich tief hinunterbückten, um den göttlichen Namen auszusprechen, denn dabei sollten ihre Ärmel nicht über den Boden wischen. Wenn sie sich aber vor dem Altar verneigten, so mussten die Hände außerhalb der Ärmel gehalten werden und ihr Kopf hatte fast den Boden zu berühren. Wenn einer zu spät kam, musste er sich vor der gesamten Versammlung verbeugen und diese verbeugte sich ebenfalls als Antwort und Anerkennung der Entschuldigung. Vor den Nachtwachen wurden jeweils die sieben Bußpsalmen gesungen und die fünfzehn Psalmen des Graduale, und nach jeder der Gebetszeiten sang man zwei oder drei Psalmen für die Förderer und Freunde der Abtei. Zusätzlich zu den regulären Stundengebeten wurde nach der Prim eine feierliche Messe gehalten und eine weitere nach der Terz, oftmals eine Totenmesse, bei der alle Brüder mit Ausnahme der Kranken anwesend zu sein hatten. Das Singen der Psalmen, die liturgischen Gebete, die Hymnen und Wechselgesänge beanspruchten einen großen Teil des cluniazensischen Tages.

Zu den Messen kamen Mönche und Klosterbedienstete zum Altar und baten darum, dass ihre Hostien vom Priester geweiht würden. An Werktagen waren nur jeweils drei Mönche zur Kommunion zugelassen und an Sonntagen fünf. In Cluny war es üblich, die Hostie in den Wein zu tauchen, damit nichts vom kostbaren Blut Christi verloren ginge. Die übrigen Mitglieder der Gemeinschaft erhielten vor der ersten Mahlzeit eine geweihte Hostie. Der morgendlichen Messe gingen Gesänge und Gebete voran: für Könige und Prinzen, für Bischöfe und Äbte des Ordens, für Freunde und Gönner der Abtei sowie für aktuelle Anlässe. Zur zweiten Messe sprachen die Mönche Gebete für die verstorbenen Päpste, für Freunde und Gönner wie die Könige von Spanien, für die Brüder, für die Freunde und Verwandten der Mönche, für alle, die in Cluny begraben lagen, und für die Toten im Allgemeinen. Jeden Sonntag nach der ersten Messe segnete derjenige Priester, der die zweite Messe lesen würde, eine Schüssel mit Wasser und Salz und besprengte den Boden rund um den Altar, begleitet von zwei Laienbrüdern, die ein Kreuz und ein Weihwasserbecken trugen. Dann ging er durch die klösterlichen Gebäude und segnete auf diese Weise den Kreuzgang, die Krankenstube, den Schlafsaal, den Speiseraum, die Küche und den Vorratsraum.

Am Sonntag nach der Messe wusch der Abt gemeinsam mit den Novizen im Abtshaus die Füße von Pilgern und Armen und teilte ihnen Almosen aus.

An den fünf höchsten Feiertagen – Weihnachten, Ostern, Christi Himmelfahrt, St. Peter und Paul (den Patronen Clunys) und Mariä Himmelfahrt – zogen die Mönche in einer großen Prozession ganz um das Kloster herum, dabei führten sie Kreuze, Kerzen, Gesangbücher und Reliquiare mit sich.

Während der Fastenzeit waren die Gesäßstützen (Misericordien) im Chorgestühl abmontiert. Alle Reliquiare, Kreuze und Kerzenhalter waren dann verhängt, ebenso der goldene Aufsatz des Altars. Am Samstag vor

Palmsonntag legte man alle Reliquien in tragbare Schreine. Der Altar wurde mit einem goldgewirkten Tuch verkleidet und mit Palm- und Blütenzweigen besteckt. Zur Vesper läutete man alle Glocken. Am nächsten Tag nach der Terz segnete der Prior am Altar die Palmzweige und verteilte sie an den Abt und die Brüder im Chor. Dann formierte sich eine lange Prozession aus Mönchen, den Dienern, den Novizen des Klosters und ihrem Aufseher, dem Prior, dem Abt und schließlich den übrigen Bewohnern des Örtchens Cluny. Gemeinsam zogen sie an allen wichtigen Stationen des Klosters vorbei, um endlich am Hauptaltar die Palmzweige wieder in die Hände des Priesters zu legen.

Am Fastendienstag wurde ein neues Feuer entzündet, um die Altarlampe zu erleuchten, und diese wurde dann drei Tage lang in den Prozessionen mitgeführt. An diesem Tag wusch jeder Mönch die Füße eines Armen und gab ihm sein Paar abgelegter Schuhe. Zwischen Fastendienstag und Ostersonntag wurde keine Glocke geläutet, sondern auf ein Holzbrett geschlagen, um die Brüder in den Chor und zu den Mahlzeiten zu rufen. Am Karfreitag kamen alle barfüßig zur Prim und sangen den gesamten Psalter. Bei dem Satz „Und sie teilten meine Kleider unter sich auf" nahmen zwei Mönche zwei Stück Tuch vom Altar, die zuvor dorthin gelegt worden waren, um diesen Akt symbolisch nachzuvollziehen. In der Osternacht bereiteten die Mönche die Kirche für den folgenden Tag vor. Sie schmückten die Wände mit gestickten oder gewebten Vorhängen aus Wolle und Leinen. Sie legten die Bänke mit Teppichen aus, den so genannten Banklaken, und stellten weitere Sitze im Chor auf. Den Altar bedeckten sie mit den besten und feinsten Antependien (Altartüchern). Darauf legten sie die kostbarsten liturgischen Bücher der Abtei, mit Einbänden voller Gold und Edelsteine, ein teures Kreuz und funkelnde Reliquiare. Ein goldener Kerzenhalter wurde von der Decke herabgelassen und rund um den Altar reihten sich die goldgrundigen Bilder der Heiligen. Daneben stand eine riesige Osterkerze. Zur eigentlichen Messe entzündete man die Kerzen in allen Kerzenhaltern.

Während der Heiligenprozessionen schritten die Mönche barfüßig, Kreuze und Reliquiare tragend, und am Eingang zur Kirche erhielt jeder von einem der Klosterbediensteten einen Pilgerstab überreicht. Am Allerseelentag, dem Feiertag, den der cluniazensische Abt Odilo eingeführt hatte, beteten sie für alle Verstorbenen. Zu Weihnachten war die Kirche ähnlich dekoriert wie Ostern: Die ganze Kirche war von Kerzen erleuchtet und auch im Dormitorium brannte die ganze Nacht über ein eigenes Licht. Zu Mariä Lichtmess war die Hälfte der Kirche mit Tüchern geschmückt, zwölf Kerzenhalter brannten vor dem Altar und fünf hinter ihm, auf dem Altar standen goldene Kelche und Kerzenhalter. Die ganze Gemeinschaft schritt in einer Prozession durch die Kirche; die Mönche trugen Reliquien, Weihwasser, Weihrauchkessel und Kerzenhalter und begaben sich singend zur Kapelle der Muttergottes – zuerst die Novizen, dann die Mönche, der Prior, die Laienbrüder und schließlich der Abt mit seinem Hirtenstab. Nachdem sie die erforderlichen Gebete gesprochen hatten, erhielt jeder Bruder eine der zuvor geweihten Kerzen. Die Mönche und Laienbrüder zündeten ihre Kerze jeweils an der ihres Nachbarn an, die Kinder an der Kerze des Novizenmeisters. Dann trugen sie auf einem Brett eine kleine Szene mit der Jungfrau und dem Jesuskind von der Kapelle durch den Kreuzgang bis in die Kirche. Dort wurden alle, auch die Laienbrüder, in lange Umhänge gewandet, die Kinder in Tuniken, und gingen dann zur Messe.

Trotz allen liturgischen Glanzes, so formvollendet entwickelt, bewahrte der Gottesdienst noch die Verbindung zum täglichen Leben. Im frühen August zum Beispiel, wenn die Weintrauben zu reifen begannen, wurden einige Trauben bei der Messe ausgestellt; der Priester segnete sie und dann wurden sie von den Mönchen gegessen, und ebenso machte man es jedes Jahr mit dem Getreide, den Bohnen und dem jungen Wein.

Neben dem *opus dei* widmeten die Brüder täglich einige Stunden dem Schreiben und dem Studium theologischer Schriften. An den Wochentagen von Ostern bis Oktober war eine Stunde zwischen der Terz und der Sext dem Lesen vorbehalten, ebenso sollten sie von Oktober bis zur Fastenzeit täglich eine Stunde lesen. An den Sonntagen wurde die ganze Zeit zwischen den Stundengebeten und den Mahlzeiten gelesen. Hinzu kamen die regelmäßigen Tischlesungen. Die Kapitelversammlungen wurden normalerweise nach der Frühmesse im Kapitelsaal abgehalten. Zurzeit des Abtes Hugo war dieser Saal gut 15 m lang und 11 Meter breit, erhellt durch sieben Fenster, mit drei Sitzreihen rund um den Saal herum. Den Vorsitz führte der Abt auf seinem Abtsstuhl. Nur die Mönche durften an den Kapitelversammlungen teilnehmen; ausschließlich der Abt hatte das Recht, einen vornehmen Gast hinzuzubitten. Nach dem Gebet und der Lesung eines Kapitels aus der Benediktregel oder einem besonderen Lobgesang zu Feiertagen ging man zur Tagesordnung über: die Zulassung von Novizen, die Ausweisung unwürdiger Mönche, die Bestrafung begangener Sünden, Wirtschaftsfragen wie Kauf, Tausch und Leihgeschäfte, die Annahme von Schenkungen, die Verlesung von Totenverzeichnissen und in seltenen Fällen die Revision der Statuten. Die Mönche durften ihre Meinung zu jedem Thema frei äußern, vorausgesetzt, sie taten dies in Demut. Auf keinen Fall durften sie mit dem Abt über anstehende Fragen in Streit geraten. Der Abt seinerseits war verpflichtet, jedem seiner Brüder zuzuhören und ihre Ansichten zu überdenken, aber letztlich stand es ihm zu, auch gegen ihren Rat zu handeln.

In der Kapitelversammlung urteilte der Abt auch über Verfehlungen der Brüder und mahnte, sich aller Sünden zu enthalten. Der schuldige Mönch trat vor, die Arme aus den Ärmeln der Kutte gestreckt, bereit, seine Strafe zu empfangen. Wenn der Moment der Rechtsprechung kam, erhob er sich und bat ein einziges Mal um Vergebung; doch jedes Mal, wenn eine neue Anklage vorgebracht wurde, musste er erneut um Verzeihung bitten. Wenn er aufgrund einer lässlichen Sünde verurteilt wurde, verhängte der Abt eine Prügelstrafe. Nachdem er diese Strafe erhalten hatte, musste er während der Messe ausgestreckt auf dem Boden vor dem Altar liegen. Er war von allen Zeremonien ausgeschlossen, ebenso vom gemeinschaftlichen Tisch, bis der Abt einen der Brüder schickte, um ihm ins Ohr zu flüstern: Du bist von deinen Sünden freigesprochen. Wenn die Sünde schwer wiegender war – Trunkenheit, Wut, Fluchen, Streiten, Aufruhr-Stiften, Stolz, Neid, Gier, Besitz privater Gegenstände, Abwesenheit vom Klostergelände ohne Genehmigung, Gespräch mit einer Frau oder ein anderer schwerer Verstoß gegen die cluniazensische Regel –, hatte der Schuldige barfuß am Eingang zum Kapitelsaal zu stehen, sein Skapulier und sein Cape zusammengefaltet unter seinem linken Arm, sein Gewand gelöst und mit einem Rutenbündel in seiner rechten Hand. Wenn man ihm gestattete, näher zu treten, legte er seine Kleider und das Rutenbündel auf den Boden und streckte sich selbst dort aus, um Vergebung zu erbitten. Dann wurde er gezüchtigt, bis der Abt sagte: Es ist genug. Dann ging er hinaus und zog seine Gewänder an, um wieder einzutreten und sich erneut auf dem Boden auszustrecken. Dann wies ihm der Abt einen Ort als eine Art Gefängnis zu, wo er allein bleiben musste. Während der Messen und der Stundengebete musste er mit verhülltem Gesicht bei der Kirchentür stehen bleiben. Wenn die übrigen Mönche den Psalmengesang anstimmten, musste er auf dem Pflaster ausgestreckt liegen bleiben, bis der letzte Mönch die Kirche verlassen hatte. Der Mönch, der ihm sein Essen brachte, durfte nicht mit ihm reden. Die Einzigen, mit denen er sprechen durfte, waren die Brüder, die der Abt zu ihm sandte, um seine Reue zu hören. Wenn diese von seiner Reue überzeugt waren, baten sie für ihn in der Kapitelversammlung um Vergebung. Wenn man diese erteilt hatte, wurde er in die Versammlung geholt, noch einmal geprügelt und, nachdem er sich wieder vor jedem der Brüder niedergeworfen hatte, um erneut Vergebung zu erbitten, nahm man ihn wieder in die Gemeinschaft auf. Er erhielt jedoch den schlechtesten Platz in der Kirche, im Refektorium und im Schlafsaal, er durfte weder an der heiligen Kommunion teilhaben noch den Friedenskuss empfangen und wurde bei den Lesungen übergangen. Er durfte jedoch niedere Arbeiten ausführen – als Koch arbeiten oder die Füße der Brüder waschen. Nach jeder Messe und nach jeder Kapitelversammlung musste er erneut um Vergebung bitten, bis der Abt ihn schließlich nach einer erneuten Ermahnung in seine alte Position wieder einsetzte. Dann mussten sich alle Brüder vor ihm verneigen, damit keiner sich als etwas Besseres fühlen konnte.

In Cluny hatte sich die Balance zwischen geistiger und körperlicher Arbeit verschoben: Das Singen der Psalmen und die Gebete waren zur eigentlichen Arbeit der Mönche geworden. Die landwirtschaftlichen und handwerklichen Arbeiten ebenso wie alle anderen körperlichen Tätigkeiten – Wäsche waschen, flicken, Schuhe putzen, kochen, Brot backen – verrichteten Laienbrüder und Knechte des Klosters. Nur zu wenigen Gelegenheiten erinnerten der Abt oder sein Stellvertreter die Mönche an ihre frühere Verpflichtung zur Arbeit mit den Händen, indem sie gemeinsam symbolisch einen Tag auf dem Feld verbrachten. Dann wurde die Glocke zur Prim früher geläutet als sonst, die Psalmen wurden ausgelassen und nach einer verkürzten Kapitelversammlung wurde den Brüdern verkündet: *ad opera manuum ibimus in hortum*, zur Arbeit mit den Händen begeben wir uns in den Garten. Dann ging die ganze Gemeinschaft in der vorgeschriebenen Prozessionsordnung in den Garten, unter Absingen der Psalmen, die zuvor ausgespart worden waren. Wenn sie den Garten erreichten, verbeugten sie sich alle tief nach Osten. Dann rezitierte der Prior oder der Abt ein Bittgebet und unter Psalmengesang begannen sie mit der Arbeit. Wenn der Prior befand, dass es Zeit sei, zur Abtei zurückzukehren, rief er die Brüder zusammen und unter erneutem Psalmengesang zogen sie in der bekannten Prozessionsordnung zum Kapitelsaal zurück. Dort hörten sie eine kurze Lesung, gefolgt von weiteren Gesängen. Wenn sie dann nach der Non, wie es die Regel vorschreibt, zur Arbeit zurückkehrten, rief sie der Prior zusammen, bat sie, sich im Schatten der Bäume auszuruhen und hielt ihnen eine kurze Ansprache. Danach kehrten sie zu ihren Arbeiten zurück, bis sie schließlich unter weiteren Gesängen in einer Prozession zur Abtei zurückkehrten, wo sie vor der Vesper ein besonders gutes, stärkendes Getränk aus Honig, Wein und Gewürzen erhielten.

Eine andere Form der monastischen Disziplin bezog sich auf das Schweigegebot. An normalen Werktagen war es nur erlaubt, eine halbe Stunde am Morgen während der Kapitelversammlung zu sprechen, und noch einmal eine kurze Zeit nach der Sext. Sonntags wurde den ganzen Tag über das Schweigen eingehalten, ebenso an den großen Feiertagen, während der Heiligen Woche, der Karwoche, und der Pfingstwoche. Wenn unbedingt bestimmte Mitteilungen ausgetauscht werden mussten, bediente man sich einer ausgefeilten Zeichensprache. Das Zeichen für Brot etwa war ein Kreis, den man mit Daumen, Zeige- und Mittelfinger beider Hände formte, für Gemüse schlug man zwei Finger gegeneinander, für Fisch bewegte man die Hand wie einen Fischschwanz usw. Es gab besondere Zeichen für jede Art von Fisch, Obst, Gemüse und Getränke, für alle Behältnisse, die in Küche und Speisesaal verwendet wurden, für Bettzeug und Kleidung, für Nadeln, Kämme und Messer, für alle Angelegenheiten, die sich auf die Liturgie bezogen, für Mönche, Kleriker, Laien und alle Bedienstete der Abtei, für das Sprechen, Hören, Wissen und Nicht-Wissen, für das Ankleiden, Auskleiden und Waschen, für Gut und Böse, für Gegenwart und Vergangenheit, für schnell und langsam. Es war eine Zeichensprache, die alle Bereiche des mönchischen Lebens abdeckte.

Die benediktinische Regel schrieb Fleischlosigkeit vor, außer im Krankheitsfall, und eine ausreichende, aber nicht üppige Zuteilung von Nahrungsmitteln. Es scheint, dass man sich in Cluny daran hielt. Normalerweise wurden zwei Mahlzeiten pro Tag serviert: ein Mittagessen und ein Abendessen. Das Erste bestand aus drei Gängen: ein Gericht aus Bohnen, Käse oder Eiern – ersetzt durch Fisch an den Fastentagen, den Sonn- und Feiertagen – und schließlich ein Gemüse der Saison. Zum Abendessen wurde überwiegend Brot und Käse gegessen. An den großen Feiertagen wurden, anstelle von Bohnen, Zwiebeln und kleine Kuchen aufgetischt. Das Gemüse wurde mit Fett gekocht und gesalzen, außer in den Fastenzeiten. Pfeffer verwandte man nur in Ausnahmefällen für grüne und wenig appetitliche Bohnen. Die tägliche Brotration betrug etwa ein Pfund, aber wenn ein Mönch zum Mittagessen bereits alles verzehrt hatte, durfte er ein weiteres halbes Pfund zum Abendbrot erbitten. Das Gemüse wurde in der Klosterküche von den Mönchen gekocht, die jeweils für den Wochendienst eingeteilt waren, Fisch und Eier wurden von den Bediensteten in einer anderen Küche zubereitet. Die *consuetudines* enthalten genaueste Angaben über das Küchenzubehör, über die Anzahl und Größe von Töpfen und Schüsseln, Schöpfkellen und Messern, Besen und Tischtüchern, über die Art und Weise, wie und mit welchen Zutaten gekocht werden durfte und wie die Mönche, die in der Küche beschäftigt waren, trotzdem unter entsprechenden Sicherheitsmaßnahmen (wie klein gestelltes Feuer und Laienbrüder zur Aufsicht) an den Stundengebeten sollten teilnehmen können. Die ganze Klostergemeinschaft erhielt an den Tagen, an denen der Gottesdienst besonders lange dauerte, zur Mitte des Morgens ein viertel Pfund Brot und ein wenig Wein. Gemäß der Benediktregel war das Maß der Weinration der Entscheidung des Abtes vorbehalten. In Cluny, zwischen verschiedenen ausgezeichneten Weinanbaugebieten gelegen, war Wein ein ganz selbstverständliches Getränk. Jeder Mönch erhielt einen Becher Wein täglich. Im Sommer hatte jeder Becher eine Abdeckung, um die Fliegen abzuhalten, und neben jedem Platz im Refektorium lag ein in Leim getunktes Zweiglein als Fliegenfalle.

Das Refektorium, in dem alle Mahlzeiten serviert wurden, war ursprünglich gut dreißig Meter lang und acht Meter breit, erhellt durch 25 knapp zwei Meter hohe Fenster. Abt Hugo ließ es in der zweiten Hälfte des 11. Jahrhunderts erheblich vergrößern auf eine Länge von fast 34 und eine Breite von über zwanzig Metern. Seine Wände wurden mit Szenen des Alten und Neuen Testamentes sowie mit Bildern der Gründer und Gönner der Abtei, einer großen Darstellung der Majestas Domini und einer Szene aus dem Jüngsten Gericht ausgemalt. Sechs große Tische waren an den Längsseiten der Refektoriumshalle aufgestellt und drei kleinere an der Stirnseite, jeweils für die beiden Prioren und den Abt. Die Mönche wuschen sich die Hände im Kreuzgang, bevor sie ins Refektorium eintraten. Alle blieben stehen, bis der Abt eintrat und seinen Platz am Tisch in der Mitte der Stirnseite einnahm. Niemand begann zu essen, bevor nicht die geweihten Hostien ausgeteilt worden waren und der Vorleser mit der Lesung begonnen hatte. Nach der Mahlzeit hatten die Mönche eine kurze Ruhepause, während der sie im Kreuzgang lesen oder sich auf ihren Betten ausstrecken durften. Zusätzlich zur mönchischen Gemeinschaft mussten auch die Gäste und Almosenempfänger des Klosters mit Nahrungsmitteln versorgt werden. Gäste, die zu Pferd anreisten, wurden ohne weitere Fragen für drei Tage im Gästehaus der Abtei untergebracht, wo es nach Geschlechtern getrennt Quartiere für vierzig Männer und dreißig Frauen sowie ein gemeinsames Refektorium gab. Ein Mönch war zuständig für die angemessene Unterbringung und Verpflegung der Gäste. Ihm standen ein Koch, ein Träger, ein Hausknecht und weitere Bedienstete zur Seite.

Bei der Ankunft eines Gastes wurde er vom Abt oder einem seiner Stellvertreter in die Kirche geleitet und dann ins Gästehaus geführt. Später, wenn er sich seiner Reisekleidung entledigt hatte, durfte der Gast die verschiedenen Einrichtungen der Abtei besichtigen, während die Mönche in der Kirche waren. Kämmerer und Stallmeister halfen dem Mönch des Gästehauses bei allem Notwendigen. Wenn der Gast ein Mönch eines anderen Ordens war, erläuterte man ihm die Lebensweise der Mönche von Cluny. Wenn es sich um einen Abt handelte, nahm er während der Mahlzeiten am Tisch des Abtes von Cluny Platz und erhielt einen Ehrenplatz im Chor während des Gottesdienstes. Ein Bischof oder ein anderer großer Herr wurde in einer Prozession zur Kirche geleitet, wo der Abt oder der Prior seine Hände mit Wasser begossen. Arme Priester bat man, im Refektorium der Abtei zu speisen;

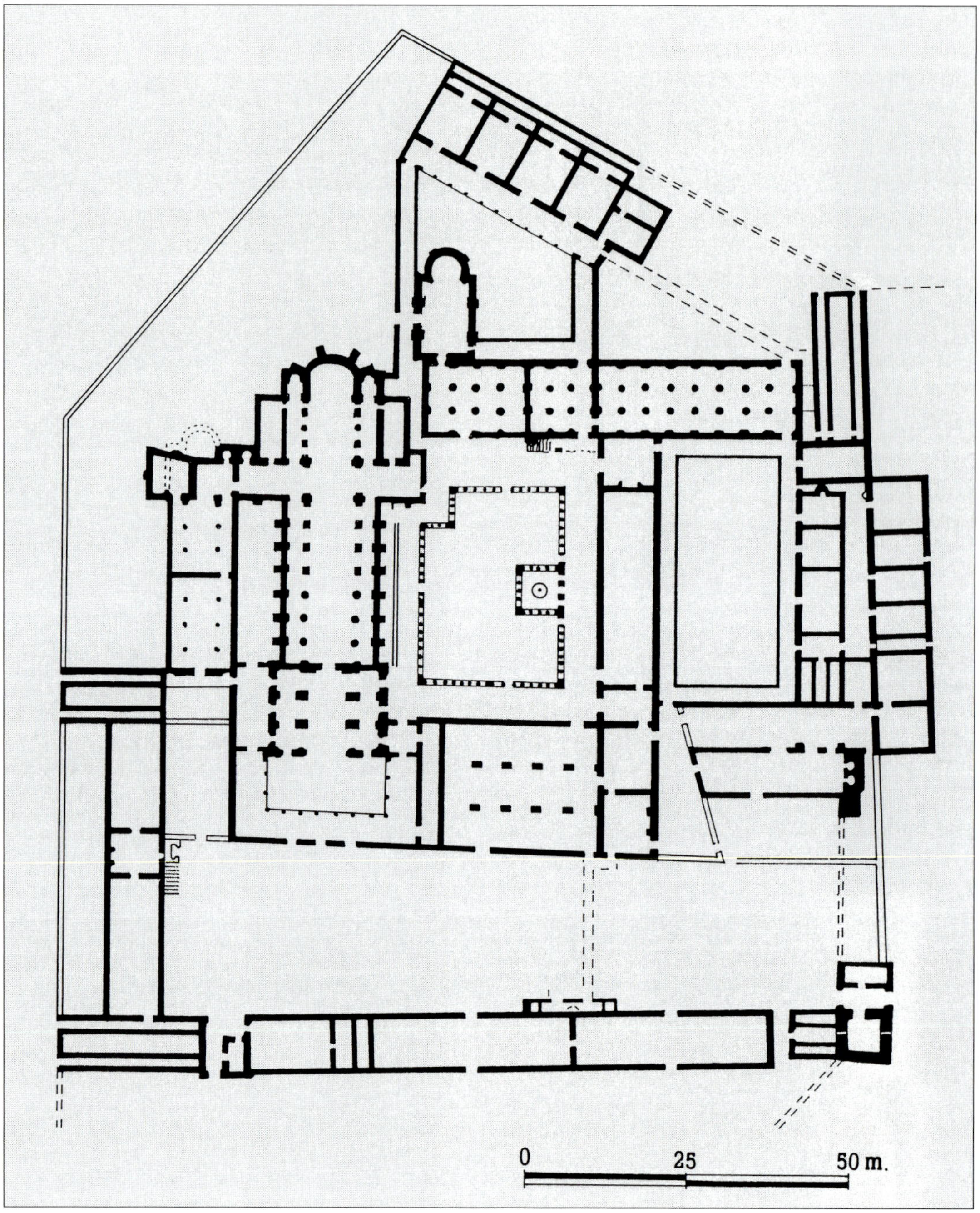

Plan von Cluny zur Mitte des 11. Jahrhunderts
Man erkennt die Grundzüge, wie sie bereits im St. Galler Klosterplan vorgegeben sind. Die kreuzförmige Kirche und der Klausurtrakt bilden das Zentrum, um das herum sich die übrigen Bereiche gruppieren.

Nonnen, die die Abtei nicht betreten durften, empfingen Brot und Wein an der Pforte der Abtei.

Die Besucher, die zu Fuß zur Abtei kamen, aber keiner Almosen bedurften, wurden in der Stadt untergebracht und vom Gästemeister mit Brot und Wein versorgt und, wenn es nicht allzu viele waren, auch mit Fleisch. Arme Pilger wurden vom Almosenmeister in Empfang genommen. Ein Zehntel aller Spenden für die Kirche und ein Zehntel aller Pachtgelder waren der Almosenkasse des Klosters vorbehalten. Dazu flossen beim Tod eines cluniazensischen Mönches dreißig Tage lang dessen Nahrungsmittelzuteilungen der Almosenkasse zu. Der Almosenmeister erhielt des Weiteren die drei Portionen, die täglich am Tisch des Abtes in Erinnerung an Abt Odilo, Kaiser Heinrich II. und den König von Spanien serviert wurden, ebenso wie die Reste von den Tischen der Mönche. Jeder Pilger erhielt am ersten Tag seines Aufenthalts in Cluny ein Pfund Brot, ein halbes Pfund am zweiten Tag und die Hälfte der Weinzuteilung eines Mönches. Jeden Tag verteilte der Almosenmeister zwölf Kuchen von je drei Pfund Gewicht an Alte und Kranke. Und jeden Tag kamen drei Brüder nach dem Essen zum Almosenmeister, wuschen drei armen Männern dort in feierlicher Zeremonie die Füße und gaben ihnen Brot und Wein als Geschenk. Am Sonntag vor Beginn der Fastenzeit wurden all die Armen, die zur Abtei kamen, mit einer Mahlzeit aus gesalzenem Schweinefleisch beschenkt, und sie durften davon so viel essen, wie sie wollten. Udalric, der um 1085 schrieb, berichtet, dass im betreffenden Jahr 17 000 Bedürftige gekommen waren und 250 Schweine verzehrt wurden. Am Fastendienstag erhielten so viele Arme, wie es Brüder in der Abtei gab, eine Mahlzeit aus Bohnen und Hirse und die Mönche wuschen ihnen ihre Füße; anschließend erhielt jeder von ihnen einen Becher Wein und zwei Denare. Zu Pfingsten wurde die gleiche Anzahl mit Brot, Fleisch und Wein gespeist und Brot und Wein wurden noch einmal freigebig am Montag nach Trinitatis ausgegeben.

Eine eigene Küche der Abtei war dem Krankentrakt angeschlossen, wo speziell für die Kranken gekocht wurde. Wenn ein Mönch sich zu krank fühlte, um den täglichen Gebetsrhythmus zu absolvieren, bat er um Aussetzung in der Kapitelversammlung: „Ich bin krank, und ich kann dem Konvent nicht folgen." Er erhielt dann besondere Nahrung und einen Platz abseits der anderen in der Kirche, wo er sich hinsetzen konnte, wenn er es wünschte. Wenn es ihm nach zwei oder drei Tagen nicht besser ging, wurde er in den Krankentrakt geschickt. Dieser bestand aus fünf Räumen und hatte seinen eigenen Kreuzgang. Dort besuchte ihn der Prior oder sein Stellvertreter, und wenn er es für angemessen hielt, ordnete er eine Fleischspeise an. Wenn er in den Speisesaal des Krankentraktes ging, fand er dort einen Stuhl für sich vor, dazu einen kleinen Tisch mit Brot und Wein und einen flachen Teller. Der Leiter der Krankenstation brachte ihm sein Essen und die Bediensteten warteten ihm auf. Wenn er etwas brauchte, konnte er mit seinem Messer auf den Tisch klopfen, um jemanden herbeizurufen.

Wenn der erkrankte Bruder genesen war, nahm er wieder an der Kapitelversammlung teil, entschuldigte sich für sein Fernbleiben in den vergangenen Tagen und nahm, nachdem ihm dafür vergeben worden war, seinen täglichen Lebensrhythmus wieder auf. Wenn sich sein Zustand aber nicht veränderte oder gar verschlechterte, blieb er im Krankentrakt und wurde dort verpflegt. Wenn der Tod nahte, beichtete er dem Abt oder Prior und bat um die Sterbesakramente. Zwei Brüder trugen ihn dann in den Kapitelsaal, wo er all seine Sünden gegen Gott und seine Mitbrüder bekannte, und der Abt vergab ihm. Man trug ihn dann zurück in den Krankentrakt und legte ihn auf ein niedriges Bett. Nach der Kapitelversammlung kam der Priester in feierlichem Gewand mit dem heiligen Öl zu ihm, begleitet von Laienbrüdern, die das Weihwasser, ein Kruzifix und Kerzen trugen. Ihnen folgte die Gemeinschaft der Brüder, die das Miserere sangen. Während der Konvent sang, tauchte der Priester seinen Daumen in das geweihte Öl und machte das Zeichen des Kreuzes auf des Kranken Augen, Ohren, Lippen, Nase, Hände, Füße und Körper und sprach dabei die Worte: „Durch dieses Öl und wegen seiner großen Barmherzigkeit möge Gott dir deine Sünden vergeben, die du mit Augen und Ohren, Geschmack, Geruch oder Gefühl begangen hast." Dann teilte der Priester dem Kranken die heilige Kommunion aus. Der sterbende Mönch küsste das Kreuz und gab dem Priester, den anderen Brüdern und den Oblaten den Friedenskuss. Dann kehrte die Gemeinschaft in die Kirche zurück; einer der Brüder hielt an der Bettstatt Wache. Wenn der Tod nahe schien, breiteten die Bediensteten der Krankenstation ein härenes Gewand auf dem Boden aus, bestreuten es mit Asche und legten den Sterbenden darauf, so dass dieser noch in seiner Todesstunde Demut und Bescheidenheit zeigte. Die übrigen Brüder wurden herangerufen. Wenn er dann noch lebte, wiederholten sie das Glaubensbekenntnis und die Litaneien für die Heiligen und die Sterbenden. War der Tod eingetreten, betete der Priester für seine Seele und die Brüder sangen die Totenvesper. Die Laienbrüder läuteten die Glocken, der Priester beweihräucherte den toten Körper und salbte ihn. Dann wurde der Leichnam für das Begräbnis vorbereitet. Der Tote wurde in seine Mönchsgewänder eingenäht und in einen offenen Sarg gelegt. Unter unzähligen Gebeten und Glockengeläut wurde der Sarg in die Kirche gebracht und ein Kreuz und Kerzen zu seinem Haupt aufgestellt. Ein oder zwei Tage später fand das Begräbnis statt. Dann wurde eine der großen Glocken dreimal geschlagen, alle versammelten sich in der Kirche und der Sakristan verteilte brennende Kerzen. Nach den üblichen Gebeten ging die Prozession der Mönche zum Friedhof, wo sie sich um das Grab versammelten. Der Sarg wurde geschlossen, der Deckel festgenagelt und der verstorbene Bruder zur letzten Ruhe gebettet. An diesem Tag hielt jeder der Brüder, der die Priesterweihe empfangen hatte, eine Messe für die verstorbene Seele ab. Am nächsten Tag wurden alle Speisereste an die Armen verteilt. Sieben Tage lang wurden Totenmessen gesungen, bei jedem Stundengebet wurden Psalmen und Gebete zur Erinnerung an den Verstorbenen gesprochen, dreißig Tage lang las ein Priester jeden Tag eine private Messe für ihn. Die Nachricht von seinem Tod und die Bitte, für den Frieden seiner Seele zu beten, ließ der Abt an jedes cluniazensische Kloster schicken.

Symbole des Himmelreichs – die Kirchenbauten Clunys

Die Inhalte der cluniazensischen Reformen – die strikte Befolgung der Regula Benedicti, die Feier des Gotteslobs in den liturgischen Zeremonien, das immer währende Totengedenken in der betenden Gemeinschaft von Lebenden und Verstorbenen – fanden ihren Ausdruck zum einen im Tagesrhythmus der Klöster des oben beschriebenen Klosterverbandes, zum anderen in den Kirchenbauten Clunys, die im Laufe von zwei Jahrhunderten immer größer und prächtiger wurden. Die Archäologen unterscheiden den Gründungsbau, „Cluny I“, von dem sich nichts mehr erhalten hat, und die zwei aufeinander folgenden Bauten Cluny II und III. Der amerikanische Archäologe Kenneth John Conant leitete im 20. Jahrhundert über Jahrzehnte die Ausgrabungen auf dem ehemaligen Gelände der Abtei. Er zeichnete die heute allgemein anerkannten Pläne, die zeigen, wie die verschiedenen Bauten aufeinander folgten, und schuf die Grundlagen dafür, dass die erhaltenen Reste als ein kulturelles Erbe bewahrt und weiter erforscht werden können.

Cluny III, 1088 unter Anwesenheit eines päpstlichen Legaten begonnen und 1135 durch Papst Innozenz III. geweiht, war zu seiner Zeit der größte Kirchenbau nördlich der Alpen. Wie bei so vielen Kirchenbauten nahm man das himmlische Jerusalem als Vorbild und baute, wie es die Bibel schon für die göttliche Schöpfung formuliert, nach Maß, Zahl und Gewicht. Die Abteikirche maß vom westlichen Narthex (Vorhalle) über das fünfschiffige Langhaus bis zum östlichen Apsidenkranz – ein Kranz halbrunder Kapellen, die den Chor umgaben – 187 m und 40 m im größeren der beiden Querhäuser in der Breite, am höchsten Punkt der Vierung 30 m. Der Chor, der Chorumgang und die fünf Schiffe des Langhauses boten den Raum für umfängliche liturgische Feierlichkeiten. Die Elemente der Architektur führten auf einer West-Ost-Achse auf einem heiligen Weg zum Ziel und Zentrum der Kirche, dem Hauptaltar. Dabei wurden neben dem Hauptaltar aber auch zahlreiche weitere Altäre im östlichen Teil der Kirche ebenso wie im Langhaus und den Seitenschiffen aufgenommen, ohne die man den zahlreichen Messverpflichtungen gar nicht hätte nachkommen können. Die einzelnen Altäre wurden möglichst mit heiligen Reliquien aus-

Hierosaleme
Das irdische Jerusalem war das Ziel von Pilgern und Kreuzrittern. Hierosalem caelestis, die himmlische Stadt, war das Ideal einer ummauerten, wehrhaften Stadt, in der die Kirchen die herausragenden Gebäude bildeten.

Ein Kapitell von Cluny ‚La charité' (die Barmherzigkeit)

gestattet. So wurde schließlich im übertragenen Sinne die Abteikirche von Cluny – ebenso wie andere Klosterkirchen – zu „einer Stadt, in der die Heiligen wohnen und zu denen die Gläubigen im Kult als Mitbürger hinzutreten" (Bandmann, Mittelalterliche Architektur, S. 84). An den Wänden und den Säulen mit ihren Säulenfüßen und Kapitellen setzten Maler und Bildhauer ein theologisches Programm in kunstvoll gestaltete, eindrucksvolle Darstellungen um: die Schlüsselszenen des Alten und des Neuen Testamentes, die Abfolge der Jahreszeiten als Ausdruck der göttlichen Schöpfung, die christlichen Tugenden, die Personifikationen der Töne der Musik, aus denen der Lobgesang Gottes entstand.

Weder von dem riesigen Kirchenbau noch von den angrenzenden klösterlichen Gebäuden, an denen man vom Aufbau her eine Spiegelung des St. Galler Klosterplans erkennen kann, ist viel stehen geblieben. Bereits 1744 hatte die Abtei ihre Unabhängigkeit verloren, als sie unter die Gerichtsbarkeit des Bischofs von Mâcon gestellt wurde. Nach der Französischen Revolution diente das Gelände mit all seinen Bauten als Steinbruch. Der heutige Ort Cluny steht auf ehemaligem Klostergrund und in seinen Häusern wurden die behauenen

Steine der Abtei verbaut. Übrig blieb das größere südliche Querschiff und eine Kapelle. Beide machen weniger als ein Zehntel der ehemaligen Gebäude aus, sind aber selbst als Ruinen noch beeindruckende Zeugnisse der einstigen Größe Clunys.

Ein Kloster macht noch lange keine Bewegung – die Reformen in Gorze und Hirsau

Die Ideen monastischer Reformen wirkten nicht nur in Cluny und den ihm in verschiedenen Abhängigkeitsgraden zugeordneten Klöstern. Zwei weitere Klöster, die immer in Zusammenhang mit dem monastischen Aufbruch des 10. und 11. Jahrhunderts genannt werden, sind Gorze und Hirsau. Auch sie entwickelten sich zu Zentren der klösterlichen Reformbewegung, insbesondere das Kloster Gorze im nördlichen Lothringen. Es war bereits 757 durch den Bischof Chrodegang von Metz gegründet worden. Unter dem Eindruck der beginnenden Klosterreformen, wie sie in Cluny oder auch in der näher gelegenen Abtei von Brogne erfahren werden konnten, übergab Bischof Adalbero von Metz 933 das Kloster Gorze einer Gruppe von sieben weltlichen Klerikern, die sich der Rückbesinnung auf benediktinische Traditionen verschrieben hatten. Das strahlende Vorbild von Gorze durchdrang bald auch seine monastische Umgebung, weshalb man auch von der lothringischen Reformbewegung spricht.

Cluny und Gorze entstanden vor dem gleichen gedanklichen Hintergrund. Auch die Gruppe der Initiatoren und Förderer der Reformen ist vergleichbar. In Cluny war es ein weltlicher Fürst, der sich von den Ideen der Geistlichen in seiner Umgebung überzeugen ließ und neben den altbewährten Modellen des adeligen Hausklosters und des Laienabbatiats das Experiment des unabhängigen Klosters wagte. In Gorze war es ein Bischof, der erneut das gelebte Beispiel geregelten benediktinischen Daseins anregte. Während weder die Initiierung noch die inhaltliche Füllung in den cluniazensischen und lothringischen Reformen wirklich deutlich voneinander abwichen, unterschied sich die institutionelle Ausgestaltung der Reformen dann jedoch erheblich. Cluny bildete einen hierarchischen Klosterverband aus, in dem andere Gemeinschaften ihm direkt oder indirekt unterstellt waren. In Gorze und den daran orientierten Klöstern blieb das Prinzip des Eigenklosterwesens bestehen und entsprechend behielten die Bischöfe und die Landesherren ihren Einfluss auf die Ämtervergabe in den Konventen. Gorze stand damit zwar im Mittelpunkt der lothringischen Reformklöster, aber alle anderen Klöster blieben eigenständig. Auch dieses Modell der Umsetzung klösterlicher Reformen war erfolgreich. Von Gorze aus gelangten bereits seit der Mitte des 10. Jahrhunderts die dort vertretenen Reformgedanken auch in Klöster des Ostfränkischen Reiches wie zum Beispiel nach St. Maximin in Trier, ins Eifelkloster Prüm, zu den Klöstern der Reichenau, nach St. Pantaleon in Köln und bis nach Magdeburg. Wie schon im Fall Clunys erfolgreich praktiziert, erbaten sich die Eigenkirchenherren und selbst der ostfränkische Herrscher Delegationen von Mönchen aus Gorze, um die neuen Gedanken und ihre praktische Umsetzung in den verschiedenen Bereichen des klösterlichen Lebens, zum Beispiel in der Liturgie, in die zu reformierenden Klöster hineinzutragen. Lebende Vorbilder, persönliche Kontakte, die Obhut von Bischöfen und Fürsten charakterisierten die von Gorze getragenen Reformen.

Das Schwarzwaldkloster Hirsau, im 9. Jahrhundert unter der Herrschaft der Grafen von Calw gegründet, entwickelte sich im 11. und 12. Jahrhundert zu einem monastischen Reformzentrum und erreichte seinen größten Einfluss zwischen 1070–1120. Es waren ursprünglich Mönche aus Gorze gewesen, die die neuen Reformideen am Ende des 11. Jahrhunderts nach Hirsau gebracht hatten, wo dann schließlich die cluniazensischen Lebensformen übernommen wurden. Im so genannten Hirsauer Formular von 1075 und dann noch einmal im Codex Hirsaugensis, der aus dem 15. Jahrhundert überliefert ist, präzisieren sich die institutionellen Bedingungen der hirsauischen Reform: Die Grafen von Calw verzichteten auf die Einmischung in die internen Angelegenheiten des Klosters und gestanden den Mönchen die freie Abtswahl zu. Die Vögte des Klosters allerdings, also die weltlichen Vertreter des Klosters, sollten aus der Familie derer von Calw stammen. Des Weiteren wurde das Konverseninstitut etabliert, also die Einrichtung eines eigenen klösterlichen Standes der ungeweihten Laienbrüder, die aber als Klostermitglieder anzusehen waren. Gleichzeitig wurde die Oblation, d. h. die Aufnahme unmündiger Kinder, abgeschafft. In Hirsau entwickelten die Mönche eine eigene Zeichensprache, um dem Schweigegebot größtmögliche Rechnung zu tragen, und wie in Cluny legte man Wert auf eine großzügige Speisung der Armen, weniger aber auf eine Architektursprache, die die Reformen in steinernen Zeugnissen formulierte. Wie in Gorze wurde kein zentralisierter Klosterverband gebildet. Trotzdem orientierten sich etwa 120 bis 150 Klöster an den Hirsauer Reformvorstellungen.

Die Westfassade der Zisterzienserabtei von Chorin
Ob Sandstein oder Backstein: Die Zisterzienser boten engagierten Baumeistern hervorragende Entfaltungsmöglichkeiten.

VIII.

Die Zisterzienser

Was will aber in den Klöstern, vor den Augen der lesenden Mönche, jene lächerliche Ungeheuerlichkeit, jene seltsam unschöne Schönheit und schöne Unschönheit? Was wollen die unreinen Affen, die wilden Löwen, die mißgestalteten Kentauren, die Halbmenschen, die fleckigen Tiger, die kämpfenden Soldaten, die hornblasenden Jäger? Du kannst viele Körper mit einem einzigen Kopf und auch einen Körper mit vielen Köpfen sehen. Ein Vierfüßler hat einen Schlangenschwanz, ein Fisch den Kopf eines Vierfüßlers. Ein Tier ist vorn ein Pferd, hinten aber eine Ziege, und ein Tier mit Hörnern hat wiederum die hintere Körperhälfte eines Pferdes. Die Vielfalt der verschiedenen Formen ist so reich und so seltsam, daß es angenehmer dünkt, in den Marmorsteinen als in den Büchern zu lesen und man den Tag lieber damit verbringt, alle diese Einzelheiten zu bewundern als über Gottes Gebot nachzudenken (Apologia ad Guillelmum Sancti Theoderici abbatem XII, zit. nach: Assunto, Die Theorie des Schönen im Mittelalter, S. 196 f.).

Die Anfänge in Cîteaux

Als Bernhard, Abt von Clairvaux, in den 20er-Jahren des 12. Jahrhunderts dergestalt gegen die ‚alten' Klöster wetterte, hatte er bereits eine erfolgreiche Karriere als Mönch, Abt und Klostergründer hinter sich. Das von ihm gegründete Kloster Clairvaux stand an der Spitze einer monastischen Reformbewegung, die sich noch im selben Jahrhundert mit über tausend Klöstern in ganz Europa verbreiten sollte.

Ziel seiner Angriffe waren vor allem das burgundische Kloster Cluny und seine Priorate, die für Bernhard die Verkörperungen verachtenswerter monastischer Dekadenz waren. Der benediktinische Klosterverband von Cluny war reich und mächtig geworden, allen voran Cluny selbst. Demut vor Gott und ehrfürchtiger Glaube, die allein das mönchische Dasein prägen sollten, waren weltlichem Gebaren seiner Äbte, architektonischer Prachtentfaltung und erstarrten Gebetsformeln gewichen; nicht die vollendete göttliche Schöpfung, sondern die Produkte der ausschweifenden Phantasie der Steinmetze und Bildhauer bewunderte man an den Portalen und Säulenkapitellen – so lassen sich die Anschuldigungen Bernhards zusammenfassen.

Das waren harte Vorwürfe und in den Augen der Cluniazenser keineswegs gerechtfertigt, hatten ihnen doch seit ihrer Gründung zu Beginn des 10. Jahrhunderts zahlreiche berühmte, ja sogar mehrere heilige Äbte vorgestanden. Einer der Letzten in dieser Reihe, Abt Hugo, war in ganz Europa wegen seiner moralischen Integrität und seines diplomatischen Geschicks geschätzt worden. Nur mit seinem Nachfolger Portius hatte man eine schlechte Wahl getroffen, die aber durch die dann folgende Entscheidung für Petrus Venerabilis als neuem Vorsteher mehr als ausgeglichen wurde. Schon der Beiname des neuen Abtes, der Ehrwürdige, zeigte die Wertschätzung, die man ihm entgegenbrachte. Doch Bernhard von Clairvaux fragte nicht nach dem Ansehen einzelner Äbte. Ihn betrübte und erboste der Verfall der monastischen Grundidee überhaupt; die in der Askese gelebte Armut und Demut war in Vergessenheit geraten. Bernhards Ziel war die Rückkehr zum benediktinischen Ursprung in der Verbindung von Gebet und Arbeit.

Er war nicht der Erste und nicht der Einzige, der dies anstrebte. Bereits 1098 hatte der Mönch Robert sein Kloster Molesme mit einer kleinen Gruppe Gleichgesinnter verlassen, um in einer unwirtlichen, menschenarmen Gegend eine neue Gemeinschaft zu gründen, die sich einem strengen und abgeschiedenen Leben ganz nach den Regeln des heiligen Benedikt unterwerfen wollte. Schon der Name, den man dem Kloster gab, verweist auf die wenig einladende natürliche Umgebung, die sich die Gemeinschaft erwählt hatte. Cîteaux bedeutet in etwa „dorniges Gesträuch". Robert von Molesme wurde 1098 erster Abt von Cîteaux. Zwar wurde er kaum ein Jahr später gegen seinen Willen wieder in sein altes Kloster Molesme zurückbeordert, wo er in den folgenden Jahren die Abtswürde innehatte, doch seine Gründung Cîteaux blieb bestehen. Sein Nachfolger als Vorsteher des Klosters wurde der Mönch Alberich (1099–1109), der schon bei der Gründung mitgewirkt hatte. Ihm folgte als dritter Abt der aus England stammende Stephan Harding (1109–1134). Unter seinem Abbatiat trat 1112 der gerade einmal 23-jährige burgundische Adelige Bernhard in Cîteaux ein. Seine späteren Viten entwerfen für die Kindheit und Jugend Bernhards ein typisches Heiligenleben: Seiner Mutter widerfuhr schon in der Schwangerschaft ein Gesicht, das auf die spätere Bedeutung ihres Kindes hinwies. Sie förderte die Bemühungen ihres Sohnes um ein gottgefälliges Leben und sein Streben nach einer klerikalen Laufbahn, wohingegen der Vater viel lieber einen erprobten Ritter herangezogen hätte. Der Tod der Mutter, die ihn immer unterstützt hatte, stürzte den Jugendlichen in eine tiefe persönliche Krise. Am Ende seiner inneren Auseinandersetzungen traf er die Entscheidung für das Klosterleben.

Lässt man einmal aus, was in der Vita bereits Bernhards spätere Heiligkeit ankündigte, so ergibt sich folgendes Bild: Bernhard wurde in eine adelige Familie hineingeboren und damit hatte er als junger Mann, wenn er nicht gerade alleiniger Sohn und Erbe war, mindestens zwei Optionen für die Gestaltung seines künftigen Lebens. Er konnte die weltliche oder die geistliche Laufbahn einschlagen, dem Karriereweg eines Ritters oder eines Klerikers folgen. Als Ritter würde er im Gefolge seines erbberechtigten Bruders oder eines anderen Lehnsmannes Waffendienste leisten. Mit dem familiären Halt einer angesehenen Familie im Rücken würde er vielleicht selbst einmal mit einem Lehen ausgezeichnet werden oder die Verwaltung und Bewirtschaftung von Gütern der eigenen Familie übernehmen. Eine weltliche Laufbahn hätte darin bestanden, die politischen und wirtschaftlichen Interessen der eigenen Familie zu vertreten, sie in der Öffentlichkeit zu repräsentieren und die dazugehörigen gesellschaftlichen Positionskämpfe auszufechten. Als Kleriker käme entweder eine Laufbahn als Kanoniker an einer Kathedrale oder als Ordensgeistlicher in einem Kloster in Frage. Damit würde man geistliche Positionen besetzen, die die eigene Familie in den kirchlichen Institutionen präsent hielte. Durch Herkunft und Ausbildung war der Aufstieg in eine kirchliche Führungsposition ein denkbarer Karriereweg. Eine geistliche Laufbahn hätte damit zwar grundsätzlich eine andere Ausrichtung als eine weltliche, der mentale Horizont, auf dem sich diese Lebensentwürfe entwickelten, war jedoch derselbe und die Bindungen an die eigene Familie sowie gesellschaftliche Verpflichtungen waren durchaus vergleichbar.

Bernhard von Clairvaux und eine Zisterziensernonne zu Füßen des Kreuzes
Der leidende Christus beherrschte die Vorstellung vieler Mystiker.

Bernhard entschied sich für eine Karriere als Ordensgeistlicher. Er entzog sich zunächst der Bindung an die eigene Familie und suchte sich eine neue Gemeinschaft, der er zugehören

Spätmittelalterliches Tafelbild zum Bau des Klosters Maulbronn
Das Ideal: Kopf- und Handarbeit in gegenseitiger Ergänzung.

wollte. Aber er tat dies nicht allein. Als er in Cîteaux um Aufnahme bat, hatte er bereits eine Gefolgschaft von etwa dreißig weiteren jungen Männern um sich versammelt. Sie stammten teilweise aus seiner eigenen, teilweise aus befreundeten Familien. Sie alle hatte Bernhard von der Wichtigkeit und Richtigkeit eines mönchischen Lebens überzeugen können. Die neue Gruppe, die in Cîteaux eintraf, übertraf an Zahl deutlich die bereits dort Lebenden. Konkurrenzkämpfe um klösterliche Positionen waren damit eigentlich unvermeidlich. Trotzdem nahm Stephan Harding den Aufnahmeantrag Bernhards und seiner Gefolgsleute an. Denn der Eifer und die Glaubensglut, mit denen Bernhard sein neues Leben anging, mochten auch den Abt von Cîteaux überzeugt haben, dass mit diesem Mann der Reformgedanke eine wichtige Stimme und, wie sich später herausstellen sollte, geradezu ein lebendes Vorbild gewonnen hatte. Bernhard hatte sich offenbar von Anfang an extreme Askese auferlegt, die auf Dauer – insbesondere durch unzureichende und schlechte Nahrung – zu erheblichen gesundheitlichen Beeinträchtigungen führte. Bereits bei seinem Eintritt in Cîteaux war er wohl unerbittlich gegen sich selbst und gegen andere, eine wandelnde Mahnung für alle, die die Strenge ihrer Lebensführung sonst vielleicht gelockert hätten.

Stephan Harding hatte bereits 1113 das Tochterkloster La Ferté-sur-Grosne gegründet, 1114 folgten Pontigny und 1115 Morimond und Clairvaux. Alle Mönche, die dort den jeweils ersten Konvent bildeten, ebenso wie diejenigen, die in der nächsten Zeit dazustießen, waren von der Notwendigkeit monastischer Reformen überzeugt. Dies beinhaltete in erster Linie die Rückkehr zur unverfälschten benediktinischen Regel als alleiniger Grundlage für klösterliche Lebensgemeinschaften und eine einfache und anspruchslose Lebensführung als Ausdruck der in der Regel geforderten Armut und Demut. Die Ordensgründer Benedikt und Bernhard werden also in der Geschichte der mittelalterlichen Orden nicht in einem Konkurrenzverhältnis zueinander gesehen, sondern im Gegenteil könnte man Bernhard als einen zweiten Benedikt des 12. Jahrhunderts ansehen.

Drei Jahre, nachdem Bernhard als Dreiundzwanzigjähriger mit seiner Gefolgschaft in Cîteaux eingetreten war, wurde er von Stephan Harding zum Vorsteher des vierten von ihm gegründeten Tochterklosters Clairvaux ernannt, und er blieb dessen Abt bis zu seinem Tode im Jahr 1153. In dieser Funktion gründete er allein 68 Tochterklöster, die alle von Clairvaux ausgingen; insgesamt entstanden zu seinen Lebzeiten weitere 345 sogenannte Zisterzen, also Klöster, die sich am Mutterkloster der Zisterzienser Cîteaux orientierten. Im deutschsprachigen Raum erreichte das Kloster Kamp am Niederrhein in etwa eine ähnliche Ausstrahlung wie Cîteaux und Clairvaux für die französischsprachigen Gebiete. Im Jahr 1123 entstanden, gingen Dutzende von Tochtergründungen von Kamp aus. Wie alle anderen Zisterzienserklöster wurde auch Clairvaux an einem Ort gegründet, dessen Boden für die Landwirtschaft zunächst ungeeignet schien. Die ersten Mönche mussten selbst das Terrain für ihre Klostergebäude roden und ebnen, die gefällten Bäume zu Baumaterial verarbeiten, Steine heranschleppen und behauen, Mörtel anrühren, die Gebäude zimmern und später mauern.

Eine Darstellung aus der Mitte des 15. Jahrhunderts, als erneut der Ruf nach Reformen laut wurde, zeigt idealtypisch die Mönche bei solchen gemeinschaftlichen Arbeiten. Der Bau ihrer Kirche, schon fast fertig im Hintergrund, vereinigt sie bei verschiedenen Arbeiten. Einige davon verlangen handwerkliches Geschick, wie der Zuschnitt von Bänken und Kästen, für die man neben Hämmern und Stechbeiteln auch das Winkelmaß benötigt. Andere Arbeiten wiederum, wie das Rühren von Mörtel oder das Treten des Heberades, erfordern vor allem körperlichen Krafteinsatz. Alle Mönche sind so eifrig bei der Arbeit, dass, buchstäblich, die Späne nur so fliegen. Und wie zum Lohn strahlt die Kirche in ihren klaren Konturen bereits vor ihrer endgültigen Fertigstellung von innen heraus.

Konzentration auf die handwerkliche Arbeit, Sorgfalt in ihrer Ausübung und Kenntnis im eigenen Fach vermittelt auch die Darstellung eines Mönches auf einer Chorstuhlwange vom Ende des 13. Jahrhunderts. Seine Tonsur verweist auf seinen Stand. Mit Hammer und Stechbeitel bearbeitet er mit Eifer ein Holz, das in den bis dahin herausgearbeiteten Formen ebenfalls die Idee einer Chorstuhlwange wieder aufnimmt. An der Wand hängen ein Winkelmaß, ein Zirkel, ein halbes Dutzend sorgfältig aufgereihter Stechbeitel. Das Tun der Zisterzienser überzeugte. Sie erhielten Hilfe von den umwohnenden Gläubigen, die manches Mal so sehr von der Art und Weise angetan waren, wie die Zisterzienser Gebet und Arbeit miteinander verbanden, dass sie sich ganz dem Orden anschlossen. Wenn sie auf Grund ihrer einfachen Herkunft nicht Mönche werden konnten, so wurden sie doch Konverse. Diese nahmen, wenn auch in eingeschränktem Maße, am klösterlichen Leben teil, dienten der monastischen Gemeinschaft und stellten lebenslang ihre Arbeitskraft zur Verfügung. Im Gegenzug erhielten sie leiblichen Schutz und geistliche Sicherheit.

Einzelne Klöster, gemeinsame Entscheidungen – die Organisation des Ordens

Die schnelle Ausbreitung des Ordens schon während des ersten halben Jahrhunderts seiner Existenz erforderte Organisationsformen, die den Zusammenhalt der Klöster untereinander gewährleisteten und die eigenen Lebensprinzipien allen Gemeinschaften immer wieder neu ins Bewusstsein rufen würden. 1119 wurde unter der Federführung von Stephan Harding die *charta Caritatis* entworfen, die das Verhältnis der zisterziensischen Klöster untereinander regelte. Im Gegensatz zum hierarchischen Klosterverband von Cluny sollten die Zisterzienserklöster alle selbstständig sein mit einem eigenen Abt, den sich die Mönchsgemeinschaft selbst erwählte. Dieser sollte, so wie es die Benediktregel vorsah, sein Kloster nach innen leiten und nach außen vertreten. In allen Klöstern sollte nicht nur die gleiche Regel befolgt werden, sondern, da die Benediktregel viele Interpretationsmöglichkeiten anbietet, sollten auch gleiche *consuetudines* gelten, also eine gemeinsame, für alle Konvente verbindliche Auslegung. Um eine solche einheitliche Lebenspraxis der Klöster sicherzustellen, entstand das Generalkapitel: Einmal jährlich trafen sich die Äbte aller zisterziensischen Klöster, um unter dem Vorsitz des Abtes von Cîteaux die Regelauslegungen zu prüfen und gegebenenfalls neu festzulegen. Der Abt von Cîteaux als Vorsitzender des Generalkapitels war damit die höchste Instanz des Ordens. Bei der geographisch weiten Verbreitung des Ordens wurde es auf Dauer allerdings schwierig, die Versammlung aller Äbte einmal jährlich beizubehalten.

Mit der Festlegung der Regelinterpretation war es aber noch nicht getan. Ihre Umsetzung bedurfte der Überprüfung. Diese fand in regelmäßigen Kontrollbesuchen statt. Die Visitationen dienten verschiedenen Zwecken. Sie sollten sicherstellen, dass es keine Missverständnisse in der Beachtung der Regel gab und ihre Bestimmungen auch langfristig eingehalten würden. Den Visitatoren oblag die Aufgabe, die Klosterinsassen dazu anzuregen, ihre Lebensweise immer wieder selbst zu überprüfen und sicherzustellen, dass sich in den einzelnen Konventen keine Abweichungen einschlichen, die, wenn sie ungeahndet blieben, schnell zu einer Art Gewohnheitsrecht werden konnten. Die Hauptlast der Visitationen trugen Cîteaux und seine vier ersten Tochtergründungen; Cîteaux selbst wurde von seinen Töchtern visitiert. Visitationen wurden auch durchgeführt, wenn eine andere Klostergemeinschaft den Entschluss fällte, sich dem Zisterzienserorden anzuschließen. Dann war es notwendig, eine Abordnung des Ordens dorthin zu schicken, um die neuen, die zisterziensischen Lebensgewohnheiten einzuführen und zu festigen.

Chorstuhlwange mit Mönch in der Holzwerkstatt
Viele der zisterziensischen Mönche waren versierte Baumeister, Agrartechniker oder geschickte Handwerker, die nicht nur die Psalmen zu singen verstanden, sondern ebenso Hammer und Stechbeitel zu handhaben wussten.

Moore, Mühlen, Mauern – die Zisterzienser als Ingenieure und Baumeister

Zwei Dinge haben den Zisterziensern auf Dauer unabhängig von ihrem berühmten Abt Bernhard von Clairvaux Anerkennung und Bewunderung eingebracht: ihre technischen Meisterleistungen und ihr architektonischer Stil. Cîteaux und seine Tochtergründungen entstanden dort, wo andere Siedler nicht hin wollten und keinen Sinn darin sahen, unter großer Mühsal Land urbar zu machen. Die Zisterzienser suchten genau diese Herausforderung. Morastige Urwälder, sumpfige Talsenken, moorige Ebenen – das waren die Örtlichkeiten, an denen sie mit *labor*, d. h. mit Mühe und Pein und unter harten körperlichen Anstrengungen ihre Demut vor Gott und ihren Glauben an seine Hilfe unter Beweis stellten. Und sie lernten, diese Schwierigkeiten zu meistern. Sie sammelten Erfahrungen darin, die über die Ufer tretenden Gewässer zu bändigen, die Sümpfe trockenzulegen, die Moore zu entwässern und zu kanalisieren. Sie lernten, das Wasser, das ihren Gemeinschaften zunächst wie ein Feind entgegenstand, schließlich gewinnbringend zu nutzen. So wie schon Cîteaux in seinem Namen die Unwirtlichkeit seines Entstehungsortes kund tut, deuten auch viele der frühen Zisterzienserklöster durch ihren Namen an, dass sie dem Wasser eng verbunden waren, zum Beispiel Fontenay oder

Das Dormitorium des Zisterzienserklosters Eberbach
Gemeinschaft halten war ein wichtiges Gebot. Das galt auch für die Nacht.
Erst in späteren Jahrhunderten wurden die Schlafsäle in einzelne Zellen unterteilt.

Fontevrault (fontaine: Quelle). Die Kraft des Wassers, das Bäche und Flussläufe zur Verfügung stellten oder das die zisterziensischen ‚Aquaingenieure' den Mooren und Sümpfen entzogen, nutzten sie, um die notwendige Energie für den Antrieb von Mühlen verschiedenster Art zu gewinnen. Auf diese Weise betrieben die zisterziensischen Klöster Schmiede-, Walk- und Getreidemühlen. Wann immer ein neues Zisterzienserkloster gegründet wurde, wird man ihm auch solche Mönche zugeteilt haben, die bereits praktische Erfahrungen in der Landerschließung gewonnen hatten und die man zur Organisation und Beaufsichtigung der anstehenden Arbeiten einsetzen konnte. Aus den Mönchen, die ehemals die Knochenarbeit verrichtet hatten, wurden technische Spezialisten und durch die Empirie geschulte Praktiker, die nicht nur bei der Ausbreitung des eigenen Ordens halfen, sondern deren Dienste auch von anderer Seite her gefragt waren.

Das 12. Jahrhundert wird in der historischen Forschung gern als ein Jahrhundert des Umbruchs und des Aufbruchs gesehen. Trotz Klimaverbesserung und agrartechnischer Innovationen verlangte ein stetiger Bevölkerungszuwachs, größere landwirtschaftliche Flächen nutzbar zu machen. Die Festigung der fürstlichen Landesherrschaften war ebenfalls an die verbesserte Nutzung des eigenen Territoriums gebunden. Die zisterziensischen Gemeinschaften waren da die geeigneten Ansprechpartner. Man holte diese Mönche ins Land, damit sie ihr Wissen und ihre Erfahrungen mitbrachten, Land erschlössen und sich ihre Kenntnisse im Lande selbst verbreiteten. Die Zisterzienser waren am Landesausbau sowohl in den Territorien der west- und mitteleuropäischen Landesherrschaften als auch in den bislang noch wenig landwirtschaftlich genutzten Gebieten östlich der Elbe und später auch der Oder beteiligt. Die heutigen Küstenräume an Nord- und Ostsee sowie das daran anschließende Binnenland füllten sich mit zisterziensischen Klöstern, die ihren guten Teil zur wirtschaftlichen Entwicklung dieser Gebiete beitrugen. Aber auch die wenig zugänglichen Täler in den Mittelgebirgen fanden die Aufmerksamkeit der grauen Mönche, deren wachsendes Ansehen bereits im ersten Jahrhundert ihres Bestehens dem der Benediktiner gleichkam. Das 12. Jahrhundert kann man ohne weiteres als das goldene Zeitalter des Ordens ansprechen. Zu dieser Zeit waren die Zisterzienser vielleicht der einflussreichste Orden innerhalb der katholischen Kirche. Seine Mitglieder übernahmen Bistümer und Legatenämter, die im Jahrhundert zuvor die Benediktiner cluniazensischer Prägung eingenommen hatten, und schließlich stiegen die zisterziensischen Mönche bis in die obersten Leitungsgremien der römischen Kurie, ja bis zu Papstwürden auf.

Zisterziensische Mönche zeichneten sich insbesondere anfänglich durch die Einfachheit ihrer Lebensweise aus und zisterziensische Klosterbauten durch die Reduktion auf eine elementare Formensprache. Ihre Schlichtheit aber folgte einem differenzierten ästhetischen Programm. Die zisterziensischen Baumeister haben einen ganz eigenen Stil hervorgebracht, der einem Schönheitsverständnis von ausgewogener Proportionalität und harmonischer Abstimmung aller Teile zum Ganzen in Vollendung entgegenkommt. Die Entfaltung von Lichtspielen durch die farbigen, bleiverglasten Fenster, wie man sie aus gotischen Abteien und Kathedralen, allen voran St-Denis in Paris, kennt, die Geschichten, die auf den Bogenfeldern über den Eingangsportalen der Kirchen erzählt werden, die ausgeklügelten thematischen Korrespondenzen, in denen die Szenen der Säulenkapitelle zueinander stehen, die großflächigen Ausmalungen der inneren Kirchenwände, die neu- und alttestamentarischen Schlüsselszenen, die Viten von Heiligen und die Vorstellungen vom himmlischen und höllischen Jenseits, die ehemals oft farbig gefassten Skulpturen von Märtyrern und Heiligen, die den Säulen vorgelagert sind oder in den Nischen der Seitenaltäre stehen – all dies findet sich in den Abteikirchen der Zisterzienser *nicht*, keine Kentauren und keine Jäger, keine unschönen Schönheiten und keine schönen Unschönheiten, ganz so, wie Bernhard von Clairvaux es forderte. Die Baumeister der Zisterzienser setzten auf das Gleichmaß, die Proportionalität und die Harmonie ihrer Gebäude, in denen nichts vom eigentlichen Ziel, der Erkenntnis Gottes durch das Gebet, ablenken sollte. Zahlreiche wohl erhaltene Zisterzienserkirchen, teilweise die Gebäudekomplexe ganzer Abteien, können bis heute den Betrachter davon überzeugen. Dabei bevorzugte man das regional vorhandene Baumaterial. Sénanque aus dem grauen Stein der Provence, die gut erhaltenen und restaurierten Ruinen von Fontenay in dem hellen Stein von Burgund oder auch die zisterziensischen Anlagen aus gebrannten Ziegeln im gesamten nordeuropäischen Küstenraum wie Chorin in Brandenburg sind hervorragende Beispiele dieser neuen, klaren Baukunst. Im Inneren der Kirchenschiffe schreitet man vom Westen her kommend von Säule zu Säule, in gleichmäßigem Abstand bis zum Chor mit dem Hauptaltar. Nichts lenkt ab von dieser rhythmischen Bewegung auf das Ziel hin. Die Säulen falten sich vor dem Schreitenden auf wie Vorhänge, hinter denen sich schließlich das Heilige offenbart, dessen man beim Eintreten schon in einer lichten Ferne gewahr wird und das aber beim Durchschreiten des Raumes immer deutlichere Konturen annimmt, bis es schließlich ins Zentrum der Betrachtung rückt.

Als die Zisterzienser, aufgrund ihres technischen Wissensvorsprungs ins Land gerufen, in den Küstenräumen ihre Bauten zu errichten

Das Mittelschiff der Zisterzienserkirche des Klosters Eberbach
Reduktion auf eine einfache, aber ausdrucksstarke Formensprache bestimmt die klare, zisterziensische Architektur.

Der Kapitelsaal des Zisterzienserklosters Eberbach
In der Kirche versammelte man sich zum Gebet, im Kapitelsaal zur gemeinschaftlichen Besprechung aller weiteren klösterlichen Angelegenheiten.

begannen, war sich ihr Orden der errungenen Hochschätzung durchaus bewusst, und die Baumeister vermochten dies durch architektonische Feinheiten zum Ausdruck zu bringen, ohne an den grundlegenden Prinzipien zisterziensischen Bauens wirklich zu rütteln. Die Backsteinkirchen der Zisterzienser gehörten „zu den ersten Bauten aus gebrannten Ziegeln (Backstein) als einem seriell vorzufertigenden Baumaterial überhaupt" (Schumann, Architektur, S. 79). Sie entstanden möglicherweise als Kontrastprogramm zu den früheren einfachen, oft mehr schlecht als recht aufgemauerten Feldsteinkirchen. Einige dekorative Details ließen sich gleichzeitig in Backstein weit besser ausführen als in Feldsteinen, so zum Beispiel verschiedene Pfeilergrundrisse, feingliedrige Profile der Basis- und Kämpferplatten, naturalistisches Blattwerk an Kapitellen und Dienstkonsolen, elegante Abfassungen der Arkadenkanten und Fensterleibungen, Maßwerke, dekorierte Friese und Krabben auf Giebel- und Wimpergschrägen (ebd., S. 86). Im 13. und 14. Jahrhundert scheint man teilweise erneut Feldsteine verwendet zu haben, wie im Kloster Zinna, vielleicht weil Backstein dann bereits in diesen Regionen zu einem Material geworden war, das politische und wirtschaftliche Herrschaft verkörperte (ebd., S. 86f.), so wie es die repräsentativen Kaufmannshäuser oder die Rathäuser vieler Hansestädte zeigten, denen die Zisterzienser gerade nicht nachstrebten.

Die meisten Zisterzienserklöster verzichteten auf Skulpturen, mit einer Ausnahme. Die Gottesmutter Maria war von Bernhard von Clairvaux zu seiner eigenen Patronin erkoren worden. Ihr brachte er besondere Wertschätzung entgegen, mit ihr sprach er in seinen Gedanken, sie verehrte er mit glühenden Worten und suchte sie in mystischer Schau zu erreichen. Entsprechend finden sich auch Marienstatuen und Darstellungen in zahlreichen zisterziensischen Klöstern. Im späten Mittelalter verschloss sich der Orden nicht mehr gänzlich aller Bildlichkeit, sondern übernahm auf seinen Altartafeln des späten Mittelalters die zeitgenössische, bunte und eindringliche Sprache der Bilder.

Die Orientierung der zisterziensischen Klöster an benediktinischem Gedankengut zeigte sich im Übrigen in der Lebensweise ebenso wie in der Anordnung der Baulichkeiten. Der St. Galler Klosterplan vom Beginn des 9. Jahrhunderts – fasst man ihn als funktionale Umsetzung der Benediktregel im klösterlichen Lebensraum auf – findet sich in den Grundrissen vieler Zisterzienserabteien wieder. Die bereits erwähnte burgundische Abtei Fontenay, eine der frühen Tochtergründungen von Clairvaux, die man heute in ihren baulichen Überresten besichtigen kann, spiegelt erkennbar die ursprünglich benediktinische Praxis der Verbindung von Gebet und Arbeit wider. Wie auf dem St. Galler Plan vorgeschlagen, bildeten Kirche und Klausurtrakt rund um den Kreuzgang das Zentrum der Anlage. Alle anderen Gebäude ordneten sich darum herum an; insbesondere der handwerkliche Bereich stellte einen großen zusammenhängenden Gebäudekomplex südlich der Klausur dar. Ein Backhaus stand wegen der möglichen Brandgefahr isoliert von den übrigen Gebäuden. Der Kapitelsaal im östlichen Flügel des Klausurtraktes weist die gleiche Strenge, aber auch die gleiche harmonische Regelmäßigkeit auf wie die Kirche selbst. Fontenay, in einem ehemals sehr feuchten Talabschluss erbaut, ist auch heute noch eine etwas abseits gelegene touristische Attraktion, jedoch eine, die dem Betrachter zisterziensische Grundideen eindringlich vermitteln kann.

Die Lebenspraxis der Zisterzienser im 12. Jahrhundert reformierte das Mönchtum dergestalt, dass neben das vorherrschende kontemplative Leben monastischer Gemeinschaften, das sich über das Gebet definierte – so wie es in Cluny gestaltet wurde –, eine weitere mönchische Lebensform ins Bewusstsein rückte: eine Koppelung von Gebet und Handarbeit mit einer durchaus tatkräftigen Hinwendung zur naturräumlichen Gestaltung. Der Orden blieb jedoch, wie auch der Benediktinerorden, überwiegend den adeligen Mitgliedern der mittelalterlichen Gesellschaft vorbehalten. Insbesondere seine Führungspositionen waren die Wirkungsstätten für Männer und Frauen von adeliger Herkunft. Selbst Kaiser und Könige,

Cäsarius von Heisterbach, berühmt für seine Zusammenstellung wundersamer Geschichten heiliger Männer und Frauen, unterrichtete auch die Novizen seines Klosters.

wie zum Beispiel der Stauferherrscher Friedrich II., ließen es sich nicht nehmen, wenigstens nominell dem Orden anzugehören, um an seiner Reputation teilzuhaben und die Fürsprache seiner Mitglieder zu gewinnen.

Der Orden der Zisterzienser erneuerte die monastische Lebensform, setzte sich selbst neue Arbeitsziele, eröffnete technisch Interessierten und Versierten interessante Tätigkeitsfelder im Bereich der Landeserschließung und schuf einen eindrucksvollen neuen Architekturstil für geistliche Bauten. Daneben vernachlässigten die Mönche des Ordens aber auch nicht die traditionellen Tätigkeitsbereiche. Auch zisterziensische Klöster legten umfangreiche Bibliotheken an, vervielfältigten Handschriften und traten mit Schreib- und Malschulen hervor. Die Texte der Bibel, der Liturgie und der gelehrten Disputation fanden dort ebenso Aufnahme wie naturwissenschaftlich-technische oder medizinische Schriften. Ihr Selbstverständnis als handarbeitende Beter ging in manche Illumination besonders deutlich ein. Einige Initialen und Randmalereien der „Moralia in Iob" zeigen mit ein wenig Augenzwinkern die zisterziensischen Mönche als zupackende und teamfähige Land- und Feldarbeiter, die bei ihrem Tun buchstäblich den Rücken krumm machen – es ist die Rundung des Buchstabens „O" ebenso wie die gezeigte Tätigkeit des Getreidesichelns oder des Baumstammspaltens selbst, die die gebeugte Haltung einfordern. Mönche, erkennbar an der langen Kutte und ihrer Tonsur, und Konverse, Laienmönche ohne Tonsur und im kurzen praktisch geschlitzten Kittel, arbeiteten, wenn nötig, so wollen es die Miniaturen verstanden wissen, Hand in Hand und verrichteten gemeinsam die schweren Arbeiten des Urbarmachens.

Beredter Streiter, mächtig durch das Wort

Bernhard von Clairvaux war sicherlich in der ersten Hälfte des 12. Jahrhunderts seit der Gründung des Reformklosters von Cîteaux der erfolgreichste und bekannteste Vertreter seines Ordens. Das lag nicht nur an seinen scharf formulierten Angriffen gegen Cluny, wie etwa in dem Eingangszitat zu Anfang dieses Kapitels. Seinen Bekanntheitsgrad verdankte Bernhard auch seinem aktiven Eingreifen und seiner unverhohlenen Parteinahme bei verschiedenen aktuellen politischen und kirchenpolitischen Prozessen sowie seinen öffentlichen Auftritten, die ihn seit etwa 1130 durch ganz Süd-, West- und Mitteleuropa führten – entgegen dem Gebot seines Ordens, das ihn eigentlich zur *stabilitas loci* verpflichtete. Bernhards Integrität und Glaubwürdigkeit als reformbewusster, das eigene Ideal vorlebender Mönch war bis zu seinem Tode nie angefochten. Seine Vita lässt als Bernhards letzte Botschaft verkünden, Aufgabe eines jeden Christen sei es, der Demut, Liebe und Geduld zu leben. Ein solches Leben und Sterben ermöglichte bereits 1174 die päpstliche Heiligsprechung, was seinem Orden noch einmal einen enormen Aufschwung verlieh. Schon zu seinen Lebzeiten wurden seine umfangreichen Predigten zu Sammlungen zusammengestellt und in den Klöstern kopiert; sein Wort galt. So hatte Bernhards Stellungnahme einen gewichtigen Anteil bei der Genehmigung der Gründung des neuen Ordens der Templer um 1130, der eine völlig andere Ausrichtung als alle bisher existierenden mönchischen Gemeinschaften hatte. In seiner Schrift *De milites Christi* setzte er sich nicht nur für die Bildung dieses neuen Ordens ein, sondern er rechtfertigte die Kreuzzüge als richtiges Mittel zur Bewahrung und Ausbreitung des christlichen Glaubens und vertrat wortgewaltig ein neues Ideal des Rittermönches. Seine Predigten im burgundischen Vézelay trugen entscheidend zum furiosen Beginn des zweiten Kreuzzugs 1140 bei, der letztlich allerdings in einer großen militärischen Niederlage endete. Er eiferte erfolgreich gegen einen der großen Querdenker seiner Zeit, Peter Abaelard, dessen Philosophie die Gelehrten und Studenten der Universitäten erst nach seinem Tod so intensiv rezipierten, dass sie die Ausrichtung neuer Denkansätze mit bestimmte. Der Einfluss Bernhards und des Zisterzienserordens ist also bis zur Mitte des 12. Jahrhunderts in diesen größeren, gesamteuropäischen Zusammenhängen zu sehen.

Auch weitere Orden waren im kirchlichen Umbruch des 11. und beginnenden 12. Jahrhunderts entstanden, nachdem die ursprünglich monastische Reformbewegung, wie sie von Cluny durchgesetzt wurde, sich ausgeweitet und verändert hatte zu der Vorstellung einer von weltlichen Kräften unabhängigen, einheitlichen (katholischen) Kirche. Dazu zählten die Kartäuser, die Prämonstratenser und die Augustiner-Chorherren, die jeweils ein besonderes Charakteristikum mönchischen

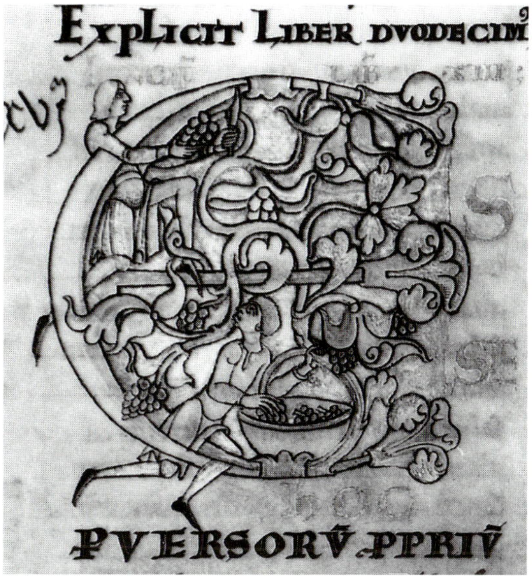

Initialen in den Moralia in Iob (12. Jahrhundert) eines zisterziensischen Klosters
Die Zisterzienser mühten sich, in der Kombination von Gebet und körperlicher Arbeit zum ursprünglichen Geist der Regula Benedicti zurückzukehren.

Dasein für ihre Lebensweise herausstellten. Die Kartäuser verfolgten die Kontemplation, die Zwiesprache mit Gott in der Abgeschiedenheit ihrer Zelle, die sie nur zum Chorgebet verließen. Die Akzeptanz von Demut, Aufgabe und Verzicht durchzog das Leben des adeligen Prämonstratenserordens. Ein klar nach den Gebetsstunden geregeltes Leben verbunden mit intensivem Studium zeichnete die Augustiner-Chorherren aus.

Ludwig IX., der Heilige, bricht 1248 zum 6. Kreuzzug auf

IX.

Milites Christi: Die Ritterorden

Als Bernhard von Clairvaux um 1128 sein Lob der Ritterschaft Christi verfasste, machte er sich damit das Anliegen einer Gruppe von Männern zu Eigen, die zwei sich eigentlich ausschließende Lebensformen zu vereinigen trachteten: asketisches Mönchtum und kriegerisches Rittertum. Als er 1140 in Vézelay zum zweiten Kreuzzug aufrief, tat er dies wohl auch in der ihm gar nicht so fremden Symbiose als Spross einer Familie, die zum kämpfenden Adel gehörte, und als Abt eines Ordens, dessen geistige Basis die Orientierung an Gebet und Arbeit war.

Am Ende des 11. Jahrhunderts hatte ein Hilferuf aus Byzanz die römische Kirche erreicht. In Konstantinopel bat man um militärische Unterstützung gegen heidnische Einfälle. Auf der Bischofssynode von 1095 in Clermont-Ferrand in Mittelfrankreich rief der damalige Papst Urban II. (1088–99) zur Befreiung der heiligen Stätten in Jerusalem und Palästina auf, der Orte, an denen sich nach christlichem Glauben das Leben, das Leiden und die Auferstehung des Gottessohnes vollendet und die messianischen Prophezeiungen des Alten Testamentes erfüllt hatten, wovon nun ein Rechtsanspruch auf ihren Besitz in christlicher Hand abgeleitet wurde. Alle diese Stätten waren für christliche Wallfahrer durchaus frei zugänglich, aber das Gebiet als solches befand sich in der Hand mohammedanischer Herrscher. Der Islam hatte sich seit der Mitte des 7. Jahrhunderts in wenigen Jahrzehnten von der Arabischen Halbinsel aus über Kleinasien, den ganzen Küstenstreifen Nordafrikas und, die Meerenge von Gibraltar überspringend, auf über der Hälfte der Iberischen Halbinsel ausgebreitet. Es handelte sich allerdings nicht um einen erratischen Herrschaftsblock, sondern um etliche territorial deutlich voneinander abgegrenzte Gebiete, die zwar gemeinsamen religiösen Vorstellungen folgten, ansonsten aber untereinander in zum Teil heftiger politischer und militärischer Konkurrenz standen.

Der päpstliche Aufruf entfaltete insbesondere in den westlichen Gebieten Europas, allen voran in Frankreich, eine ungeheure Wirkung. Neben religiöser Begeisterung mögen dafür auch andere Gründe eine gewichtige Rolle gespielt haben. Tatsächlich herrschte in vielen Gegenden der so genannte Gottesfrieden, *treuga dei*. In jahrzehnte-, zum Teil jahrhundertelangen Kämpfen rivalisierender adeliger Familien um Land und Einfluss war vor allem die landwirtschaftliche Entwicklung immer wieder behindert und Erreichtes zerstört worden, wenn die schweren Reitertrupps über frische Aussaaten oder erntereife Felder gezogen waren, Vorratsscheunen geplündert, Saatgut verbrannt hatten. Auf Drängen der kirchlichen Institutionen und durch die einsichtige Zustimmung der führenden Fürsten konnten Friedenszeiten festgelegt und die Zeiten für Fehden eingeschränkt werden. Insgesamt erholte sich die Landwirtschaft aufgrund dieser Maßnahmen, doch Grund und Boden selbst vermehrte sich dadurch natürlich nicht. Das bedeutete, dass nachgeborene Söhne adeliger Familien in den Gegenden, in denen dem Erstgeborenen das Erbe zufiel, eine deutlich schlechtere gesellschaftliche Position hatten als zuvor, als sie sich durch militärische Erfolge noch eigenen Besitz hatten sichern können. Der Aufruf, für die gerechte Sache des Christentums einzutreten, muss ihnen in hohem Maße willkommen gewesen sein, eroberten sie doch auf diese Weise ihre gesellschaftliche Position als ritterliche Kämpfer zurück.

Nicht nur hochgerüstete Ritter machten sich auf den weiten und unbekannten Weg zu den heiligen Stätten. Auch die Angehörigen anderer sozialer Schichten zogen los, häufig ungeordnet und orientierungslos, angetrieben von fanatischen Predigern. Oft endete ihr Kreuzzug bereits da, wo sie in den jüdischen Gemeinden die Mörder Christi sahen. Viele Städte entlang des Rheins wurden von diesen Kreuzzüglern heimgesucht und nur manchmal konnten die christlichen Geistlichen die jüdischen Bewohner vor dem angestachelten Hass der selbst ernannten Rächer Christi schützen.

Der erste Kreuzzug war militärisch in hohem Maße erfolgreich. 1099 eroberten die christlichen Ritter Jerusalem; sie richteten ein Blutbad mit entsetzlichen Verlusten unter der Zivilbevölkerung an. Die Euphorie der anfänglichen Erfolge hielt noch eine Weile an und ermöglichte die Gründung mehrerer Kreuzfahrerstaaten in der ersten Hälfte des 12. Jahrhunderts. Es entstanden die Grafschaft Tripolis, das Fürstentum Antiochia, die Grafschaft Edessa, das Königreich Klein-Armenien, das Königreich Zypern und das Königreich Jerusalem. Einfälle von mongolischen Reiterheeren, mit denen die verschiedenen Parteien wechselnde Bündnisse eingingen, trugen dazu bei, dass sich die Lage auf Dauer nicht stabilisierte. Bereits seit der zweiten Hälfte des 12. Jahrhunderts lösten sich die gerade erst entstandenen Herrschaften unter christlicher Führung während eines etwa hundert Jahre dauernden Prozesses wieder auf. Ein Jahrhundert nach seiner Eroberung ging Jerusalem wieder verloren, am Ende des 13. Jahrhunderts fiel die Küstenfestung Akkon als letzte Bastion der christlichen Ritter. Siebenmal rief man in Europa zu einem Kreuzzug nach Jerusalem auf, nur der Erste war erfolgreich, alle Übrigen blieben auf halbem Wege stecken, erreichten ihr Ziel nicht oder wendeten sich gar, wie der Kreuzzug von 1204, gegen die christliche Stadt Byzanz, die der Gier der Kreuzfahrer nicht nur nach Ehre und Ruhm, sondern auch nach Reichtum und Schätzen zum Opfer fiel. Vielfältig sind die Gründe, die man anführt, um das politische und militärische Scheitern einer dauerhaften europäischen Ausweitung auf den vorderen Teil des asiatischen Kontinents zu erklären. Die europäischen Fürsten in den neu gegründeten Territorien bekämpften einander gegenseitig; die schwer gepanzerten, unbeweglichen Ritter waren der leichter bewaffneten, leichter bekleideten und deshalb beweglicheren Reiterei der Gegner in dem heißen Klima unterlegen; die Anpassung der Europäer an die kleinasiatische Lebensart verwischte die religiösen und kulturellen Unterschiede und ließ die Kampfbereitschaft sinken.

In Europa wurde die Idee des Kreuzzugs politisch in der Auseinandersetzung zwischen Papsttum und Kaisertum instrumentalisiert. Das Bekenntnis zum Kreuzzug sicherte päpstliches Wohlwollen und fürstliches Stillhalten und erhöhte das gesellschaftliche Prestige. Die Kreuzfahrer, die über Land und über das Meer nach Palästina kamen, waren auf ihren oft jahrelangen Reisen verschiedensten Eindrücken ausgesetzt. Sie erlebten die Anstrengungen tagelanger Ritte durch unterschiedlichste Klimazonen, die drangvolle Enge und die unzureichende Verpflegung in den Lagern und auf den Schiffen, die Schwierigkeiten eines einigermaßen geordneten Vorwärtskommens, die Hilflosigkeit angesichts ausbrechender Epidemien, die Notwendigkeit sofortiger Kampfbereitschaft bei plötzlichen Hinterhalten, schließlich die eigentlichen Schlachten mit ihren Verwundeten und Toten. Pilger strömten hinter ihnen her, in der Hoffnung, dass die Ritter ihren Weg schützen und schirmen mögen, Kranke und Verletzte baten um Hilfe. Das waren neue Aufgaben im Vergleich zu denen, die den Kämpfern bisher bekannt waren. Bewaffneter Kampf im Dienste des christlichen Herrn, Pilgerschutz und Krankenpflege entwickelten sich zu einer Trias von Aufgaben, der sich die neuen Gemeinschaften der Ritterorden stellten.

Die Arme Ritterschaft Christi vom Salomonischen Tempel

Hugo de Payns (1080–1136) war einer dieser Ritter, die sich mit einer Gruppe Gleichgesinnter darüber Gedanken machten, wie sie ihr blutiges Tun als Krieger und ihr Selbstverständnis als asketische Beter dergestalt miteinander vereinbaren könnten, dass dies nicht nur in dem Kreis der Glaubensstreiter, sondern auch von Seiten der Kirche anerkannt werden würde. Sie verstanden sich als eine Gemeinschaft mit besonderen Aufgaben – Verteidigung der heiligen Stätten und Schutz der Pilger notfalls mit dem Schwert –, und dies bedurfte auch einer besonderen offiziellen Form. Zunächst erreichten die neun französischen Ritter um Hugo de Payns eine solche anerkennende Öffentlichkeit, als sie 1120 vor dem Patriarchen von Jerusalem und in Anwesenheit mehrerer Bischöfe ein Gelübde ablegten, das dem von Mönchen und Nonnen nahe kam. Sie gelobten Armut, Keuschheit und Gehorsam gegenüber den Befehlen der Kirche.

Ihr Status als monastische Gemeinschaft wurde dadurch unterstrichen, dass man ihnen einen sakralen Raum überließ, den sog. Tempel Salomons, der nach entsprechender Umwidmung heute als Al-Aksa-Moschee figuriert. Die Gruppe lebte dort gemäß den Vorstellungen, die sie sich selbst von monastischem Leben machte, ohne jedoch an eine bestimmte Lebensregel oder einen vorgegebenen liturgischen Tagesrhythmus gebunden zu sein. Doch Hugo de Payns erstrebte mehr: Er wollte die Anerkennung als eigenständiger, von höchster kirchlicher Seite approbierter Orden. Er reichte ein entsprechendes Gesuch ein und sein Anliegen wurde 1128 ein Punkt auf der Tagesordnung des Konzils von Troyes. Hugo de Payns war aufgefordert, gemeinsam mit einigen Anhängern der dortigen Kirchenversammlung die bisherige Lebensweise seiner Mitstreiter zu schildern. Das Ergebnis fiel positiv aus. Auf der Grundlage der Regula Benedicti formulierte man im Anschluss ein Regelwerk, das mönchische Lebensweise mit kreuzritterlicher Lebenspraxis koordinierte. Der Patriarch von Jerusalem und die Mitglieder des Salomonischen Tempels hatten für die endgültige Fassung der neuen Lebensregel weitere Anregungen gegeben und Veränderungsvorschläge gemacht.

Der ursprüngliche Text ist nicht überliefert, wohl aber Abschriften in lateinischer und französischer Sprache, die nur in der Anordnung der einzelnen Abschnitte an einigen Stellen voneinander abweichen, inhaltlich aber weitgehend übereinstimmen. Darin lassen sich deutlich die Anstrengungen erkennen, die unternommen worden waren, um den Anforderungen beider Lebensweisen, der monastischen auf der einen Seite und der adelig-ritterlichen auf der anderen Seite, gerecht zu werden. Armut, Keuschheit und Gehorsam waren die Grundpfeiler mönchischen Daseins. Die Armut eines Ordensritters, der einen bewaffneten Kampf zur Verteidigung des Glaubens führte, musste jedoch anders aussehen als die eines Mönches hinter Klostermauern, dem durch das regelmäßige Gebet und vielleicht unter Einsatz von Feder und Tintenhorn die Wahrung des Glaubens aufgetragen war. Doch bei beiden herrschte die Forderung nach Einfachheit, nach Reduktion auf ein Minimum. Oder anders ausgedrückt: die Einschränkung der adeligen Standesprivilegien und damit der bewusste Verzicht auf Vorrechte wie die Jagd, Luxus und bestimmte Verhaltensweisen. Das Mitglied eines Ritterordens trug einfache, aus grober Wolle gewirkte Kleidung – einen weißen Mantel mit rotem Kreuz – ohne Schmuck, Pelzbesatz oder sonstigen Zierrat. Damit verzichtete er auf Leinen-, Brokat- oder Seidenstoffe, die ihm als Adeligem sonst eine Selbstverständlichkeit waren. Die Speisen waren einfach und wenig abwechslungsreich, zwei Ritter teilten sich eine Schüssel. Damit entsagte er den Tafelfreuden der adeligen Bankette, die nicht nur Gaumen und Magen angenehm waren, sondern insbesondere auch repräsentativen Zwecken dienten. Die Ritter schliefen in gemeinsamen Schlafräumen, jede Form der Privatheit war damit aufgehoben. Die Bitte um Geschenke ebenso wie deren Annahme war verboten und bedeutete damit die Ablehnung eines gängigen Verhaltensmusters, das das Verhältnis der Mitglieder der adeligen Gesellschaft untereinander nicht zuletzt durch den Austausch von Gaben und Gegengaben bestimmte. Ein Mitglied des Ritterordens verfügte nur über drei Pferde und begab sich damit der Möglichkeit, über seinen Reitstall Macht und Besitz zu demonstrieren: Das Reitpferd war zur täglichen Nutzung bestimmt, das Packpferd transportierte die ritterliche Ausrüstung und das hochgezüchtete, auf den Kampf trainierte Schlachtross schließlich wurde für das eigentliche Kriegsgeschehen geschont. Zur Armut gesellte sich das Gebot der Keuschheit. Diese sollte dadurch gewährleistet werden, dass die Schlafsäle auch des Nachts erleuchtet blieben und jeglicher Umgang mit Frauen strikt verboten war. Das dritte Gebot des Gehorsams erfüllte der Mönchsritter zum einen gegenüber seinem Abt, zum anderen dadurch, dass er all sein Tun und Denken offen legte: die Satteltaschen durften nicht verschlossen werden, ein- und ausgehende Briefe unterlagen der Kontrolle durch den Vorsteher der Gemeinschaft. Bei der Aufnahme in den Orden leistete der

künftige *miles Christi* einen Schwur, der ihn auf den bewaffneten Gotteskampf verpflichtete. Neben diesen Regelungen, die mehr dem ritterlichen als dem mönchischen Dasein geschuldet waren, legte man für diese Gemeinschaften aber auch solche Aufgaben fest, die normalerweise das klösterliche Leben bestimmten. Dazu zählte eine Gebetsordnung, die nicht nur die Regelmäßigkeit geistlicher Besinnung gewährleisten sollte und den Umfang und die Häufigkeit der Gebete festschrieb, sondern die Ritter auch über die korrekte Haltung beim Gebet belehrte. Täglich wurde die Messe gelesen und die *memoria* gefeiert. Des Weiteren mussten bestimmte Fastenzeiten eingehalten werden. Armenspeisungen und Krankenpflegerdienste gehörten ebenfalls zu den in Demut zu erfüllenden Aufgaben der Mönchsritter. Trotz des Konzils von Troyes war es mehr als dreißig Jahre lang unklar, welcher Kontrollinstanz der Orden unterlag. 1163 schließlich erreichte er seine endgültige Exemtion und war danach nur noch dem Papst als oberstem Gebieter Rechenschaft schuldig.

Der Orden der Tempelritter wuchs schnell und gewann in wenigen Jahrzehnten an Mitgliedern, Einfluss und Besitz. In ganz Europa konnte Hugo de Payns Ritter für die Sache des Ordens gewinnen, bis es mehrere Tausend waren. Die einzelnen Gemeinschaften, die Baylies, waren in Provinzen zusammengeschlossen. Wenn auch der Einzelne keine Geschenke annehmen durfte, so fungierte doch der Orden als selbstständiges Rechtsorgan. Stiftungen, Schenkungen und Besitzüberschreibungen insbesondere in Frankreich und in den Kreuzfahrerstaaten ließen den Orden zu einem immens begüterten Landbesitzer heranreifen. Die mehr oder weniger gut erhaltenen

Der Krak des Chevaliers
Die feste Burg der christlichen Ritter ist in mehreren Ringen angelegt und fast uneinnehmbar. Im Inneren bemühte man sich, sowohl den praktischen als auch den adelig-repräsentativen Ansprüchen Genüge zu tun. Die Treppen waren flach und breit, so dass sie auch für Pferde begehbar waren, ein allgemeiner großer Versammlungsplatz war abgegrenzt von einem durch seine Arkadenfenster ausgewiesenen Festsaal.

Kreuzfahrerburgen in Syrien zeigen, wie ein Gutteil der Einnahmen verwendet wurde. Die Burgen waren riesige Festungen. Die breiten Treppen waren mit ihren niedrigen Stufen so angelegt, dass die Ritter diese bequem zu Pferd nehmen konnten. Auf längerfristige Belagerungen hatte man sich mit gewaltigen Vorratsräumen und wohl durchdachten Wasserspeicheranlagen eingestellt. Große Plätze im Burginneren und aufwändig gestaltete Hallen erinnerten an den Palas einer europäischen Burg; sie boten den angemessenen Rahmen für die adelig-ritterlichen Versammlungen. Der Orden verfügte aber auch über Organisatoren mit wirtschaftlichem Geschick, die den Transport von Waren, Pferden und Menschen zu einem Gewinn bringenden Geschäft ausbauten und den Orden mit großem Erfolg zu einem kapitalkräftigen Finanzier werden ließen. In der Tat operierte der Orden mit weit größeren Summen, als sie zum Beispiel dem französischen König zu Gebote standen, der in seiner ständigen Geldknappheit zu seinem Schuldner wurde.

Zisterne im Krak des Chevaliers
Ein ausgeklügeltes Zisternensystem mit zahlreichen Zuläufen zum eigentlichen Wasserbecken sicherte auf den Kreuzritterburgen die Wasserversorgung für Menschen und Tiere.

Die Tempelritter schienen unangreifbar. Aber genau dies ließ sie in den Augen des bei ihnen hoch verschuldeten französischen Königs und etlicher seiner Bischöfe zu einer Gefahr werden, der man mit drastischen Maßnahmen begegnen musste. Ein adäquates Mittel dazu war die Anklage wegen Häresie. Man griff Gerüchte auf, die über die Tempelritter in Umlauf waren, und verdichtete sie zu einer Anklage wegen Ketzerei: Die Templer würden das Kreuz verleugnen, bei der Messe die Konsekrationsworte auslassen, statt Christus in Wahrheit ein Götzenbild namens Baphomet verehren und entsprechende Amulette tragen; sie würden während des Aufnahmerituals unsittliche Praktiken ausüben und sich der Homosexualität hingeben. Die Verfolgungswelle, die 1307 gegen die Templer aufbrandete, war von langer Hand in Absprache zwischen den weltlichen und kirchlichen Institutionen vorbereitet und durch eine Art Abkommen auf Gegenseitigkeit zwischen dem französischen König und dem Papst abgesichert worden. In seinen wichtigsten Punkten garantierte es dem Papst weitgehende Handlungsfreiheit in seinem Amtssitz in Avignon, dem exkommunizierten französischen König dagegen die Lossprechung vom Kirchenbann und die Wiederaufnahme in die christliche Gemeinschaft sowie die Besteuerung des Klerus für fünf Jahre.

Die weltliche wie die geistliche Justiz arbeitete schnell und gründlich. Um das Abkommen mit dem Papst nicht zu gefährden, legte man fest, dass der Orden als Ganzes weiterhin dem Papst, jedes einzelne Mitglied jedoch der weltlichen Gerichtsbarkeit unterstünde. Innerhalb kürzester Zeit wurden Tausende von Tempelrittern gefangen gesetzt, zwischen 1308 und 1311 machte man ihnen den Prozess. Die Anklage lautete auf Häresie. Bußfertige Templer, die sich schuldig bekannten, wurden mit hohen Haftstrafen belegt, solche, die ihre ursprünglichen Geständnisse widerriefen, zum Tode verurteilt. 1311 einigte sich das Konzil von Vienne nach heftigen Diskussionen auf die Verurteilung und Auflösung des Templerordens. Das Restvermögen, das sich die französische Krone noch nicht angeeignet hatte, wurde dem Johanniterorden übertragen. Aber bereits im 14. Jahrhundert schienen die eigentlichen Absichten in diesem Verfahren so offensichtlich zu sein, dass der Chronist der Stadt Magdeburg die Zerschlagung des Templerordens folgendermaßen kommentierte: *Man bezichtigte sie der Ketzerei, dass sie Christus verleumdet und das Kreuz Christi angespieen hätten. Man meint jedoch wohl eher, dass der Papst und der König von Frankreich und andere Fürsten ihr Gut hatten haben wollen, denn sie waren maßlos reich. Aber sie trieben auch großen Hochmut, und es düngt mir dies der eigentliche Grund, warum Gott es zuließ, dass sie zerstört wurden* (Chronik der deutschen Städte 7, Magdeburg, S. 180f.).

1314 schließlich wurden in einem letzten Akt der Großmeister des Ordens Jacques de Molay und drei seiner Stellvertreter in einer öffentlichen Verhandlung abgeurteilt. Zunächst lautete das Urteil auf lebenslange Haft. Aber als sie ihre Geständnisse widerriefen, verurteilte man sie zum Tode auf dem Scheiterhaufen, was gleich am folgenden Tag vollstreckt wurde. Jacques de Molay, so erzählt die Legende, hätte vom Scheiterhaufen aus den baldigen Tod seiner beiden Widersacher prophezeit. Papst Clemens V. und Philipp der Schöne starben tatsächlich beide noch im gleichen Jahr. Die Templer, die der Verfolgung entrinnen konnten, fanden zum Teil Aufnahme in anderen Orden, zum großen Teil verlieren sich aber ihre Spuren. Ob sie letztlich zu diversen Geheimbünden führten, muss Spekulation bleiben, so wie sie Umberto Eco in seinem Roman vom Foucault'schen Pendel betreibt.

Johanniter und Malteser – vom Hospital in Jerusalem zur Inselfestung

Die Mitglieder des Johanniterordens haben wohl am längsten an ihrer ursprünglichen Aufgabe festgehalten. Wenn man so will, verrichten sie auch heute noch ihren Dienst an Kranken, allerdings unter anderen Vorzeichen. Ursprünglich hatten italienische Kaufleute aus Amalfi mit der Gründung eines Hospizes in Jerusalem eine Hilfsorganisation ins Leben gerufen. Die Pilger, die sich von den italienischen Häfen aus für die Reise ins Heilige Land eingeschifft hatten, bedurften in der fremden Welt einer Anlaufstelle, der medizinischen Betreuung und des militärischen Schutzes. Ihre Helfer, die anfänglich vielleicht sogar auf den Schiffen, auf jeden Fall aber in den Territorien der Kreuzfahrerstaaten und später auch in den Hafenstädten Europas Dienst taten, erreichten 1113 die Anerkennung als Orden. 1137 setzte er sich eine Regel, die ähnlich wie die Regel der Templer Mönchtum und Ritterleben miteinander verband. Dem Hospiz in Jerusalem, das sich Johannes den Täufer zum Schutzheiligen erkoren hatte, folgten weitere Gründungen in anderen Kreuzfahrerstaaten sowie in Bari, Messina und Marseille. Innerhalb des Ordens unterschied man relativ bald zwischen Rittern, Brüdern und Angehörigen aus dem Laienstand, die in klarer Aufgabentrennung den bewaffneten Schutz der Pilgerstraßen einerseits, die medizinische Versorgung von Kranken und Verwundeten andererseits übernahmen oder die dafür notwendigen Hilfsdienste verrichteten. Die Mitglieder des Ordens waren jeweils Spezialisten in ihrem Bereich. Die Ritter des Johanniterordens zählten, ähnlich wie die Tempelritter, zu den sehr gut ausgebildeten, organisierten und hoch motivierten Kämpfern der Kreuzzüge, die Brüder in den Hospitälern zu den Fachleuten in der Anwendung des medizinischen Wissens ihrer Zeit, wobei die Erkenntnisse der arabischen Ärztekunst vielleicht schon hier den Europäern zugute kamen und anschließend von ihnen nach Europa gebracht wurden.

1291 mussten die Johanniter zusammen mit allen anderen Ordensrittern nach dem Fall von Akkon Palästina verlassen. Sie setzten sich zunächst für knapp zwei Jahrzehnte auf Zypern fest. 1310 nahmen sie mit päpstlicher Zustimmung und zusätzlicher Hilfe durch eine Piratenflotte die byzantinische Insel Rhodos ein. Es war dies auch ein weiteres Ereignis, das deutlich macht, wie sehr die ursprüngliche Idee der Kreuzzüge – die Rückeroberung der heiligen Stätten – in Vergessenheit geraten und stattdessen das Mittelmeer ins Blickfeld gerückt war, das als Einflussgebiet unterschiedlicher Herrschaften gesehen wurde, in dem man die Oberhand gewinnen musste. Die Insel Rhodos mit ihrer guten Infrastruktur wurde zu einem Stützpunkt der westlichen christlichen Welt. Die Johanniter unterhielten dort mehr als 200 Jahre lang ein Hospiz, vor allem aber auch eine schlagkräftige Flotte. Ihre Festungen hielten mehreren osmanischen Belagerungen stand, bis sie 1521 vor dem Sultan Suleiman dem Prächtigen aufgeben mussten. In einer ehrenvollen Kapitulation durften alle Überlebenden der Belagerung, Ritter wie Zivilisten, die Insel unbehelligt verlassen. Die Eroberer ließen den Rittern sogar die persönlichen Zeichen ihres gesellschaftlichen Standes, die leichten Waffen, und dem Orden als Ganzem seinen Schatz mit den dazugehörigen Reliquien, unter anderem die Hand Johannes' des Täufers, die von den Ordensmitgliedern seit Palästina immer mitgeführt wurde.

Neun Jahre später erhielt der Orden von Kaiser Karl V. ein neues Quartier zugewiesen, die strategisch günstig zwischen Europa und Afrika gelegene, wenn auch karge Inselgruppe Malta, Gozo und Comino. Auf der größten dieser drei Inseln, Malta, errichteten die Johanniter eine gigantische Festung mit mehreren Forts rund um einen mehrfingerigen Hafen – aus den Johannitern waren Malteser geworden. Man könnte diese Phase der Ordensgeschichte auch als die Auseinandersetzung zwischen zwei ungleichen Kontrahenten schildern, zwischen dem Sultan Suleiman dem Prächtigen und dem französischen Ritter Parisot de la Valette. Letzterer hatte schon die Belagerung von Rhodos als Johanniterritter erlebt. Auf Malta war er zum Großmeister des Ordens aufgestiegen. Beide waren alte Männer, als sie sich 1565 erneut in der militärischen Konfrontation begegneten. Die gewaltige Hafenfestung wurde von 30 000 Soldaten belagert, denen etwa 5500 Malteserritter gegenüberstanden. Die Belagerung zog sich über fünf Monate hin, die Verluste auf beiden Seiten waren enorm. Schließlich hatten die Belagerten das große Glück, dass von Sizilien aus Verstärkungstruppen die Insel erreichten und die türkische Flotte zwischen den beiden Fronten zerrieben wurde. Man feierte den Sieg der Christen und baute die Festungen weiter aus. Die Stadt, die hinter den Festungsmauern wuchs, nannte man zu Ehren des siegreichen Großmeisters La Valletta, sie ist heute die Hauptstadt Maltas.

Der Orden blieb seiner doppelten Aufgabe treu; er unterhielt ein Hospiz auf Malta, vor allem aber bemühte er sich um den Aufbau einer Flotte. Erst 1798 musste der Orden unter dem damaligen Großmeister Ferdinand von Hompesch die Insel übergeben – an Napoleon. Auf der Seite des französischen Königs stehend, hatten sich die Malteser die Feindschaft der jungen Republik eingehandelt. Als Ritterorden in mittelalterlichem Sinne in der Verbindung von mönchischem und ritterlichem Ethos – Gebet und Kampf zur Ehre Gottes – hatte er da allerdings schon lange aufgehört zu existieren.

In einigen Gebieten hatten die Johanniter als Organisation überlebt. Im 19. Jahrhundert vereinigten sich Johanniter protestantischer Konfession erneut, um vor allem karitativ tätig zu sein, wie sie es bis heute sind. Seit 1834 haben sich die Malteser als katholischer religiöser Ritterorden mit Sitz in Rom etabliert. Auch seine Haupttätigkeit bezieht sich auf die Krankenpflege und die karitative Arbeit.

Sein voller Name fasst noch einmal die achthundertjährige Geschichte dieses Ritterordens unter der Betonung seiner jeweiligen Ortsgebundenheit zusammen: „Souveräner Ritterorden vom Hospital des heiligen Johannes zu Jerusalem, genannt von Rhodos, genannt von Malta".

Ordo domus Sanctae Mariae Theutonicorum – der Deutsche Orden

Wie der Johanniterorden war auch der Deutsche Orden eine Gründung von Kaufleuten. 1190 hatten Bremer und Lübecker Händler mit der Unterstützung von Friedrich von Schwaben (1196–1216) in Akkon einen Krankenpflegeorden als Anlaufstätte für Pilger und Kreuzritter deutscher Herkunft und Sprache ins Leben gerufen und mit der Johanniterregel ausgestattet. Bereits acht Jahre später jedoch, nach empfindlichen Niederlagen der Kreuzfahrerheere, wurde er in einen Ritterorden umgewandelt. Im Jahr darauf erhielt dieser weitere Ritterorden die päpstliche Bestätigung durch Innozenz III. (1198–1216). Der Orden der Ritter im weißen Mantel mit dem schwarzen Kreuz fand im gesamten deutschsprachigen Raum rege Zustimmung. Bis 1300 hatte man über 300 Kommenden gegründet, die wiederum in Balleien zusammengefasst waren. Man orientierte sich an Christus und seinen Aposteln und legte fest, dass einer Kommende mindestens zwölf Ritter und ein Vorsteher angehören mussten. Der Orden wurde von einem Großmeister geführt, die deutschen Balleien waren unter dem Deutschmeister zusammengefasst, ein regelmäßiges Generalkapitel sollte die einheitliche Ausrichtung der Ordenskommenden gewährleisten.

Lange vor dem Ende der Kreuzzugsbewegung in Palästina am Ende des 13. Jahrhunderts, als 1291 Akkon als letzte Bastion fiel, war der Deutsche Orden im aktiven Kampf in Europa tätig und über die Person seines Großmeisters, Hermann von Salza, der den Orden von 1209–1239 führte, eng mit den territorialen Expansionsbestrebungen des staufischen Kaisers Friedrich II. verbunden. Ein erster Einsatz in Ungarn blieb eine wenig beachtete Episode. Umso erfolgreicher dagegen war das Auftreten des Ordens im Nordosten Europas. Im Jahr 1226 erbat der Herzog von Masowien die militärische Unterstützung des Ordens gegen den heidnischen baltischen Stamm der Pruzzen, der die Grenzen des herzoglichen Gebietes bedrohte. Der Orden leistete der Bitte Folge. Der Kaiser sicherte ihm sein Wohlwollen zu und überschrieb ihm in der Bulle von Rimini noch im gleich Jahr das Kulmer Land und die dort angrenzenden Gebiete. Diese gehörten keineswegs zum Herrschaftsgebiet des Deutschen Reiches, wohl aber zum Interessensbereich der kaiserlichen Expansionspolitik im nördlichen Teil des Imperiums. Wäre der Orden erfolgreich, würde er als uneingeschränkter Souverän in dem eroberten Gebiet herrschen können, in völliger Handlungsfreiheit und Autonomie. Selbst kaiserlicher oder päpstlicher Einfluss wurde ausgeschlossen. Der Orden war erfolgreich – militärisch ebenso wie als Souverän im Aufbau eines Herrschaftsgebietes. Es dauerte allerdings ein halbes Jahrhundert, bis um 1280 das ehemalige Prutzengebiet fest in der Hand des Ordens war. Seit 1237 war das Gebiet noch auf Livland ausgeweitet worden, die Vereinigung des livländischen Schwertbrüderordens mit dem Deutschen Orden sorgte hier für die notwendige Verstärkung. 1309 wurde der Sitz des Deutschen Ordens von Venedig, wohin er nach dem Verlust von Akkon transferiert worden war, auf die Festung Marienburg verlegt.

In mancher Hinsicht sind die Bemühungen des staufischen Kaisers Friedrich II. um eine Zentralisierung in seiner südlichen, sizilischen Herrschaft durchaus vergleichbar mit der Organisation des Deutschordenslandes. Das beginnt mit der klaren Aufgabentrennung der Ordensmitglieder, wie sie auch in den anderen Ritterorden gegeben war. Den kämpfenden Rittern standen die geistlichen Brüder zur Seite, beide wurden von Hilfsbrüdern in ihren jeweiligen Arbeiten unterstützt. Dazu kamen Laien, die sich unter den Schutz des Ordens stellten und insbesondere die karitativen Tätigkeiten übernahmen, sowie Männer und Frauen, die sich selbst sowie ihr Hab und Gut dem Orden und seinen Weisungen unterstellten. Diese Gruppen, natürlich insbesondere die Ritter und die Geistlichen, bildeten die Führungsschicht des Landes, die sich klar von der einheimischen Bevölkerung absetzte. Ritter übernahmen auf dem Gebiet des Ordenslandes die militärische Sicherung und entschieden generell über innen- und außenpolitische Maßnahmen. Die Gruppe der Geistlichen war für die kirchenpolitische sowie für die verwaltungstechnische Organisation der ländlichen Gebiete und der neu gegründeten Städte verantwortlich. Die Neugründung von Städten war die wichtigste – und einträglichste – Maßnahme im Aufbau des Ordensstaates. Sie verband die militärische Sicherung des Landes mit seiner wirtschaftlichen Erschließung. Zu den Städten gehörten die Ordensburgen, die nach Kreuzfahrervorbild als geschlossener Block rund um einen offenen Innenhof gebaut und mit der durchaus nicht selbstverständlichen Annehmlichkeit eines ausgeklügelten Heizungssystems ausgestattet wurden. Diese Trutzburgen erhoben sich – architektonisch ebenso wie im Selbstverständnis des Ordens – über das ihnen unterstellte Land. Die Städte entstanden in dem bis dahin stadtlosen Gebiet nach einem schachbrettartigen Grundriss. Vor allem aber wuchsen sie entlang der seit Jahrhunderten bereisten Handelsstraße zwischen Köln und Nowgorod – Kulm 1231, Thorn 1231, Marienwerder 1233, Elbing 1237, Balgar 1239, Memel 1252 und Königsberg 1254/55, das 1466 Sitz des Großmeisters wurde. Man richtete attraktive lokale und regionale Märkte ein, Umschlagplätze für weitere Waren, Versorgungsstätten für durchreisende Händler und Produktionsorte für Handwerker. Damit verbunden waren Zollstationen, Marktabgaben und städtische Steuern, die auch die Finanzen des Ordens stärkten. Jede Stadt war mit Ziegelöfen und Mühlen ausgestattet, deren Einnahmen ebenfalls dem Orden zuflossen. Des Weiteren zeichnete ein funktionierendes Kurier- und Postwesen, eine einheitliche Münze und eine straffe Verwaltung auch auf dem agrarischen Sektor, zum Beispiel in der Durchführung von Rodungs- und Entsumpfungsprogrammen, das Ordensland aus. Jedoch trat die Kluft zwischen Herrschenden und Beherrschten immer deutlicher hervor, immer stärker wurden die Herrschaft des Ordens als Unterdrückung und die Abgaben als zu hoch empfunden. Die Finanzstärke des Ordens weckte darüber hinaus Begehrlichkeiten auf verschiedenen Seiten. Polnische Adelige und die Städte des Ordenslandes schlossen sich im Preußischen Bund gegen die Ritter der Ordensburgen zusammen und erreichten in der Schlacht von Tannenberg 1410 einen entscheidenden Sieg.

Wie lange diese Entscheidungsschlacht als Demütigung für die deutschen Kämpfer im Bewusstsein der deutschen Politik haften blieb, zeigt noch 1914 die Begeisterung über die von Hindenburg und Ludendorff gewonnene Schlacht von Tannenberg in der ersten Phase des 1. Weltkriegs, mit der man eine alte Scharte ausgewetzt zu haben glaubte, woran man noch 1927 mit einem Denkmal bleibend erinnern wollte. Beim Anrücken der sowjetischen Armee wurde dieses Denkmal 1945 gesprengt.

Mit der Schlacht von Tannenberg 1410 hatte militärisch der Anfang vom Ende begonnen. Der Orden verließ sich nicht mehr auf seine eigene Stärke, sondern heuerte fremde Söldner an, die er nach einer gewonnenen Auseinandersetzung jedoch nicht entlohnen konnte. Stattdessen verpfändete er ihnen das Ordensland einschließlich aller Burgen inklusive der Marienburg als ihrem preußischen Stammsitz, 1457 wurde der gesamte Besitz an den König von Polen verkauft. Der Friedensvertrag von Thorn 1466 legte fest, dass das westliche Preußen komplett an Polen fiel und der Hochmeister des Deutschen Ordens künftig dem polnischen König den Treu- und Gefolgschaftseid leisten musste. Die endgültige Aufgabe aller Souveränität erfolgte 1525, als der Hochmeister Albrecht von Brandenburg zum Protestantismus übertrat und Ostpreußen vom polnischen König zu Lehen nahm.

Die Idee eines deutschen Ritterordens hielt sich trotzdem. Zwar war der Orden 1805 von Napoleon aufgelöst worden, doch in der zweiten Hälfte des 19. Jahrhunderts entstanden 1866 das Institut der Ehrenritter und 1871 die Vereinigung der Marianer als laikale Nachfolgeorganisationen. In Österreich existierte ein geistlicher Zweig fort, der mit einer neuen Regel seit 1929 zu den Bettelorden gezählt wird. War der Orden 1938 durch die Nationalsozialisten verboten worden, so wurde 1947 das Verbot wieder aufgehoben. Heute ist der Sitz des Hochmeisters in Wien, ein Museum des Ordens befindet sich in Bad Mergentheim, wo seit 1510 der Deutschmeister seinen Sitz hatte. Mittlerweile sind auch Frauen mit eigenen Häusern im Deutschen Orden zusammengeschlossen. Heute definiert der Deutsche Orden seine Aufgaben in der Seelsorge und Sozialhilfe, seine laikalen Zweige bieten gleichzeitig ein exklusives Forum für gesellschaftliche Kontakte und Verbindungen.

Die Geschichte des reichen Prassers und des armen Lazarus (Codex Epternacense)

X.

Umbruch und Aufbruch im 12. und 13. Jahrhundert – Urbanisierung und Intensivierung geistlichen Lebens

Benediktiner, Zisterzienser, Prämonstratenser, Kartäuser, Augustiner-Chorherren und Ritterorden waren dem dreifunktionalen Ständemodell des Mittelalters verhaftet, das die Gesellschaft in Beter, Kämpfer und Arbeiter einteilte, denen ihre Aufgaben von Christus selbst zugewiesen worden waren. Die Mitglieder dieser Orden waren zum überwiegenden Teil Angehörige der Adels. Der Adel war zwar durchaus keine einheitliche, homogene Gruppe, sondern unterlag starken inneren Differenzierungskriterien nach Rang, Einfluss und Besitz. Nichtsdestotrotz bildete er alles in allem die privilegierte Führungsschicht der mittelalterlichen Gesellschaft, aus der sich die weltlichen wie die geistlichen Herrschaftsträger rekrutierten. Die landarbeitende Bevölkerung – Bauern, abhängige Landarbeiter, die so genannten Kötter, Hörige, Sklaven – bildete den dritten Stand. Sie machte etwa 95 % der Bevölkerung aus.

Dieses starre und fast undurchlässige Gesellschaftsmodell wurde etwa seit der ersten Jahrtausendwende sehr langsam, aber schließlich doch unübersehbar deutlich aufgebrochen. In der mittelalterlichen Gesellschaft etablierten sich neue soziale Gruppen, die in das alte dreifunktionale Ständemodell nicht passten und in der bisherigen klaren hierarchischen Ordnung und Aufgabenverteilung quasi nicht vorgesehen waren. Die Verwerfungen der Gesellschaft erfolgten durch die allmähliche erneute Urbanisierung, das Wiederaufleben städtischer Lebensweise. Dafür waren mehrere Gründe ausschlaggebend. Zum einen kann man feststellen, dass sich am Ende des ersten Jahrtausends christlicher Zeitrechnung relativ stabile Herrschaften in West- und Mitteleuropa ausgebildet hatten. Große Bevölkerungsbewegungen über den ganzen Kontinent hinweg, wie sie die Völkerwanderung gebracht hatte, waren seit Jahrhunderten zur Ruhe gekommen. Das West- und das Ostfränkische Reich hatten eigene politische Strukturen in mehr oder weniger fest umrissenen Grenzen gefunden. Die jeweiligen Herrschaftsträger suchten dabei ihre Macht zum einen durch politisch-militärische Stützpunkte, die Burgen, zu stabilisieren und zum anderen durch kulturelle und verwaltungstechnische Zentren, die Klöster und Bischofssitze (s. Kap. 3). Diese Stützpunkte hatten darüber hinaus eine erhebliche wirtschaftliche Anziehungskraft, da dort nicht nur eine größere Zahl von Menschen mit Lebensmitteln versorgt werden musste, sondern auch Bedarf an solchen Gütern bestand, die über das Lebensnotwendige hinausgingen und eher den Luxus- als den Gebrauchsartikeln zuzurechnen waren. Ein Bischof, der gleichzeitig Hirte seiner Herde und Vertreter der Gemeinschaft war, der er vorstand, hatte bestimmte Repräsentationspflichten zu erfüllen. Da musste er auch für das entsprechende Ambiente Sorge tragen, zu dem neben großzügigen Räumlichkeiten ebenso erlesenes Tafelgeschirr, kostbare Gewänder, aufwändiges Mobiliar und anderes gehörten. Auch der Abt eines Klosters war in solche Verpflichtungen eingebunden, und die Konvente, die ihrer Aufgabe der geistlichen Arbeit mit gewissenhaftem Eifer nachgehen wollten, bedurften größerer Mengen Pergaments, Farben und anderer kostbarer oder seltener Dinge. Die Liste ließe sich fortsetzen.

Die steigende Nachfrage nicht nur nach landwirtschaftlichen Erzeugnissen, sondern ebenso nach Gebrauchs- und Luxusartikeln war die Voraussetzung für die Wiederbelebung des Handels und damit auch für die Entwicklung von Städten, die seit dem 10. Jahrhundert zu beobachten ist. Der Austausch von Waren erfolgte an verschiedenen Orten. Er fand zum Beispiel an solchen Plätzen statt, die ausschließlich für diesen Zweck bestimmt waren. Allen voran sind da die so genannten Wiks im Norden Europas zu nennen, Handelsplätze, die allerdings nicht immer zu wirklichen Städten heranwuchsen, da hier vornehmlich saisonweise mit bestimmten Gütern gehandelt wurde, sich aber nicht die Kontinuität regelmäßigen Marktgeschehens ausbildete. Erfolgreicher war die Etablierung von Märkten dort, wo oft genutzte Verkehrswege zusammenliefen, so dass durch die Regelmäßigkeit des Warenflusses feste Ansiedlungen eine dauerhafte Lebenssicherung bieten konnten und sich über den überregionalen Handel hinaus auch lokaler und regionaler Handel lohnte. Die bereits existierenden Herrschaftszentren hatten aus den oben beschriebenen Gründen die besten Aussichten auf die Entwicklung zu einem Handelsmittelpunkt. In der unmittelbaren Nähe von Burgen, Bischofspalästen und zum Teil auch von Klöstern siedelten Händler und Handwerker, die auf gute Geschäfte und lukrative Aufträge hofften. Dort entwickelte sich ein reger Verkehr an Personen und Waren, denn der Bedarf an alltäglichen Gebrauchsgegenständen wie an Luxusgütern sicherte Kaufleuten und Handwerkern einen kalkulierbaren Absatz, und der Bedarf an Arbeitskräften zog viele weitere Menschen in die neuen Siedlungen, wo sie hoffen konnten, ein tägliches Auskommen zu finden.

Im Anstieg der Bevölkerung liegt ein weiterer Grund für den Erfolg von Stadtentwicklungen. Über Jahrhunderte war Europa ein menschenarmer Kontinent gewesen. Selbst Land, das zu Zeiten des Römischen Reiches bereits agrarisch genutzt worden war, hatte brachgelegen; einstmals blühende Siedlungen waren auf ihren Kern zusammengeschrumpft. Die leichte Erwärmung des Klimas seit dem 11. Jahrhundert gekoppelt mit agrartechnischen Innovationen vermehrten die Agrarproduktion und verbesserten die Überlebenschancen und erhöhten so die Lebenserwartung. Bis ins 12. Jahrhundert waren die durchschnittlichen Jahrestemperaturen um etwa 1 Grad gestiegen, so dass ein verbessertes Pflanzenwachstum gegeben war und auch höher gelegene Gebiete unter den Pflug genommen werden konnten. Die Zweifelderwirtschaft, in der stets die Hälfte des bebaubaren Landes zur Erholung des Bodens brachlag, wurde durch die Dreifelderwirtschaft abgelöst. Dabei wurden jeweils zwei Drittel des Bodens mit Sommer- oder Wintergetreide bestellt; auf einem Drittel des Bodens baute man verschiedene Feldfrüchte an, die nur teilweise zur Düngung des Bodens untergepflügt wurden, teilweise aber auch andere Verwendung fanden wie zum Beispiel Rüben, die als Viehfutter und bedingt auch als Winternahrung dienten. Auch das Arbeitsgerät wurde erheblich verbessert. Bislang war vorwiegend der hölzerne Hakenpflug zum Einsatz gekommen. Er war für leichte Böden oder für eine sehr dünne Erdkrume geeignet, da er die Erde nur aufriss, aber nicht umgrub. Mit dem neu entwickelten Wendepflug konnte man nun auch tiefe und schwere Böden beackern, denn die eiserne Pflugschar grub sich tief in die Erdscholle ein, hob und wendete sie, so dass der Boden gelockert und durchlüftet wurde und weit besser als zuvor Wasser und Mineralstoffe aufnehmen konnte. Schließlich verbesserte man noch die Zugkraft der Arbeitstiere, indem man dem Tier ein Kummet wie einen breiten gepolsterten Halskragen umlegte, so dass es sich mit voller Kraft ins Geschirr legen konnte. Aufgrund dieser Verbesserung war es nun auch möglich, die leistungsfähigeren Pferde einzusetzen und nicht mehr nur die zwar ausdauernden, aber doch sehr langsamen Ochsen. Eine größere Zahl von Menschen, die überhaupt das Erwachsenenalter erreichten, die aber wiederum nicht alle ihr ausreichendes Auskommen in der Landwirtschaft fanden, vergrößerten den Strom derjenigen, die zu den Handels- und Handwerksplätzen strömten. Dort hatten sie gute Aussichten, als Handlanger, Hilfsarbeiter, Tagelöhner, Knechte oder Mägde arbeiten zu können.

Was waren die Besonderheiten städtischer Siedlungen und was machte sie so attraktiv? Die Einwohnerzahl mittelalterlicher Städte ist denkbar gering zu veranschlagen. Selbst die größten Metropolen wie Paris, London, Florenz oder Rom zählten in ihrer späten mittelalterlichen Blüte nicht mehr als hunderttausend Einwohner, eine Stadt mit zwanzigtausend Einwohnern wie Köln oder Lübeck galt bereits als Großstadt, die Mehrheit der mittelgroßen Städte wies nicht mehr als fünf- bis zehntausend Einwohner auf, viele lagen als Kleinstädte noch darunter. Aber die Größe war auch nicht das entscheidende Kriterium für eine Stadt. Andere Faktoren, die sie von der agrarischen Gesellschaft absetzten, spielten eine viel wichtigere Rolle. Bereits das Äußere, die Ummauerung, kennzeichnete die Stadt als einen eigenen Rechtsraum. Hier galt nicht mehr das ständische Gesetz, das die Vergehen des Einzelnen nach seiner gesellschaftlichen Zugehörigkeit beurteilte, sondern ein hoch differenziertes städtisches Recht. Vor allem aber regierte in der Stadt ein anderer Lebensrhythmus als auf dem Land. Handel und Handwerk bestimmten die Arbeiten in der Stadt, nicht die jahreszeitlichen Anforderungen, wie sie die Agrarwirtschaft an die ländlichen Bewohner stellte. Der agrarische Jahres- und Lebenszyklus war im Großen und Ganzen vorhersehbar. Diese Sicherheit und Planbarkeit musste man in den städtischen Arbeitsverhältnissen entbehren. Dort gab es kaum eine wirkliche Gewähr für Produktion und Absatz, viele der kaufmännischen Transaktionen und handwerklichen Aktivitäten erfolgten auf eigenes Risiko. Gerade diese Unwägbarkeiten mochten aber auch die Anziehungskraft der Städte ausmachen – die Hoffnung, aus eigener Kraft etwas leisten zu können und mit ein bisschen Glück zur richtigen Zeit am richtigen Ort zu sein. Im Gegensatz zu den ländlichen Zusammenhängen boten die Städte größere Möglichkeiten für soziale Mobilität, bessere Bedingungen für gesellschaftlichen und wirtschaftlichen Aufstieg, aber auch unwägbare Risiken des Abstiegs.

Und noch ein Weiteres mag die städtische Attraktivität erhöht haben, was insbesondere mit Hilfe der erzählenden stadtgeschichtlichen Quellen durchaus nachweisbar ist: In den Städten gab es Reize und Ablenkungen unterschiedlichster Art. Die großen Kirchen machten die Stadt zum Anziehungspunkt für Pilger, über deren Ankunft sich Wirte, Herbergsbesitzer und die Hersteller von Pilgerabzeichen ebenso wie diejenigen freuten, die diesen Reisenden sonstige Gebrauchsgegenstände des täglichen Bedarfs oder Mitbringsel von der Pilgerfahrt verkauften. Bei den regelmäßigen lokalen und regionalen Märkten oder gar auf den internationalen Messen einiger Städte flossen Waren und Güter aller Art zusammen, dazu die Neuigkeiten, Geschichten und Gerüchte aus aller Welt. Man konnte über nie Gesehenes staunen und aktuellste Nachrichten aufschnappen. Nicht oft, aber doch ab und an, kamen hochrangige Besucher in die Städte, Bischöfe und Fürsten, vielleicht gar ein Kaiser. Dann gab es etwas zu sehen und zu erleben, denn bei solchen Anlässen war die ganze Stadt auf den Beinen, um den hohen Herrschaften die Ehre zu erweisen und sich selbst als durchaus achtenswerte Gesellschaft zu zeigen. Schausteller, Musiker, fahrende Dichter und Sänger mochten in der Stadt ihr Glück versuchen und boten eine stete Abwechslung.

In diesem Gemenge von Rechts-, Wirtschafts- und Sozialstrukturen sowie einer sehr heterogenen, in sich stark differenzierten Bevölkerung bildete sich eine ständeübergreifende städtische Identität aus, in der aber gleichzeitig gesellschaftliche Hierarchien gewahrt blieben. Die städtische Gesamtgemeinschaft manifestierte sich sowohl in der politischen Verantwortung für die Gemeinschaft als auch in Formen kultureller Identitätsbildung. Ersteres zeigte sich zum einen in der Ausformung politischer Selbstverwaltungsorgane. Dazu zählten der Rat mit einem oder zwei Bürgermeistern an der Spitze, weitere beratende Gremien und ad hoc oder dauerhaft eingerichtete Ausschüsse, die zu bestimmten stadtübergreifenden Themen befragt wurden. Erste Ansätze solcher Selbstverwaltungsorgane lassen sich bereits im 12. Jahrhundert ausmachen; während des 13./14. Jahrhunderts erfuhren sie dann eine starke Erweiterung und Differenzierung. Zum anderen lag die militärische Verteidigung der Stadt in der Verantwortung der gesamten Einwohnerschaft, der, nach unterschiedlichen Kriterien wie Stadtviertel- oder Zunftzugehörigkeit, jeweils die Instandhaltung und im Kriegsfall die Verteidigung bestimmter Abschnitte der Wehranlagen oblag. Die kulturelle städtische Identitätsbildung wurde durch Feste und Feierlichkeiten unterstützt, etwa bei den Prozessionen zu Ehren des Stadtpatrons, den Umzügen in Erinnerung an städtische Siege oder die Wiederherstellung städtischer Ordnung nach inneren Auseinandersetzungen. Bei solchen Gelegenheiten zogen alle Einwohner in der vorgeschriebenen hierarchischen Ordnung zu allen wichtigen politischen und sakralen Stätten. In der Begehung machten sie sich auf diese Weise den Raum ihrer Stadt ebenso zu Eigen, wie sie die soziale Gliederung ihrer Gemein-

Die Ebstorfer Weltkarte (13. Jahrhundert)
Von Gott umfangen – so stellt sich die mittelalterliche Welt dem Gläubigen dar. Jerusalem und seine Heilsgeschichte bilden das geographische Zentrum, den Nabel der Welt, das Alte und das Neue Testament ihre frühe Geschichte, die Entwicklung von Städten und Reichen ihre spätere Geschichte, das antike Wissen wird an Interpretationen zur christlichen Heilslehre gekoppelt.

schaft bekräftigten. Innerhalb der städtischen Gemeinschaft fanden sich berufsständische, nachbarschaftliche und religiös motivierte Gruppierungen zusammen – die Gilden der Kaufleute, die Zünfte der Handwerker, die Bruderschaften, die Pfarrgemeinschaften. Der Einzelne konnte dabei in vielfacher Überschneidung mehreren dieser Gruppierungen zugehören.

Betrachtet man nun unter diesen Prämissen das religiöse Leben in den Städten, so kann man wohl von einer Intensivierung von Religiosität, Frömmigkeit und Glaubenspraxis ausgehen. Die Kirche im Dorf – sie existierte nicht immer oder war zumindest nicht immer für jeden erreichbar. Die Sicherung der Seelsorge in den Städten scheint dagegen ein wichtiges kirchliches Anliegen gewesen zu sein. Der ursprünglich religiöse Mittelpunkt einer städtischen Siedlung – eine Kapelle, eine Bischofskirche, ein Kloster, ein Heiligengrab – wandelte sich mit der Festigung städtischer Strukturen zur Pfarrkirche und wurde damit – neben seiner Bedeutung als geistliches Zentrum – zu einer Stätte sozialer Kommunikation. In den Pfarrkirchen wurde nicht nur die Messe gelesen und die Beichte abgenommen, nicht nur getauft und die Grabrede gehalten. Die Pfarrkirchen waren darüber hinaus Versammlungsstätten für die Mitglieder einer Pfarrgemeinde, sei es bei kirchlichen Veranstaltungen wie der sonntäglichen Messe oder bei privaten Anlässen wie den in der Kirche vollzogenen Rechtsakten. Die Vorhöfe der Kirchen wandelten sich oftmals regelmäßig zu Marktplätzen. Die Pfarrer waren nicht nur die geistlichen Betreuer und Seelsorger, sondern gleichzeitig schriftgelehrte Zeugen bei urkundlichen Beglaubigungen und aktive Vertreter bei Finanz- und Rechtsgeschäften. Und die Pfarrkinder suchten in jeder Form an ihrer Kirche teilzuhaben. Dies geschah nicht nur in der indirekten Form der nachbarschaftlichen Kontrolle, mit der alle Pfarrmitglieder den regelmäßigen oder sporadischen Kirchgang der anderen zur Kenntnis nahmen. Als einzelne Familien oder auch als eine Gruppe, die in Zunft, Gilde oder Bruderschaft organisiert war, sahen sie die Pfarrkirche in gewisser Weise als ihr Forum der Selbstdarstellung an. Stiftungen ermöglichten die Ausweitung des Messgeschehens in einer Kirche, Schenkungen ließen das kostbare Inventar der Sakristei anwachsen, die Einrichtung (und Finanzierung) von Altären, Bildern und bleiverglasten Fenstern erhöhte das öffentliche Ansehen einer Kirche ebenso wie derjenigen, die dafür verantwortlich zeichneten. Denn die Gönner einer Kirche blieben keinesfalls anonym. Ihre Gaben und Geschenke waren mit entsprechenden Verweisen versehen – mit Wappen, Inschriften, bildlichen Darstellungen. Sie bestätigten denen, die dafür gezahlt hatten, diesen Beitrag immer wieder neu, und setzten jeden, der sich in der gegebenen städtischen Ordnung auskannte, von diesen Leistungen und ihren Urhebern in Kenntnis.

Und doch: Bei weitem nicht für alle führte der Weg in die Stadt auch auf den Weg zu wirtschaftlichem Erfolg und sozialem Aufstieg. Gerade in den urbanen Gesellschaften existierten nur sehr eingeschränkte soziale Sicherungsnetze. Gilden und Zünfte suchten sie für ihre Mitglieder aufzubauen; ansonsten bestand anfänglich nur das christliche Gebot der Nächstenliebe, das die Gläubigen zu Spenden und Almosen für die Armen aufrief. Die Schere zwischen der Mehrzahl der Armen und der kleinen Gruppe der Reichen und Einflussreichen klaffte weit auseinander. Dabei muss man unterscheiden zwischen denjenigen, die mehr oder weniger regelmäßiger Arbeit nachgehen konnten, so dass ihre tägliche Nahrung gesichert war, wie Gesellen, fest angestellten Knechten, Mägden und Hausbediensteten, und solchen, die von Tag zu Tag ihre Arbeitskraft oder ihre dürftigen Waren neu anbieten mussten, wie Tagelöhner oder Höker, deren Einkünfte oftmals unter das Existenzminimum fielen. Beide Gruppen zusammen machten in manchen Städten des hohen und späten Mittelalters bis zu 60 % der städtischen Bevölkerung aus. Anders formuliert: Das biblische Gleichnis vom reichen Prasser und armen Lazarus war in den Städten gelebte Wirklichkeit. Der reiche Prasser saß in einem bequemen und geräumigen festen Haus und ließ sich von seinen Bediensteten am reich gedeckten Tisch aufwarten. Der arme Lazarus, in seiner Krankheit und Hinfälligkeit Sinnbild sowohl der armen Stadtbevölkerung wie der tatsächlichen Randgruppen, ist in diesem Leben abhängig von den mildtätigen Almosen der Reichen. Erst im nächsten Leben wird er in Abrahams Schoß Sicherheit und Geborgenheit finden, während der Reiche, der dem Armen die Tür gewiesen hat, für seine Missachtung des christlichen Gebots der Barmherzigkeit in der Hölle schmoren wird.

Die aktive, selbstbewusste Teilhabe am politischen und pfarrkirchlichen Leben einerseits und die täglich vor Augen stehende Gefahr der Verarmung andererseits erzeugte in der städtischen Bevölkerung eine enorme Spannung in der Auseinandersetzung mit ihrem christlichen Glauben. Denn darum ging es im geistlichen Bereich schließlich: um den rechten Weg im Glauben. Das, was das städtische Leben vielen Bürgern und Einwohnern abverlangte – Eigenverantwortung, Handlungsbereitschaft, Selbstbestimmung –, blieb ihnen im geistlichen Leben großenteils verwehrt. Die Liturgie wurde in Latein zelebriert, was nur wenigen Nichtgeistlichen geläufig war. Wenn man auch das heilige Geschehen über seine Zeichenhaftigkeit verstand, so blieb doch die Anwendung christlicher Glaubenslehrsätze für das eigene Leben diffus und stets gebrochen in der Auslegung durch die Geistlichkeit, die sich, so wurde es immer stärker empfunden, zwischen die Menschen und Gott stellte. Die Vermittlertätigkeit der Priester, als welche sie ursprünglich gedacht war, wurde mehr und mehr als Hindernis angesehen, um in direkten Kontakt zu Gott und Christus zu treten. Eines aber behielt man in Erinnerung aus den Predigten, Ermahnungen und Gesprächen mit den Priestern: Christus war arm gewesen, arm und barmherzig. Er zählte nicht zu den reichen Prassern. So würde man es in den Evangelien lesen können. Die Kirche und ihre Vertreter aber waren alles andere als arm. Päpste und Bischöfe lebten in prunkvollen Palästen, Mönche und Nonnen in gesicherten, bequemen Verhältnissen. Wie sollten diese in ihrer stolzen Selbstgewissheit noch die Vermittler zwischen Diesseits und Jenseits sein, wenn sie doch selbst so oft im Gegensatz zu den von ihnen gepredigten Lehren lebten? Solche Fragen und das Auflehnen gegen die kirchliche Vermittlerinstanz brachten den Fragenden den Verdacht der Häresie ein – das Abweichen von der gesicherten, kirchlich anerkannten Glaubenslehre. Und auf die Diskussionen um die rechte Auslegung des Glaubens in den Pfarrkirchen, auf den Marktplätzen

Die goldene Madonna des Stiftes Essen, Anfang 11. Jahrhundert
Als adelige und herrschaftliche Frau im goldenen Gewand – so sahen die reichen Damen des Stiftes Essen die Königin des Himmels und Mutter des göttlichen Sohnes – und vermutlich in verkleinerter Form auch sich selbst.

und den übrigen Treffpunkten der Städte bedurfte es ebenfalls einer kirchlichen Reaktion. Zu Beginn des 13. Jahrhunderts traten dann zwei Männer auf, die vom rechten Tun der Kirche durch ihr gelebtes Beispiel überzeugen konnten: Doménico Guzmán und Giovanni Bernadone, genannt Francesco, die Begründer des Dominikaner- und des Franziskanerordens.

Franziskus predigt den Vögeln (Ausschnitt)

XI.

Das Verlöbnis mit Frau Armut – die Bettelorden

Franz von Assisi – kein Händler mehr, ein Heiliger

Franz von Assisi, geboren 1181/82 als Giovanni Bernadone, war sicherlich kein strahlender Held, wohl aber eine charismatische Persönlichkeit. Ein geistlicher Lebensweg, gar die Bestimmung, der Begründer eines neuen Ordens zu werden, war ihm jedoch keineswegs in die Wiege gelegt. Hätte Giovanni Bernadone sich anders entwickelt, wäre der junge Mann, dessen frankophile Neigungen ihm den Namen Francesco eintrugen, ein angesehener Kaufmann und ein einflussreicher Bürger seiner Stadt geworden. Er stammte aus einer wohlhabenden Familie von Assisi, einer florierenden Stadt Mittelitaliens, und war in gesicherten finanziellen Verhältnissen aufgewachsen. Not und Elend, Hunger und die verzweifelte Sorge um den nächsten Tag, die so viele in den engen Gassen der dicht bebauten Städte umtrieb, waren ihm fremd. Er hatte die Schulen seiner Stadt besucht und als Heranwachsender keine Gelegenheit zu Festen und Feiern ausgelassen. Er war verschwenderisch mit seinem Geld umgegangen und hatte seine Freunde großzügig bewirten lassen, wie es in beredten Worten einer seiner ersten Biographen festhielt, damit die spätere Wandlung vom genuss- und prahlsüchtigen Lebemann zum demütigen und einfältigen Heiligen umso deutlicher ausfalle:

... mehr als alle seine Altersgenossen machte er üble Fortschritte in nichtigem Treiben und war ein gar übereifriger Anstifter zu bösen Streichen und Eiferer für die Torheit. Alle bewunderten ihn, und allen strebte er zuvorzukommen in Prunk und eitler Ruhmgier, in Scherzen, Späßen und Schnurren, in Wortgetändel und Liedern, in weichlichen und wallenden Kleidern, weil er sehr reich war; doch nicht geizig, sondern verschwenderisch, kein Anhäufer von Geld, sondern ein Verschleuderer des Reichtums, kein umsichtiger Kaufmann, aber ein leichtfertiger Verteiler; dabei war er jedoch ein sehr freundlicher, gewandter und leutseliger Mensch, wenn auch zu seinem Schaden; denn viele liefen ihm gerade deswegen nach, die Beifallklatscher bei bösen Streichen und Anstifter von Verbrechen. So schritt er einher, umringt von einem Schwarm von Bösewichten, stolz und hochfahrend, nahm seinen Weg mitten durch die Straßen Babylons ... (Thomas von Celano, Vita I, S. 78f.).

Seiner Familie machte er damit durchaus alle Ehre, denn das war es, was man von ihm erwartete: dass er sie in der Öffentlichkeit angemessen vertrat, ihren Reichtum im Erwerb von kostbarer Kleidung, teuren Luxusartikeln und großzügigen Geschenken gegenüber seinen Freunden und Begleitern zum Ausdruck brachte und sich durch sein ganzes Auftreten als Spross einer der führenden Gruppen der Stadt gerierte. Bereits als junger Mann war er der Partner im Geschäft des Vaters und wäre wohl schließlich sein Nachfolger geworden.

Aber es kam anders. Als die beiden konkurrierenden Städten Assisi und Perugia wieder einmal die Waffen gegeneinander erhoben, wurde Francesco im Zuge der Kampfhandlungen gefangen genommen und für etwa ein Jahr eingekerkert. Möglicherweise war es diese nie zuvor gemachte Erfahrung von Hunger und Durst, Enge und Dreck, Einsamkeit und Verzweiflung, die ihn an seiner bisherigen Lebensperspektive zweifeln ließ. Er hatte sich während seiner Gefangenschaft in Perugia deutlich verändert. Visionen, Bilder und Träume setzten ihm zu, in denen er aufgerufen wurde, sich für Gottes Werk einzusetzen und sein verfallendes Haus wieder aufzubauen. Zunächst nahm er diese Anweisung wörtlich und begann, mit eigenen Händen die Kirche von St. Damiano, etwas später dann die von Portiuncula wieder herzurichten. Dort soll er auch im Zuge einer Predigt erkannt haben, welches von nun an die für ihn gültige Lebensweise sein sollte:

Als der heilige Franziskus hörte, dass die Jünger Christi nicht Gold oder Silber noch Geld besitzen, noch Beutel, noch Reisetasche, noch Brot, noch einen Stab auf den Weg mitnehmen, noch Schuhe, noch zwei Röcke tragen dürfen, sondern nur das Reich Gottes und Buße predigen sollen, frohlockte er sogleich im Geiste Gottes und sprach: „Das ist's, was ich will, das ist's, was ich suche, das verlange ich aus innerstem Herzen zu tun." Deshalb

Tafelbild in der Bardi-Kapelle von Santa Croce in Florenz mit Szenen aus dem Leben des hl. Franz (Tafelbild von Berlinghieri)
Bereits im 13. Jahrhundert verehrten die städtischen Gläubigen Franziskus als einen ihrer populärsten Heiligen, und die bildenden Künstler hielten sich in ihren Darstellungen an die bekanntesten Szenen.

macht sich der heilige Vater, von Freude überströmend, eilig an die Ausführung des heilsamen Wortes und duldet keine Verzögerung mehr, mit ganzer Hingabe die Verwirklichung dessen zu beginnen, was er eben gehört. Allsogleich löst er die Schuhe von den Füßen, legt den Stab aus der Hand und, zufrieden mit einem einzigen Habit, vertauscht er den Ledergürtel mit einem Strick. Darauf richtet er sich den Habit in Form des Kreuzes zurecht, damit er in ihm alle teuflischen Trugbilder abwehre; er macht ihn aus rauestem Stoff, um in ihm schließlich recht armselig und schmucklos auszusehen, dass er der Welt in keiner Hinsicht begehrenswert erscheinen könne. Das Übrige aber, was er gehört, begehrte er mit größter Sorgfalt und mit höchster Ehrfurcht zu tun. Er war ja kein tauber Hörer des Evangeliums, sondern behielt alles, was er hörte, in seinem rühmenswerten Gedächtnis und mühte sich, es auf den Buchstaben sorgfältig zu erfüllen (Thomas von Celano, Vita I, S. 96 f.).

Seine drastische Wandlung in seinen Worten wie in seinen Taten trug ihm anfänglich keinerlei Anerkennung, sondern nur größte Ablehnung ein:

Bei seinem Anblick fingen alle, die ihn kannten, an, indem sie das Einst und Jetzt verglichen, ihm harte Vorwürfe zu machen. Sie hießen ihn einen Verrückten und Wahnsinnigen und bewarfen ihn mit Straßenkot und Steinen. Sie sahen, wie sein früheres Benehmen sich verändert hatte, wie er durch Kasteiung des Fleisches ganz abgezehrt war, und schrieben deshalb sein ganzes Treiben der Erschöpfung und dem Wahnsinn zu (Thomas von Celano, Vita I, S. 86 f.).

Schließlich aber entschied er sich definitiv für den Ausstieg aus seiner bisherigen sozialen Umgebung und für ein Leben in der Nachfolge Christi: *vita apostolica*. Seinen Entschluss machte er in einem offiziellen Akt unumstößlich. So wie er früher seine Familie in der Öffentlichkeit repräsentiert hatte, so demonstrativ setzte er sich nun von ihr ab, indem er sich von seinem Vater lossagte, ihm seine Kleider zurückgab und sich in die Obhut des Bischofs der Stadt begab.

Heiligkeit in Wort und Bild – Celanos Vita und Giottos Imagination

In der Oberkirche von Assisi, die als seine Grabeskirche natürlich dem heiligen Franziskus geweiht ist, stellt ein Zyklus von Fresken das Leben des Heiligen dar. Eine Vita in Bildern erzählt seine Geschichte: die Konversion, die Bekehrung zu einem anderen Leben, die Abnabelung von familiären Bindungen, die von Franziskus eigentlich gar nicht angestrebte Bildung einer großen Gefolgschaft, die päpstliche Approbation für die Lebensweise dieser Gemeinschaft, die weiteren Taten Franz', die ihn im Spannungsfeld zwischen seinem individuellen Weg und seiner Aufgabe als Führer einer Gefolgschaft zeigen, sein Tod 1226, die Reaktionen seiner Brüder darauf und schließlich seine Aufnahme in den Himmel. Der meisterliche Maler dieser Bildergeschichte, Giotto di Bondone (um 1267–1337), verewigte mit seinen Schülern etwa siebzig Jahre nach dem Tod des bereits 1228 heilig gesprochenen Franz solche Szenen, die ihre Betrachter künftig als Schlüsselszenen, als die wichtigsten Stationen im Leben des Heiligen von Assisi ansehen würden: „Diese neue Fassung des Franziskuszyklus erreicht eine erstaunliche Verbindlichkeit und wird mehr als ein halbes Jahrhundert hindurch als vorgeprägtes Standardprogramm in zahlreichen Klosterkirchen eingesetzt" (Blume, Malerei, S. 107 f.). Der Freskenzyklus in der Oberkirche von Assisi ist von daher das Beispiel für die Nutzung von publikumsorientierter Wandmalerei als kommunikatives Mittel zur Weitergabe von Informationen und zur Verbreitung der franziskanischen Ordensideologie durch Bildprogramme. Die ebenfalls bekannten schriftlichen Viten boten für diese Programme die Vorlage. Die dort verwendeten Sprachbilder interpretierten sie jedoch in einer eigenen Bildsprache. Giotto bezog sich auf die verschiedenen Lebensbeschreibungen, die über Franziskus im Umlauf waren (vgl. dazu unten); die folgenden Zitate, die als schriftliche Vorlage zur Einordnung des jeweiligen Bildes gelesen werden könnten, stammen aus der ersten Vita des Franziskanerbruders Thomas von Celano.

Giotto hat es verstanden, die Taten des heiligen Franziskus in ihr gesellschaftliches Umfeld einerseits einzufügen und andererseits sein individuelles Denken und Fühlen, seine innere Persönlichkeit anschaulich zu machen. Deutlich unterscheiden sich solche Szenen, die er in der Öffentlichkeit urbanen Ambientes stattfinden lässt, von denen, die er in einer natürlichen, wenn auch durch die künstlerische Perspektive gestalteten Landschaft ansiedelt. In der von Menschen errichteten Architektur wird auch das menschliche Miteinander behandelt, in der natürlichen Umgebung eher die Bemühung Franz' um Selbstfindung und Gewinnung einer eigenen inneren Überzeugung. Entsprechend wechselt auch die Zahl der jeweils an den Szenen beteiligten Personen.

Besonders eindrucksvoll erscheint dieses Wechselspiel in der Szene des Verzichts auf alle irdischen Güter und der so genannten Vogelpredigt, die in der Rezeption der Gläubigen zum Inbegriff franziskanischen Fühlens und Denkens geworden ist.

Der Verzicht auf die irdischen Güter findet in dem bereits erwähnten öffentlichen Akt in Assisi statt. Der wütende Vater, in dessen Augen der Sohn dabei war, das Familienvermögen zu veruntreuen, *schleppte ihn vor den Bischof der Stadt, damit er in dessen Hände auf sein ganzes Vermögen verzichte und alles zurückgebe, was er habe. Dem stimmte Franziskus nicht nur freudig zu, vielmehr beeilte er sich voll Freude, die Forderung mit bereitwilligem Herzen zu erfüllen. Vor den Bischof geführt, duldete er weder Aufschub noch irgendeine Verzögerung, ja, nicht einmal Worte wartete er ab, noch sprach er solche, sondern legte sofort all seine Kleider ab, warf sie hin und gab sie dem Vater zurück. Nicht einmal die Hose behielt er zurück, vollständig entblößte er sich angesichts aller. Als aber der Bischof seine Entschlossenheit bemerkte, erhob er sich allsogleich voll hoher Bewunderung für seinen glühenden Eifer und seine Standhaftigkeit, schloss ihn in seine Arme und bedeckte ihn mit dem Mantel, den er trug. Klar sah er ein, dass der Entschluss von Gott komme, und er erkannte, dass das Tun des Mannes Gottes, das er mit eigenen Augen gesehen, ein Geheimnis in sich berge. Daher wurde er von nun an sein Beschützer und Gönner, der ihn ermutigte und mit innigster Liebe umfing* (Thomas Celano, Vita I, S. 89f.).

Der hl. Franz verzichtet auf alle irdischen Güter und sagt sich von seiner Familie los; Fresko von Giotto

Giotto hat sein Freskenbild demonstrativ zweigeteilt. Ein Riss geht durch die versammelte Menge ebenso wie im Hintergrund durch die städtische Architektur, ja, die von oben in den Spalt und auf Franziskus weisende Hand Gottes scheint selbst an diesem Riss beteiligt zu sein. Die Architektur im Hintergrund, die sich an der Realität der italienischen Städte orientiert, zeigt dem Betrachter eine reiche Stadt. Die Gebäude ragen mehrere Etagen hoch auf. Die äußeren Treppenaufgänge sind mit antikisierenden Säulen und geschnitzten Geländern reich verziert, Loggien ermöglichen einen Blick vom Haus ins Freie, die Außenwände der Häuser sind dezent mit

Die Vogelpredigt

Malereien oder Reliefs verziert. Das linke rote Gebäude erinnert an die Wohntürme der ober- und mittelitalienischen Städte; der Eindruck einer Festung wird nur gemildert durch den äußeren Treppenaufgang. Auch durch die versammelten Menschen geht ein Riss. Die linke Gruppe umfasst patrizische Einwohner aller Altersgruppen, wohl betucht, aber nicht festlich gekleidet. Doch die Farbigkeit der Gewänder und die hier und da pelzverbrämten Kappen oder Kragen machen schon deutlich, dass es sich nicht um die Armen der Stadt handelt. Der Erste der Gruppe ist der Vater von Franz in langem goldfarbenen Gewand. Er muss gewaltsam von einem der Hinteren zurückgehalten werden, um sich nicht voller Wut auf seinen Sohn zu stürzen, der sich bereits seiner Kleider entledigt hat – der Vater trägt sie über dem Arm – und der sich einen anderen Vater erwählt hat, dessen Hand sich ihm aus dem Himmel entgegenstreckt. Der junge Mann, dem der Maler bereits hier einen Heiligenschein verliehen hat, stünde ganz nackt da, wenn nicht der Bischof der Stadt, kenntlich an seiner Bischofsmütze mit dem goldgewirkten Saum, schnell ein graublaues Tuch um seine Lenden geschlungen hätte, um den Anstand von Scham zu wahren. Hinter dem Bischof stehen noch weitere Kleriker, ausgewiesen durch ihre Tonsur. In ihre Gruppe hat sich Franziskus nun eingereiht. Jedoch, Franziskus ist in der Tat der Einzige, dessen Gestalt Armut und Mittellosigkeit vermittelt. Alle anderen tragen lange, faltenreiche, bunte Gewänder, die Patrizier ebenso wie die Kleriker. Franziskus hat auf der Seite der Kleriker äußeren Schutz gefunden, ihre Einstellung zu einem repräsentativen kirchlichen Leben teilt er aber sein Leben lang nicht.

Dies wird deutlich in dem so ganz anderen Szenenarrangement der Vogelpredigt. Bei einer Wanderung durch das Spoletotal *war eine überaus große Schar von Vögeln verschiedener Art versammelt, Tauben, kleine Krähen und andere, die im Volksmund Dohlen heißen. Als der hochselige Diener Gottes Franziskus sie erblickte, ließ er seine Gefährten auf dem Wege zurück und lief rasch auf die Vögel zu. War er doch ein Mann mit einem überschäumenden Herzen, das sogar den niederen und unvernünftigen Geschöpfen in hohem Grade innige und zärtliche Liebe entgegenbrachte. Als er schon ziemlich nahe bei den Vögeln war und sah, dass sie ihn erwarteten, grüßte er sie in gewohnter Weise. Nicht wenig aber staunte er, dass die Vögel nicht wie gewöhnlich auf- und davon flogen. Ungeheure Freude erfüllte ihn, und er bat sie demütig, sie sollten doch das Wort Gottes hören. Und zu dem Vielen, das er zu ihnen sprach, fügte er auch Folgendes bei: „Meine Brüder Vögel! Gar sehr müsst ihr euren Schöpfer loben und ihn stets lieben; er hat euch Gefieder zum Gewand, Fittiche zum Fluge und was immer ihr nötig habt, gegeben. Vornehm machte euch Gott unter seinen Geschöpfen, und in der reinen Luft bereitete er euch eure Wohnung. Denn weder säet noch erntet ihr, und doch schützt und leitet er euch, ohne dass ihr euch um etwas zu kümmern braucht." Bei diesen Worten jubelten jene Vögel, wie er selbst und die bei befindlichen Brüder erzählten, in ihrer Art wunderbarerweise auf und fingen an die Hälse zu strecken, die Flügel auszubreiten, die Schnäbel zu öffnen und auf ihn hinzublicken. Er aber wandelte in ihrer Mitte auf und ab, wobei sein Habit ihnen über Kopf und Körper streifte. Schließlich segnete er sie und, nachdem er das Kreuz über sie gezeichnet hatte, gab er ihnen die Erlaubnis, irgendwo anders hinzufliegen. Der selige Vater aber wandelte mit seinen Gefährten freudigen Herzens seines Weges und dankte Gott, den alle Geschöpfe mit demütigem Lobpreis verehren* (Thomas Celano, Vita I, S. 133f.).

Giottos Franziskus ist nun nicht mehr der rot gelockte Jüngling, sondern ein reifer bärtiger Mann mit tonsuriertem Haupt, gewandet in eine weite, braune Kapuzenkutte, die von einem dreimal geknoteten Strick zusammengehalten wird. Barfüßig steht er in einer weiten, offenen Hügellandschaft, eingerahmt von zwei blühenden Bäumen. Begleitet ist er nur von einem weiteren sandalenbeschuhten Mann in Mönchsgewand, der ihm zusieht und wie in Abwehr gegenüber dem Betrachter die Hand erhoben hat, auf dass Franziskus nicht gestört werde. Denn dessen Aufmerksamkeit ist ganz auf die gefiederte Versammlung vor ihm gerichtet, die sich durch herbeifliegende Vögel noch stetig vergrößert. Er spricht mit ihnen, seine Hände sind in beredter Geste ihnen zugewandt. Seine rechte Hand weist auf eine herbeifliegende weiße Taube, fast als wolle er den Vögeln deutlich machen, dass auch sie Teil dieser Gruppe seien, die der Heilige Geist verkörpert. Franziskus ist allein mit den Tieren, sie sind seine Kommunikationspartner, seine Freunde, seine Brüder und Schwestern. So hat er es wenige Jahre vor seinem Tod in dem berühmten – volkssprachigen – Sonnengesang formuliert, der in einfachen, klaren Worten die göttliche Schöpfung preist, nicht nur den Menschen als Krönung von Gottes Werk, sondern alles, was auf der Erde geschaffen wurde, auf dass die Menschen darin gleichzeitig Gottes Liebe und seine Allmacht erkennen und preisen sollen. Sonne und Mond, Sterne und Wind, Tiere und Pflanzen, ja selbst der Tod des Menschen sind Abbilder von Gottes Liebe für seine Schöpfung. So sieht und so formuliert es Franziskus:

Herr Gott, ich preise Dich im stillen
um deiner Werke Pracht,
insonderheit der goldnen Sonne willen,
die du gemacht!
Denn schön ist meine königliche Schwester,
gibt Morgenrot und Mittagshelligkeit,
den Abendhimmel als der Künstler bester
malt sie mit glühenden Farben allezeit.
Des Lenzes Blüten und des Sommers Aehren,
des Herbstes Trauben dank ich ihr,
kein anderes Geschöpf zu deinen Ehren,
spricht lauter mir.

Herr Gott, ich preise dich im stillen
um deiner Werke Pracht,
des Bruder Mondes und der Sterne willen,
die du gemacht!
Denn sie verklären meiner Nächte Dunkel,
und Frieden trinkt das Herz,
blick ich empor, löst freundlich ihr Gefunkel
mir jeden Schmerz.
Ich schau das Bild der Ewigkeiten
im Sternenschein,
und nimmer kann im Wandel ich der Zeiten
ganz ungetröstet sein.

Herr Gott, ich preise Dich im stillen
um Deiner Werke Pracht,
und um der Luft, der holden Schwester willen,
die du gemacht!
Sie blickt mit sanftem Auge zu mir nieder,
umkost mich lind
und tränkt mit Lebensodem meine Glieder
im Sommerwind.
Sie trägt die Wolken über alle Länder
mit mütterlichem Sinn
und läßt sie Regen träufeln, Segensspender,
zur Erde hin.

Herr Gott, ich preise dich im stillen
um Deiner Werke Pracht,

und um des Feuers, meines Bruders, willen,
das du gemacht!
Denn, schön und stark, weiß er die Kraft der Erze
zu bändigen in seiner roten Glut,
demütig, milde, leuchtet mir die Kerze,
in treuer Hut
erwärmt er meine winterliche Zelle,
bereitet mir das Mahl,
verscheucht die Dunkelheit mit froher Helle
aus Kammer, Gang und Saal.

Herr Gott, ich preise Dich im stillen
um Deiner Werke Pracht,
auch um des Wassers, meiner Schwester, willen,
das Du gemacht!
Denn sie ist keusch und aufrichtig von Herzen,
und alles Schöne nimmt sie freudig auf,
verklärt's durch rhythmisch-heitres Spiel und Scherzen
im Wellenlauf.
Dem Wandrer labt sie in der Sonne Gluten
der Zunge Trockenheit
und kühlt die Glieder wohlig in den Fluten
ihm hilfsbereit.

Herr Gott, ich preise dich im stillen
um Deiner Werke Pracht,
vor allem um der Mutter Erde willen,
die Du gemacht!
Der schöngegürtet, ewig-wunderbaren,
die Gras und Kräuter, Busch und Baum,
die Tiere schuf, vom kleinsten unsichtbaren
bis zu den Riesen tief im Meeresraum.
Sie hat auch meinen schwachen Leib gestaltet,
der wehrlos scheint und dennoch seine Hand
zum Werkzeug aller Werkzeuge entfaltet,
und mit der Zunge leicht das Wort gesandt
in eines andern Brust, dass ein Gedanke
mit mir ihn eint, ein Ton aus beiden klingt
und so zuletzt ein Werk zum Danke
aus zweier Menschen Doppelkraft entspringt.

Ich Gott ich preise Dich im stillen
um Deiner Werke Pracht,
um aller Heiligen und Weisen willen,
die rühmen Deine Macht!
Der Brüder mild, mit sanften Händen,
die jene, die sie hassten, nur geliebt,
und jenen, die da fluchten, Segen spenden,
im Leid geübt.
Die dankbar Dich mit hohem Sinn verehrten
und unverwandt,
lag schwer mitunter auch auf den Bekehrten,
Herr, Deine Hand.

Herr Gott, ich preise Dich im stillen
um Deiner Werke Pracht,
auch um der Schmerzen und des Todes willen,
die Du erdacht!
Denn unsre Trauer wird zur Freude wenden
sich einst im Zeitenlauf,
schließt Bruder Tod uns erst mit stillen Händen
des bessern Lebens Pforte auf.
Und selig die, so in dem Herren sterben
ohn Furcht noch Graun,
sie werden froh die Ewigkeit erwerben
und keinen zweiten Tod mehr schaun.

(Nach der Übertragung von Franz Brentano)

Dieser Hinwendung zu einer allumfassenden, über den Menschen weit hinausgehenden Schöpfung ist es wohl auch zu verdanken, dass politische oder soziale Bewegungen, die im weitesten Sinne ein „Zurück zur Natur" auf ihr Programm schreiben, immer wieder aufs Neue diesen mittelalterlichen Heiligen für sich entdecken, der den Tieren predigte und mit dem Wind sprach. Er hat bis heute nichts von seiner Faszination verloren, wie es die kontinuierliche Beschäftigung in Publikationen für ein wissenschaftliches wie für ein allgemein historisch oder theologisch interessiertes Publikum zeigt.

Zwischen der Lösung von familiären Bindungen und dem Bekenntnis zu Gottes Schöpfung im Sonnengesang liegen die Entwicklungsschritte des Ordens der Franziskaner, wie sie Giotto gemalt und wie sie die schriftlichen Viten des Franziskus von Assisi und die historische Forschung rekonstruiert haben. Auch in diesen Szenen, die dazwischen liegen, bleibt die Spannung zwischen einer unruhigen, zerrissenen urbanen Welt und einer ruhigen, ausgeglichenen Natur bestehen. So wiederholt sich der ‚Riss', der bereits durch Assisi ging, als sich Franz von seinem Vater lossagte,

Vertreibung der Teufel aus Arrezzo

Das Wasserwunder

in der „Vertreibung der Teufel aus Arrezzo". Erneut gliedert sich das Fresko in zwei Bereiche: Links steht eine große Kirche aus weißem Marmor. Ganz unten am linken Bildrand kniet demütig betend Franziskus. Der vor ihm stehende Bruder weist mit der rechten Hand aufgeregt nach oben. Dort, im rechten Teil des Bildes kreisen in wildem Flug rotbraune und graue geflügelte Teufel über den Dächern einer Stadt, bereit, dort einzufallen. Diese Stadtdarstellung weist die typischen Merkmale einer italienischen Stadt des hohen Mittelalters auf: Starke, zinnenbekrönte und mit regelmäßigen Schießscharten versehene Mauern aus Buckelquadern schützen sie, mehrere relativ enge Tore gewähren Einlass. Die Stadt ist bis zu den Mauern hin dicht bebaut, die roten, gelben, blauen und weißen Häuser scheinen sich übereinander zu stapeln. Aus den mehrgeschossigen Wohnhäusern ragen einige Wohntürme heraus, über allen erhebt sich der verzierte rote Turm, vermutlich das Rathaus, mit einer Glockenvorrichtung an der Spitze. Man sieht nur die reichen Häuser der Stadt, die ärmlichen Hütten, die sich dicht an die Stadtmauern drückten, die muffigen, kalten und feuchten Kellerräume, in denen manch eine arme Familie wohnte, erscheinen auf dem Fresko nicht. Über ihnen kreisten aber auch nicht die Teufel – diejenigen, die zu den Lastern von Gier und Neid, Habsucht, Verfressenheit und Stolz verführten. Diese Teufel versuchten nur die Reichen in ihren prachtvollen Häusern. In Giottos Fresko bannt Franz diese Dämonen und vertreibt sie aus der Stadt.

In einer anderen Szene dagegen ist Franziskus mit nur wenigen Gefährten über Land unterwegs.

Als der Bauer, der den Mann Gottes begleitete – es war zur Sommerzeit – bergan steigen musste und vom ziemlich holperigen und langen Weg ermüdet war, kam er durch den brennenden Durst von Kräften und wurde matt, noch bevor sie an Ort und Stelle kamen. In einem fort schrie er hinter dem Heiligen her und bat ihn, er möge sich doch seiner erbarmen; er müsse sterben, beteuerte er, wenn er sich nicht mit einem Trunk stärken könne. Der Heilige Gottes, der immer Mitleid mit den Bedrängten hatte, sprang unverzüglich vom Esel, kniete auf die Erde nieder, erhob die Hände zum Himmel und hörte nicht auf zu beten, bis er sich erhört wusste. „Lauf", sprach er zum Bauern, „dort drüben wirst du sprudelndes Wasser finden, das dir Christus erbarmungsvoll zu dieser Stunde zum Trinken aus dem Felsen hervorbrechen ließ!" Staunen erregende Herablassung Gottes, die sich so bereitwillig zu seinen Dienern herabneigt! Kraft des Beters konnte der Bauer Wasser aus dem Felsen trinken und seinen Trunk schöpfen aus härtestem Gestein. Kein Wasser floss dort zuvor, und auch nachher konnte man trotz sorgfältiger Nachforschungen keines finden (Thomas von Celano, Vita II, S. 265).

Die bergige, felsige Gegend ist trocken, der Boden wie verbrannt. Wenige Bäume halten sich auf vereinzelten Vorsprüngen. Und doch wirkt die Szenerie keineswegs bedrohlich. Franziskus hat zwei Mönche bei sich, die einen Esel zwischen sich führen, den ein sie begleitender Bauer zur Verfügung gestellt hat. In der kargen Gegend hat Franziskus für den Bauern, der unter großem Durst leidet, Gott um Wasser gebeten. Und noch während er betet, wird er erhört und ein heller Quell strömt aus einem der Felsen. Der Bauer hat sich auf die Erde geworfen und trinkt so gierig wie ein Verdurstender vom fließenden Wasser, dass es ihm bereits an Bart und Hals herunterläuft. Franziskus hat sich wieder einmal zu Recht auf Gottes Gaben für die Natur und ihre Geschöpfe verlassen.

Wunsch nach Individualität und Zwang zur Gruppenbildung

Franziskus Lossagung vom Vater war ein spektakulärer Akt. Er geschah nicht nur in der Öffentlichkeit, sondern wurde auch von einem städtischen Publikum rezipiert. Seine Lebensvorstellung, ausschließlich nach den Gesetzen des Evangeliums zu leben, fand Befürworter, und sein Leben in größter Einfachheit und völlig im Gegensatz zu den Verpflichtungen, wie sie gesellschaftliche Bindungen mit sich brachten, erregte Bewunderung und machte ihn zu einer anziehenden Persönlichkeit. Einige Jahre, nachdem er sein apostolisches Wanderleben begonnen hatte, reiste er 1209/10 im Gefolge des Bischofs von Assisi mit elf seiner Anhänger nach Rom, um dort für seine Lebensweise die päpstliche Anerkennung zu erbitten, die Innozenz III. ihm auch mündlich gewährte. Dies war der Start für einen stetig wachsenden Orden, dessen Mitglieder, so drückte es Burchard von Ursperg in seiner Chronik aus, *apostolicae sedi in omnibus obedientes* waren, die also dem Apostolischen Stuhl in allem Gehorsam leisteten.

Franziskus selbst blieb bis zu seinem Tod für seine Gemeinschaft die geistige Leitfigur, auch wenn die Entwicklung der Gemeinschaft zum Orden und der Lebensweg von Franziskus durchaus nicht immer parallel liefen. Er selbst war noch an der Integration eines weiblichen Zweiges in den Orden beteiligt. Clara di Favarone, ein junges Mädchen aus reichem Haus und angesehener Familie in seiner Heimatstadt Assisi, war so sehr von seinem Lebensweg überzeugt, dass auch sie ihn bedingungslos beschreiten wollte. Doch letztendlich versagte sich Franz den Bitten dieser Frau. Er gestattete ihr zwar ein monastisches Leben und brachte sie mit weiteren Anhängerinnen aus anderen patrizischen Familien gegen den Willen ihrer Verwandten im Benediktinerinnenkloster von Assisi unter. Keinesfalls aber wollte er ihr das erlauben, was den männlichen Zweig des Franziskanerordens in seinem Kern ausmachte – das Wirken in der Öffentlichkeit, in der ruhelosen Wanderung, in der Predigt und der karitativen Arbeit.

Franziskus begab sich während der nächsten Jahre auf Missionsreisen nach Dalmatien, Marokko, Spanien und Ägypten, stets in Begleitung von nur wenigen weiteren Brüdern. Seine innere Überzeugung war so stark, dass er sogar – wenn auch erfolglos – vor dem Sultan von Ägypten predigte. In der Zeit zwischen 1209/10 – der päpstlichen Anerkennung ihrer Lebensweise – und 1221 war Franziskus nominell der Leiter des neuen Ordens. Doch auf der einen Seite zählten Administration und politische Taktik wohl nicht zu Franziskus' Stärken, und auf der anderen Seite war genau dies gefragt, um die wachsende Anhängerschaft zu organisieren. 1221 legte Franziskus die Leitung des Ordens nieder und zog sich, weiterhin als geachteter spiritueller Lehrer, aber eben nicht mehr mit der Bürde der alltäglichen Organisation belastet, in die Einsamkeit zurück. Kurz vor seinem Tod während einer längeren Fastenzeit erlebte er wohl die Stigmatisation. Er versenkte sich so sehr in die Betrachtung von Christi Leiden, dass an seinem eigenen Körper die Wundmale des Gekreuzigten sichtbar wurden. Er verheimlichte diese Erlebnis bis zu seinem Tod, so dass die

Franz und Clara von Assisi
Franz und Clara von Assisi bilden ein typisches Paar des mittelalterlichen monastischen Lehrer-Schülerinnen-Verhältnisses.

Male erst bei der Totenwaschung auffielen. Franz litt an verschiedenen Krankheiten, die ihn pflegebedürftig machten, so dass ihn stets ein Bruder als Betreuer begleitete. Er starb 1226 und wurde bereits wenige Jahre nach seinem Tod durch Papst Gregor IX. heilig gesprochen.

Die Viten und ihre Instrumentalisierung

Vieles von dem, was bereits die Zeitgenossen über Franziskus wussten, hatten sie durch seine frühen Anhänger erfahren, zum Beispiel durch Bruder Leo, jenen ständigen Begleiter und Betreuer, den auch noch Giotto als Augenzeugen von Franziskus Leben auf den Fresken von Assisi ins Bild setzte. Bruder Leo war kein einfältiger Diener, sondern offenbar einer, der sich über die zukunftsträchtige Bedeutung dessen, den er begleitete, im Klaren war. Denn er machte über das, was er mit Franziskus erlebte, Tagebuchnotizen, so dass man bei Franziskus Tod nicht nur Zeitzeugen für sein Leben und Wirken hatte, sondern sogar einen Chronisten. Die Tagebuchnotizen Bruder Leos sind nur noch in einer Sammelabschrift von 1318 erhalten, dem *Speculum perfectionis*. Aber ihr Inhalt ist in die Viten eingegangen, die bereits im 13. Jahrhundert das Leben des heiligen Franziskus beschrieben, in die beiden Lebensbeschreibungen des Franziskanerbruders Thomas von Celano (1200–1255) und die viel zitierte *Legenda maior* von ca. 1260 des gelehrten und berühmten Ordensgenerals Bonaventura, der später selbst heilig gesprochen wurde. Der Orden der Minderen Brüder, wie sich die Anhänger von Franziskus selbst nannten, brauchte sich keinen Heiligen zu erschaffen, schließlich war die Kanonisation, also die nach einem offiziellen Prüfungsverfahren päpstlicherseits gebilligte Heiligsprechung, bereits zwei Jahre nach dem Tod des ersten Ordensgenerals erfolgt. Aber eine Vita des *poverello*, des kleinen Armen von Assisi, war die überzeugendste Lehre über die Inhalte des franziskanischen Ordenslebens schlechthin. Man musste sie aber auch den geographischen Besonderheiten der Klosterstandorte und den sich ändernden zeitlichen Umständen anpassen – insbesondere mit Blick auf die Positionen zum Armutsideal. Alle frühen überlieferten Viten folgen den bekannten Schemen zur Abfassung eines Heiligenlebens – Herkunft, Geburt, Sozialisation, Ausbildung, Konversion, Taten, Tod und bekannte Wunder des Verstorbenen –, aber sie unterscheiden sich doch deutlich in ihrem Tenor.

Der franziskanische Ordensbruder Thomas von Celano erhielt bereits kurz nach der Heiligsprechung des Franziskus den päpstlichen Auftrag, eine Vita des Heiligen zu verfassen, so wie er 1255 noch einmal von Seiten des Heiligen Stuhls um die Abfassung einer Vita der heiligen Clara gebeten wurde. Diese erste Lebensbeschreibung von Franziskus (Vita I) betont besonders die drastische Wandlung vom jungen, Prunk und Luxus liebenden Lebemann zum demütigen, sich selbst verachtenden Armen, dessen vorrangiges Ziel die Barmherzigkeit am Mitgeschöpf war. 1244 erhielt Thomas von Celano erneut den Auftrag, eine Lebensbeschreibung des heiligen Franziskus aufzusetzen, dieses Mal jedoch von Seiten des Generalkapitels des Ordens. In dieser Vita II ist die Heiligkeit des Ordensgründers seit seiner frühesten Kindheit, ja in der Überzeugung der Mutter bereits vor seiner Geburt, angelegt und seine jugendlichen Ausschweifungen lassen sich darauf zurückführen, dass er sich seiner patrizischen Umgebung anpasste. Auch die Auseinandersetzung um das Verständnis von Armut zeigte erste Spuren, legte doch Thomas von Celano dem Heiligen eine Differenzierung von Besitz und Gebrauch materieller Güter in den Mund.

Knapp zwanzig Jahre später akzeptierte das Generalkapitel der Franziskaner offiziell die beiden Fassungen einer Vita, zu der es 1260 den Ordensgeneral Bonaventura beauftragt hatte. Die längere Fassung sollte der klösterlichen Tischlesung dienen, die kürzere im Chordienst Verwendung finden. Der gelehrte Bonaventura suchte mit seiner Vita des heiligen Franziskus die Schärfe aus der Armutsdiskussion herauszunehmen: Die Armut des Einzelnen wurde zwar befürwortet, ebenso die Armut des Ordens, aber nicht um jeden Preis und schon gar nicht um den Preis der

Der hl. Franz empfängt die Stigmata (Glasfenster)

Spaltung des Ordens oder des Bruchs mit der katholischen Kirche. Die Ordensführung sah in der Verschärfung der Auseinandersetzungen eine solche Gefahr, dass nach Beschluss des Generalkapitels von 1266 die beiden früher gültigen Viten des Thomas von Celano vernichtet werden sollten. Auch die später folgenden Schriften – und auch ihre Redaktionen – zum Leben des heiligen Franziskus müssen jeweils vor diesem Hintergrund des Stands in der Auseinandersetzung um das Armutsideal gesehen werden (dazu s. unten S. 183).

Sanftmütig, friedfertig und bescheiden – die franziskanische Lebensregel

Die erste schon 1209/10 von päpstlicher Seite mündlich approbierte Regel betonte vor allem die Demut der Minderbrüder und ihren Wunsch, dem Vorbild Christi in all ihren Werken zu folgen. Es waren Überlegungen, die sich aus Passagen der Bibel speisten, allerdings die meisten Fragen des praktischen Lebens unberücksichtigt ließen. Von daher stellten sie eher ein Bekenntnis dar als eine Lebensregel, die dazu geeignet gewesen wäre, eine größere Gruppe von Menschen gleicher Gesinnung in ihrem Alltag zu organisieren. Noch 1221 spiegelte sich dies in den 24 Artikeln der nun schriftlich fixierten *regula non bullata*, die also noch keine päpstlich besiegelte Bestätigung erhalten hatte (*bulla:* herrschaftliches Siegel). 1223, als Franziskus bereits von der Leitung des Ordens zurückgetreten war, straffte man die Regel der Minderen Brüder. Die 24 Artikel zog man auf 12 zusammen, die nun auch Fragen zur Organisation des Ordensalltags behandelten. Am 29. November 1223 wurde sie durch eine päpstliche Bulle feierlich bestätigt, entsprechend bezeichnet man sie als *regula bullata*.

Gleich der erste Artikel betont die beiden Grundpfeiler des Ordens: ein Leben in der Nachfolge Jesu Christi, wie es die Evangelien beschreiben, und Gehorsam gegenüber der römischen Kirche und ihrem päpstlichem Oberhaupt. Ersteres hatten auch schon in der zweiten Hälfte des 12. Jahrhunderts Petrus Waldes, ehemals Kaufmann aus Lyon, und seine Anhänger gepredigt. Da er sich jedoch nicht der Autorität der Kirche zu beugen verstand, wurde er als Häretiker verurteilt und verfolgt. Franziskus und seiner Gefolgschaft blieb dieses Schicksal erspart. Von Anfang an war ihm in diesen Fragen der richtigen Position gegenüber der offiziellen Kirche der Bischof von Assisi zu Hilfe gekommen. Durch seine stets betonte Anerkennung der Kirche als oberster Instanz in Glaubensfragen und seine Unterwerfung unter päpstlichen Entscheid konnte seine, den Waldensern durchaus ähnliche Grundhaltung für die Kirche eine willkommene Stütze in den unruhigen städtischen Glaubensgemeinden werden.

Der zweite Artikel bezieht sich auf den Eintritt in den Franziskanerorden. Er macht deutlich, inwieweit dieser zunächst lose Verband von Anhängern des Franziskus bereits nach einem Jahrzehnt auf festere, ordensübliche Strukturen verpflichtet wurde. Schloss sich zunächst jeder, der sich dazu berufen fühlte, diesen Gruppen armer, umherziehender, bettelnder Wanderprediger an, so sah die 1223 bestätigte Regel ein mehrstufiges Aufnahmeverfahren vor. Es begann mit der Überstellung von Aufnahmewilligen an den zuständigen Ordensprovinzial, d. h. den Vorsteher der franziskanischen Häuser einer ganzen Provinz. Dieser musste den Aspiranten für das franziskanische Leben in seinen Glaubensüberzeugungen prüfen – also wie schon im ersten Artikel die Einordnung der Ordensmitglieder unter die Institutionen der Kirche einfordern – und, wenn diese Prüfung erfolgreich bestanden war, ihn anweisen, sich von allen familiären und materiellen Bindungen frei zu machen. Erst dann begann, so wie in anderen Orden auch üblich, eine einjährige Probezeit, das Noviziat, das mit dem Versprechen, vergleichbar der Profess, enden würde, Lebensform und Regel der Franziskaner stets zu beachten. Ein Austritt aus dem Orden sollte nicht möglich sein. Für das Noviziat sowie für das spätere Mönchsdasein war schlichte, einfache Kleidung vorgeschrieben, Fußbekleidung war erlaubt, wenn es die Umstände erforderten.

Dass es sich bei den Franziskanern aber eben doch nicht um einen Orden nach alter Tradition handelte, zeigt insbesondere der dritte Artikel, der sich mit liturgischen Fragen und der Fastenregelung beschäftigt, Themen, die etwa in der Benediktregel – und noch mehr in ihren Auslegungen – breiten Raum einnehmen. In der Regel der Franziskaner nehmen sie nur einen minderen Platz ein. Natürlich ist die Messe vorgesehen; es heißt aber lediglich „nach der Ordnung der heiligen römischen Kirche". Auch die Kontemplation hat ihren Platz; die Mönche dürfen Breviere zum persönlichen Gebrauch haben. Aber wie oft, in welcher Reihenfolge oder zu welchen Anlässen gebetet werden soll, ist nicht näher ausgeführt. Einzig den Laienbrüdern, von denen man hier hört, wird ein Gebet vorgeschrieben – grundlegend für sie soll das Vaterunser sein, das zu verschiedenen Gebetsstunden, die durchaus bekannt sind und aufgezählt werden, zwischen fünf- und vierundzwanzigmal am Tag gesprochen wird. Auch das Fasten unterliegt keiner strengen allgemeinen Ordnung, mit Ausnahme der Zeit zwischen Allerheiligen bis Weihnachten. Zu den übrigen Zeiten soll jeder für sich selbst darüber entscheiden. Viel wichtiger ist es nach diesem Artikel, „wie die Brüder durch die Welt gehen sollen", nämlich „sanftmütig, friedfertig und bescheiden", „fügsam und demütig", anständig und geziemend, und natürlich normalerweise zu Fuß. Da sie so oft auf der Wanderschaft sind und von dem leben sollen, was ihnen angeboten wird, sollen sie sich stets an die Regeln des Hauses halten, in das sie einkehren dürfen.

Der nächste Artikel gibt einen Hinweis darauf, dass es zu Beginn des dritten Jahrzehnts des 13. Jahrhunderts bereits „Niederlassungen" gab, und betont, dass die Brüder des Ordens kein Geld annehmen, wohl aber Sachspenden zur Versorgung der Armen und Kranken empfangen dürfen. Nicht einmal für geleistete Arbeit, so der nächste Artikel, dürfen die Franziskaner Geld akzeptieren. Sie sollen zwar durchaus arbeiten, aber als Lohn nur „die zum leiblichen Unterhalt notwendigen Dinge annehmen", und nicht einmal die dürfen sie einfordern, sondern nur demütig wie ein Almosen entgegennehmen. Der Umgang mit materiellen Gütern ist auch Thema des sechsten Artikels. Darin geht es um die Frage, wie man deren Besitz vermeidet. In Armut, so die franziskanische Überzeugung, nähere man sich Christus am besten an, „weil der Herr sich unseretwegen auf dieser Welt arm gemacht hat". Voraussetzung dafür ist allerdings auch, dass sich alle Brüder füreinander verantwortlich fühlen und eine Solidargemeinschaft bilden, in der einer dem anderen dient.

Ein weiterer Artikel erläutert, dass selbstverständlich alle Priester und Oberen des Ordens für die Beichtgesuche ihrer Brüder ein offenes Ohr haben müssen; ein dezidiertes und differenziertes Strafmaßregister gibt es aber anders als bei den Cluniazensern nicht. Auch im zehnten Artikel wird noch einmal darauf hingewiesen, dass letztlich jeder Einzelne für sein Tun verantwortlich ist, sich aber keiner ein Urteil über Verfehlungen eines anderen anmaßen sollte. Selbst die Oberen und Priester des Ordens sind nicht dazu da, zu strafen, sondern in Liebe auf den rechten Weg zurückzuführen. Die Artikel 8, 9 und 11 behandeln die äußeren Organisationsformen und die Aufgaben des Ordens, in Artikel 12 wird der Umgang mit Frauen in jedweder ‚verdächtigen' Form verboten ebenso wie das Betreten eines Frauenklosters.

Die Ordenshierarchie

Die rasch wachsende Zahl von Ordensanhängern machte bald eine klar überschaubare Organisation genauso nötig wie feste Anlaufstellen, also Ordenshäuser. In der zweiten Regel erhielt der Orden eine straffe hierarchische Ordnung. An der Spitze steht der Ordensgeneral, dem alle Brüder absoluten Gehorsam schulden. Gewählt wird er von der Versammlung der Provinzialminister und den Kustoden, die, abgesehen von einer solchen anstehenden Wahlversammlung, etwa alle drei Jahre zu einem Pfingstkapitel zusammenkommen sollten. Provinzialminister und Kustoden standen jeweils einer Provinz oder mehreren Häusern vor, Leiter des einzelnen Hauses war der Guardian. Ausdrücklich wird in der Regel von 1223 erwähnt, dass die Abwahl eines Amtsinhabers, der „zum Dienst und gemeinsamen Wohl der Brüder unzureichend sei", unter Zustimmung des Kapitels möglich war. Das heißt, im Gegensatz zu den bisher üblichen Ordensregeln war im Franziskanerorden die Besetzung eines Amtes auf begrenzte Zeit möglich und die Übernahme eines Amtes bedeutete nicht automatisch eine Verpflichtung auf Lebenszeit. Das Amt des Abtes zum Beispiel als geistlicher und politischer Führer seiner Gemeinschaft, wie es mit großen Interpretationsspielräumen in der *regula benedicti* festgehalten ist, existiert beim franziskanischen Bettelorden nicht mehr.

Damit unterschied sich die innere Organisation des Franziskanerordens erheblich von den bisher üblichen Ordensregeln. Nicht die Bindung an eine klösterliche Gemeinschaft unter Einhaltung der *stabilitas loci* war entscheidend, sondern die Bindung an den Orden selbst sowie die Verpflichtung auf eine Person, den Ordensgeneral oder den Provinzialminister, die auch über Aufnahme und Aufgabenzuteilung entschieden. Die Organisation eines einzelnen Hauses mochte zwar in ähnlichen Hierarchien und mit durchaus vergleichbaren Aufgaben von *opus dei* und *lectio divina* verlaufen wie in einem traditionellen Kloster, darüber aber stand immer die Gesamtheit des Ordens und letztlich auch seine Bindung an den Papst.

Der Orden in der städtischen Gesellschaft

Auf dreierlei Weise verknüpften sich der Orden der Franziskaner und seine Mitglieder eng mit den urbanen Gemeinwesen, in denen sie lebten. Durch ihre Predigten wurden einzelne Ordensbrüder von der städtischen Bevölkerung als interessante und individuelle Persönlichkeiten wahrgenommen. Durch ihre karitativen Tätigkeiten erlebten viele Städter direkt oder indirekt die praktischen Konsequenzen der gepredigten Lehre. Durch Spenden und Stiftungen sowie die Errichtung von eigenen Kirchen (und Häusern) verankerte sich der neue Orden auch architektonisch sichtbar im Stadtbild.

Ein Bettelmönch predigt auf der Kanzel (aus dem Schachbuch des Jacobus de Cessolis, 13. Jahrhundert)
Die den Laien verständliche Erläuterung von Gottes Wort garantierte den Predigermönchen regen Zulauf.

Die Predigt der Franziskaner und ihre Zuhörer

Im Artikel 9 der franziskanischen *regula bullata* werden in aller Kürze und nicht eben mit besonderer Deutlichkeit einige Grundsätze für die Predigt der Minderbrüder erläutert, ihre äußeren Bedingungen und der allgemeine Tenor, der ihr innewohnen sollte. Die Predigt, die Weitergabe von Gottes Wort, war von Anfang an auch ein Anliegen Franziskus' gewesen; die Bußpredigt war Franziskus und seinen Begleitern ja auch bereits 1209/10 von päpstlicher Seite zugestanden worden. Gemäß der Regel sollte dies auch so bleiben, unter einer doppelten Voraussetzung: Zum Ersten musste jeder Franziskanerbruder, der öffentlich predigen wollte, dazu die Erlaubnis des Generalministers des Ordens eingeholt haben. Dies entsprach einer Art zweiten Prüfung, ähnlich wie sie bereits vor Eintritt ins Noviziat verlangt wurde. Zum Zweiten bedurfte es einer offiziellen Genehmigung durch die jeweiligen bischöflichen Institutionen vor Ort. Die Erteilung einer solchen Genehmigung sollte von vornherein eine möglicherweise von Seiten der Pfarrgeistlichkeit gehegte Befürchtung, die franziskanischen Prediger würden als geistliche ‚Konkurrenten' auftreten, zerstreuen. In der Tat kam es in den nächsten Jahrhunderten immer wieder zu Konfliktsituationen, in denen die Pfarrgeistlichkeit die wandernden Prediger wie die am Ort befindlichen Bettelordensniederlassungen als Konkurrenz für die eigene Kirche empfand. Der Grund dafür lag nicht zuletzt in dem bereits in der Regel festgeschriebenen Artikel über die Art und Weise des öffentlichen Auftretens der Prediger: Sie sollten darauf achten, dass „die Worte der Predigt, die sie hielten, wohl überlegt und lauter seien, zum Nutzen und zur Erbauung des Volkes, wobei sie ihm von Lastern und Tugenden, von Strafe und Herrlichkeit in kurzen Worten predigen" sollten. Mit anderen Worten: Ihre Predigten sollten adressatenorientiert sein, die Zuhörer sollten den Inhalt der Predigt verstehen und einen direkten Nutzen für sich selbst erkennen können. Erste Voraussetzung dafür war die Predigt in der Volkssprache. Als ‚Zugabe' – wenn nicht gar als Voraussetzung für eine willige und offene Teilnahme an einer solchen Predigt – sollte sie einen gewissen Unterhaltungswert haben und der Erbauung dienen. Und damit machten die franziskanischen Prediger der Pfarrgeistlichkeit in der Tat Konkurrenz. Auch über die geistige Aufnahmefähigkeit von Zuhörern machte man sich offenbar keine Illusionen: Kurz sollte die Predigt sein, dafür aber eindringlich und verständlich, in klare Gegensätze gefasst, die an Deutlichkeit nichts zu wünschen übrig lassen: Laster und Tugenden, Strafe und Herrlichkeit.

Manchem mag das treffende Beispiel und überzeugende Wort wie von selbst in den Mund gelegt sein, die meisten aber bedürfen der Schulung, um den Inhalt dessen, was sie

Klösterlicher Unterricht (Holzschnitte des 15. Jahrhunderts)
Einweisung seiner Zöglinge in die Bestimmungen der klösterlichen Lebensregeln war die wichtigste Aufgabe des Novizenmeisters. Dazu kam der Unterricht in Gesang, unverzichtbar für die korrekte Ausübung der Liturgie.

sagen möchten, und die Form, wie man dies sagen kann, optimal aufeinander abzustimmen. Mit den Universitäten war seit der zweiten Hälfte des 12. Jahrhunderts und verstärkt dann im 13. Jahrhundert eine neue Bildungseinrichtung entstanden. Sie hoben sich insofern deutlich von den alten Kloster- und Kathedralschulen ab, als sie nicht in erster Linie für eine bestimmte Lebensform – die monastische oder klerikale – ausbildeten, sondern mit Hilfe des Kanons der *artes liberales* die Grundlage für eine breitere philosophische, sprachliche und mathematisch-naturwissenschaftliche Bildung schufen. Zum Kanon der *artes liberales* zählten die Fächer des sprachlich und philosophisch ausgerichteten *trivium* (Grammatik, Rhetorik, Dialektik) und die Fächer des mathematisch-naturwissenschaftlich orientierten *quadrivium* (Arithmetik, Geometrie, Astronomie und Musik). Erst wenn dieses ‚Grundstudium' erfolgreich absolviert und mit dem Baccalaureat als erstem akademischen Grad abgeschlossen war, konnte man ein Hauptstudium in Jurisprudenz, Medizin oder in der angesehensten Disziplin, der Theologie, anschließen. Dieses endete mit dem Erwerb des Magistergrades oder konnte bis zur Erlangung der Doktorwürde fortgesetzt werden. Für die adressatenorientierte Predigt, wie sie die Franziskaner anstrebten, war insbesondere ein intensives Studium der Fächer des Triviums notwendig. Denn wenn auch die an den Universitäten gelehrte Grammatik sich auf die lateinische Sprache bezog, so fanden die Kniffe der Rhetorik und die Vorgehensweise der Dialektik auch für den effektiven Einsatz der Volkssprache Verwendung.

Franziskus' ursprünglichen Intentionen entsprach die zielgerichtet eingesetzte Gelehrsamkeit nicht. Selbst noch im 10. Artikel der Regel von 1223 wird dem Streben nach wissenschaftlicher Bildung eine Abfuhr erteilt und stattdessen verlangt: „Jene, die keine wissenschaftliche Bildung haben, sollen nicht danach trachten, sondern Acht geben, dass sie vor allem den Geist des Herrn und sein heiliges Wirken zu besitzen wünschen, dass sie allzeit mit reinem Herzen zu ihm beten und Demut, Geduld in Verfolgung und Krankheit besitzen und jene lieben, die uns verfolgen, tadeln und beschuldigen". Doch war mit dieser reinen Innerlichkeit des einzelnen Bruders kaum ein anderer Gläubiger zur selben Haltung zu bewegen. Da bedurfte es doch schon eher der direkten überzeugenden Ansprache.

Aus dem 13. und 14. Jahrhundert haben sich Predigtsammlungen erhalten, wie zum Beispiel die des Franziskaners Berthold von Regensburg, die deutlich machen, worauf die Überzeugungskraft dieser Mönche basierte. So, wie sie mitten unter den Städtern lebten, waren ihnen auch deren Sorgen und Nöte vertraut, und aus diesen alltäglichen Zusammenhängen schöpften sie auch die Anschaulichkeit für die Lehren, die sie vermitteln wollten, und die Beispiele für ihre Gleichnisse. Sie nutzten ihre Kenntnisse der Lebensumstände ihrer Zuhörer, um für diese verständliche Szenarien zu entwerfen. Die städtische Lebenswelt bot den franziskanischen Predigern eine schillernde Welt von Bildern und Motiven, die hervorragend für die Darstellung von Tugend und Laster taugten, für jeden Zuhörer wiedererkennbar in der eigenen Nachbarschaft. Gleichzeitig funktionierten diese Predigten mit Hilfe rhetorischer Mittel – Schwarz-Weiß-Malerei, Übertreibungen, eingestreute Komik, mahnende Drastik. Wichtig blieb aber vor allem auch, dass die Predigten verständlich

waren, nicht nur in der Bildlichkeit, die die Redner verwendeten, sondern schlicht durch ihre Sprache. Nicht die Sprache der Gelehrten, das Latein, konnte größere Massen städtischer Zuhörer anziehen, sondern die Sprache der Straßen und des Marktes, die Volkssprachen. Bereits der Sonnengesang des Franziskus war in seinem umbrischen Dialekt verfasst und gehört damit zu den frühen Überlieferungen von Werken in italienischer Sprache. Dieses Vorbild griffen diejenigen auf, die sich wie er für die *vita apostolica* entschieden.

Der erwähnte Berthold von Regensburg war einer der Franziskaner der ersten Generation, die ihrem Amt nördlich der Alpen nachgingen. Vermutlich stammte er aus Regensburg, war zumindest im dortigen Kloster in das Leben der Minderbrüder eingeführt worden und begann um 1250 mit seinen öffentlichen Predigten. Seine anschließenden Reisen führten ihn nach Bayern und in den alemannischen Raum, den Rhein entlang und in die schweizerischen Städte. Viele seiner volkssprachlichen Predigten sind in verschiedenen Fassungen überliefert und entsprechen meist der Forderung der *regula bullata* nach Klarheit und Verständlichkeit. In seiner Predigt von den fünf Pfunden beschreibt Berthold seine Predigttätigkeit als ein ihm von Gott verliehenes Amt und vertritt die Ansicht, dass Gott jedem Menschen einen Platz in seiner Weltordnung zugewiesen hat und es die Aufgabe eines jeden ist, diesen Platz auszufüllen. Kein Aufbegehren gegen die bestehende Ordnung, sondern willige Akzeptanz lautete schon Franziskus' Credo, und Berthold fasste es in deutliche Worte:

Ich hân ouch ein amt: predigen ist mîn amt. Wan unser herre alliu dinc mit wîsheit geordent hât, dâ von hât er ouch dem menschen sîn leben geordent und e geschaffen, als ér wil und niht als wir wellen. Wan ez wolte etelîcher geren ein grâve sin, sô muoz er ein schuohsuter sîn; so woltest du gerne ein ritter sin, so muost du ein gebûre sin und most uns bûwen korn und wîn. Wer solte uns den acker bûwen, ob ir alle herren waeret? Oder wer wolte uns die schuohe machen, ob dû warest als dû woltest? Dû muost sîn als got wil. Sô hât er den schaffen daz er bâbest sî; so sol der ein keiser sîn oder ein Künic oder ein bischof oder ein ritter oder ein grâve oder diz oder daz. Unde swelherleie amt dû hâst, ez sî hôch oder nider, von dem muost dû gote reiten zwivalt ... (Berthold von Regensburg, Predigten).

Eine Darstellung aus dem Jahr 1447 zeigt den Prediger in voller Aktion. Er hat die Kirche des Klosters verlassen und ist im freien öffentlichen Raum auf die Kanzel gestiegen. Seine Mimik und Gestik, selbst noch die flatternde Kapuze seines Umhangs sprechen von seinem Engagement, das vom Himmel in Gestalt der Taube des heiligen Geistes, die auf sein Haupt zufliegt, unterstützt wird. „Nun merket auf", ruft er seinen Hörern zu, die sich am Fuß der Kanzel zusammengedrängt haben, einige mit zerfurchtem Gesicht und schuldbewusster, ängstlicher Miene. Nur die jüdischen Zuhörer Bertholds, die sich um den Mann mit dem spitzen Hut drängen, verschließen sich buchstäblich die Ohren vor den Mahnungen des Predigers, und ihre Bestrafung hat sie in Form eines kleinen schwarzen Teufelswesens auch schon ereilt.

Der Prediger Berthold von Regensburg
Klare Moralaussagen, anschauliche und lebensnahe Geschichten in verständlicher Sprache machten die Auftritte Bertholds von Regensburg zu einer wirklichen Attraktion.

Langfristig betrachtet, erteilten die Franziskaner der Gelehrsamkeit keine Absage. Ganz im Gegenteil: Unter der großen Zahl derjenigen, die dem Orden im 13. und 14. Jahrhundert zuströmten, befanden sich auch viele, die die Lebensvorstellungen des Ordens intellektuell durchdrangen und mit Hilfe der gelehrten Argumentation theoretisch zu rechtfertigen suchten. Etliche der berühmten Philosophen dieser Zeit und zahlreiche Lehrstuhlinhaber an den zahlreicher werdenden Universitäten gehörten zum Orden der Minderen Brüder. Gelehrsamkeit bedeutete auch, dass man die Diskussion um theologische Feinheiten beherrschte, dass man die Texte kannte, mit denen die dogmatischen Auslegungen des Glaubens durch die Kirche zu rechtfertigen waren. Solche Fähigkeiten prädestinierten zur Auseinandersetzung mit Andersdenkenden, Häretikern und Ketzern. Und in ihrer Bestätigung, der katholischen Kirche stets folgsam zu sein, wurden etliche Franziskaner als gelehrte Redner zu Instrumenten der Inquisition.

Caritas – arm im Geiste, reich im Herzen

Den Bedürftigen streckte er die Hand des Erbarmens entgegen und mit den Betrübten trug er herzliches Mitleid (Thomas von Celano, Vita I, S. 92).

Bereits Franziskus selbst erwartete von den Gläubigen seiner Umgebung die Einlösung von Christi Forderung nach Barmherzigkeit. Er erbettelte seine Nahrung von Tür zu Tür und musste dabei feststellen, dass es ihn anfänglich Überwindung kostete, auf Almosen angewiesen zu sein. Nicht das Betteln an sich war das Problem, sondern das, was es realiter einbrachte: *Er ging daher in Assisi von Tür zu Tür und bat um gekochte Speisen. Doch wenn er den Napf voll der verschiedenen Gerichte sah, schüttelte ihn anfangs der Ekel; dann aber überwand er sich im Gedanken an Gott und aß in der Freude des Geistes* (Thomas von Celano, Vita II, S. 235).

Doch in den ersten Jahren des Ordens blieb es dabei: Die Brüder führten im Gegensatz zu den alten Orden kein Gemeinschaftsleben. Sie hatten keine feste Behausung, keine allein durch den Tagesablauf vorgegebenen Zusammenkünfte, kein gruppenbildendes gemeinsames Mahl, keinen gemeinsamen Schlafsaal. Die Armut, der sie sich verschrieben hatten, bezog sich auf alle ihre Lebensbereiche: auf die Kleidung, die Nahrung, die Unterkünfte, die Ausbildung. Schlichte Gewänder, erbettelte Nahrung, ein Schlafplatz als Almosen, nur die Worte der Evangelien als geistige Begleitung. Letzteres aber sollte der Reichtum sein, neben dem alles andere nur unnützer Tand war. Die Evangelien schrieben vor, was man zu tun hatte, und die Ordensregeln bemühten sich, dies bereits bei der Aufnahme von neuen Mitgliedern in die Praxis umzusetzen: Sie sollten „hingehen und all ihren Besitz verkaufen" und „ihre Güter an die Armen verteilen" (Art. 2 der *regula bullata*). Die Werke der Barmherzigkeit waren damit aber noch lange nicht alle erbracht. Zwar bedeutete die Verteilung der eigenen Güter an die Armen, dass damit die Möglichkeiten, selbst Almosen zu geben, erschöpft waren. Doch der Katalog karitativen Handelns sieht über die Almosenspende hinaus noch weiteres anderes, aktives Handeln vor: Nackte soll man kleiden – und dies konnten die Franziskaner zum Beispiel dadurch erfüllen, dass sie die Kleiderspenden, die über ihren eigenen Bedarf hinausgingen, gleich weitergaben; Kranke soll man besuchen und pflegen – eine Aufgabe, die es vor allem erfordert, seinen Ekel vor den Ausscheidungen von Kranken, vor Schweiß, Blut, Eiter und Exkrementen zu überwinden und den Leidenden umsorgend und hoffnungsspendend zu begegnen; Franziskus hat dies durch seine Zuwendung zu den Ausgestoßenen der Gesellschaft, den Leprakranken, demonstrativ vorgelebt. Tote soll man würdig bestatten – die Franziskaner, die zu Priestern geweiht waren, konnten hier aktiv werden. Gefangene soll man freikaufen, sich um Witwen und Waisen kümmern – diese Form der Barmherzigkeit kostete Geld, über das die Franziskaner späterhin verfügten, als sie zwar persönlich besitzlos waren, wohl aber als Orden Spendengelder verwalteten.

Die Entscheidung, all sein Hab und Gut aufzugeben, um in größter Einfachheit, aber eben weiterhin innerhalb der gewohnten städtischen Umgebung zu leben, bedeutete auch, dass dieser innere und äußere Wandel für alle sichtbar wurde; für die eigene Familie, Verwandte, Freunde, Nachbarn. Wenn in den Jahrhunderten zuvor der Lebensweg ins Kloster führte – sei es durch eigene Entscheidung, sei es zur Sicherung der Positionen der Familie in den geistlichen Bereichen, war damit in aller Regel auch eine neue Ortsbindung, materielle Sicherheit und gesellschaftliche Anerkennung verbunden. Trat man in den ersten Jahrzehnten des 13. Jahrhunderts in den Orden der Franziskaner ein, so werden viele Städter das als die bewusste und willentliche Inkaufnahme sozialen Abstiegs gesehen haben. Denn das neue Ordensmitglied sagte sich von allgemein anerkannten städtischen Werten des materiellen Gewinns und der damit verbundenen gesellschaftlichen Stellung los und tauschte sie gegen Mittellosigkeit, ja Armut und den Umgang mit den Elenden, den Randgruppen der Gesellschaft ein. Verachtung und Anerkennung solchen Tuns mögen dicht nebeneinander gelegen haben. Der Vater von Franziskus war entsetzt über das unziemliche, gegen die Interessen seiner Familie gerichtete Verhalten seines Sohnes, machte es ihn doch nach seinem Verständnis in den Augen seiner Mitbürger zum Gespött der ganzen Stadt.

Auch Elisabeth von Thüringen, die nördlich der Alpen in der ersten Hälfte des 13. Jahrhunderts nach franziskanischer Lehre zu leben versuchte, fand bei ihren Standesgenossen keinerlei Zustimmung für ihre frommen Werke. Der Grund hierfür war nicht nur, dass man befürchtete, sie würde das gesamte Vermögen verschleudern, vielmehr sahen sie auch hier die Gefahr, dass durch unstandesgemäßes Verhalten – in einer Gesellschaft, deren Mitglieder sich über Standeszugehörigkeit definierten – ihre ganze Familie diskreditiert würde.

Auf der anderen Seite fanden die Franziskaner auch rege Akzeptanz. So wie zuvor Benediktiner und Zisterzienser ihre Positionen durch Stiftungen und Schenkungen hatten festigen können, da sie die Garanten für das Gebetsgedächtnis und damit für die Sorge um das Seelenheil der Gläubigen waren, so wurden nun die Franziskaner in der städtischen Gesellschaft als diejenigen angesehen, die einerseits den Reichen und Wohlhabenden als stete Mahnung vor Augen standen gemäß dem bekannten Bibelzitat, dass eher ein Kamel durch ein Nadelöhr ginge als dass ein Reicher in den Himmel käme. Gleichzeitig aber konnte man andererseits sein Gewissen dadurch erleichtern, dass man diejenigen, die die Caritas vorlebten, durch mehr oder weniger großzügige Gaben in ihren Bemühungen unterstützte. So wie die älteren Orden, die sich der Kontemplation verschrieben hatten, wirkten damit nun auch die Bettelorden in Stellvertretung für die gläubigen Christen, die sich nicht für den mönchischen Weg entscheiden konnten, aber glaubten, dafür Kompensation leisten zu müssen.

Große Hallen, kleine Dachreiter – Elemente der Architektur der Bettelorden

Die *regula bullata* von 1223 schreibt unmissverständlich vor: „Die Brüder sollen nichts zu Eigen haben, weder ein Haus noch eine Niederlassung noch irgendeine Sache" (Art. 6). Trotzdem war es auf Dauer nicht möglich, den Orden ohne eine Behausung zu organisieren. Bereits Thomas von Celano lässt seinen Helden sagen: *Wir können ihm (Christus) nachfolgen in der vorgeschriebenen Lebensform, indem wir nichts zu Eigen haben, obgleich wir ohne den Gebrauch von Wohnstätten nicht leben können* (Vita II, S. 276).

Das entscheidende Moment liegt in der Unterscheidung von Besitz und Gebrauch. Ersterer wurde in den Anfangsjahren des Ordens rigoros abgelehnt, Letzterer war eine unumgehbare Notwendigkeit. Viele schlossen sich den Franziskanern an, zogen bettelnd von Tür zu Tür, schliefen, wenn sie kein Dach über dem Kopf hatten, auf den Straßen, kaum zu unterscheiden von echten Bettlern, Landstreichern und umherstreifenden Gestalten am Rande der Gesellschaft und der Legalität. So entstanden in den Städten zunächst Anlaufstellen für die Wanderer des Ordens, seien es Kirchen und Kapellen, die nicht mehr benutzt wurden und sich häufig am Rande der Städte befanden, seien es Häuser, die von reichen Bürgern zur Verfügung gestellt wurden, damit die frommen Brüder dort in jedem Fall ein Unterkommen fänden oder von dort aus ihre Caritas organisieren konnten. Nicht nur in Italien, auch in anderen Ländern fanden die Franziskaner bei ihren Bemühungen, sich in den Städten zu etablieren, Unterstützung durch die örtlichen kirchlichen Institutionen. Der im Zusammenhang mit seiner Predigttätigkeit erwähnte Berthold von Regensburg zum Beispiel lebte zunächst in einer Niederlassung, die der Regensburger Bischof Konrad III. in der ehemaligen und außer Gebrauch stehenden San Salvatorkapelle hatte einrichten lassen und die er mit etlichen Schenkungen bedachte.

Aus den Behelfshäusern wurden nach und nach feste Ordenshäuser. Dazu kamen Kirchen, die in franziskanischem Geist gebaut wurden, damit größere Menschenmengen den Predigten folgen konnten. Allerdings kann man nach neuesten Forschungserkenntnissen wohl nicht sagen, dass es eine einheitliche Bettelordensarchitektur gegeben hätte. Die Bauten passten sich den jeweiligen örtlichen Gegebenheiten an; ihre Ausstattung richtete sich vielfach nach dem Vermögen des jeweiligen Stifters und seinem Repräsentationswillen. Jedoch unterschieden sich die Kirchen der Bettelorden von den übrigen Gotteshäusern durch eine stark zurückgenommene Gliederung des Innenraums. Oftmals findet sich eine Zweiteilung des Kirchenraumes in einen Chor und ein Langhaus, „der im städtischen Ambiente Mönchen und Gläubigen ihren jeweiligen Ort erhält, beide aber in ein neues Verhältnis setzt" (Schenkluhn, Bettelorden, S. 240). Insbesondere die Bildprogramme, die sich oftmals im Chor entfalteten, trugen dazu bei, dass die Gläubigen in der Betrachtung der zahlreichen Szenen auch den Bereich der Mönche nutzten. Keine mächtigen Westwerke, keine hoch aufragenden Glockentürme, nur kleine Aufsätze mit wenigen Glocken zierten das Äußere, wenn auch das jeweils regional übliche Material in dekorativer Weise verbaut wurde.

Die franziskanischen Kirchen waren damit zwar durchaus Gotteshäuser, in denen das regelmäßige Stundengebet verrichtet wurde, aber auch Versammlungsräume für die großen, Massen anziehenden Predigten. Auch die typischen Klostergebäude rund um den Klausurtrakt fielen in den meisten Anlagen wesentlich bescheidener als in den traditionellen Klöstern aus, und die Werkstätten, die für die autonome Versorgung einer monastischen Gemeinschaft notwendig waren, fehlten meist ganz, denn die städtischen Märkte und Handwerksbetriebe boten alles, was eine bescheidene Gemeinschaft für den täglichen Bedarf benötigte.

Zur Ausbreitung des Ordens

Damit die Vierzahl der nach einer Regel Lebenden fest gegründet sei, fügte der Herr den genannten drei Orden der Eremiten, der Mönche und der Kanoniker in diesen Tagen eine vierte Ordenseinrichtung dazu, die Zier und Heiligkeit des Ordenslebens, die Minderbrüder, die nicht so sehr eine neue Regel halten, als vielmehr die alte des apostolischen Lebens erneuern (Jacob von Vitry, noch vor 1221, zit. nach Grau, Franz von Assisi, S. 54).

Die Bewegung des heiligen Franziskus fand bereits zu seinen Lebzeiten große Resonanz in allen Schichten der städtischen Bevölkerung. Sein Grundanliegen, Christus nachzufolgen in der *vita apostolica*, in Armut und in Ausübung der Werke der Barmherzigkeit, war ja auch kein individuelles, sondern eines, das den Nerv der Zeit traf. Andere vor ihm hatten schon diese Forderungen aufgestellt und die religiöse Laienbewegung, wie sie in der zweiten Hälfte des 12. Jahrhunderts begonnen hatte, würde sie in den beiden folgenden Jahrhunderten erneut aufgreifen und für sich durchzusetzen suchen. Die Bewegung des Franziskus hatte jedoch von Anfang an den großen Vorteil, als ein hilfreiches Integrationsinstrument von Seiten der Kirche gegenüber der Vielzahl und Vielfalt sich ausbreitender ketzerischer Ideen und Organisationsformen erkannt zu werden. Ihre bedingungslose Unterwerfung unter die päpstlichen Weisungen machte sie in den Augen der katholischen Kirche zu einem geeigneten Mittel, Abweichler und Schwankende in diese Bewegung hinein zu kanalisieren und über die sich verfestigenden Institutionen – insbesondere die festen Ordenshäuser – zu kontrollieren.

Das gelebte, überzeugende Beispiel und die kirchliche Akzeptanz gepaart mit der religiösen Aufbruchstimmung unter den Laien ließ die Zahl der Minderbrüder bereits in den ersten Jahrzehnten des 13. Jahrhunderts rasant steigen und noch im selben Jahrhundert waren sie in den meisten europäischen Ländern vertreten: Die Brüder haben *in kurzer Zeit derart an Zahl zugenommen ..., dass es kaum eine Provinz in der Christenheit gebe, in der sie nicht einige Brüder hätten*, schrieb Jakob von Vitry bereits um 1220, und der Verfasser der Vita Gregors IX., des Papstes, der den Orden der Franziskaner systematisch zum Nutzen der katholischen Kirche förderte, bestätigte um 1240, *dass auf dem weiten Erdkreis kaum ein größerer Ort sei, der ihren verehrungswürdigen Umgang nicht erfahren habe* (zit. nach Grau, Franz von Assisi, S. 86).

Ausgangsstätte der Aussendung zur Predigt war die Kapelle von Portiuncula vor Assisi, aber diejenigen, die weiter weg wanderten, konnten nicht regelmäßig dorthin zurückkehren. Also organisierten sich die Wanderprediger in Provinzen mit jeweils einem Provinzialminister als ihrem zuständigen und verantwortlichen Ansprechpartner. Nach ersten größeren Anfangsschwierigkeiten in nichtitalienischsprachigen Gebieten konnten auch in Frankreich und der Provence, in Spanien, Deutschland, Syrien und schließlich in England franziskanische Provinzen eingerichtet werden. Beim Tod des heiligen Franziskus gab es schon sechs Provinzen in Italien und weitere sechs außerhalb Italiens. Die Provinzialminister der Letzteren sollten alle drei Jahre zum Generalkapitel nach Italien reisen; die italienischen Provinzialminister trafen sich jedes Jahr in Portiuncula.

Zwischen Ideal und Wirklichkeit, zwischen innerer Überzeugung und päpstlicher Politik – der Armutsstreit

Der so genannte Armutsstreit, der seit der zweiten Hälfte des 13. Jahrhunderts schwelte und in den ersten drei Jahrzehnten des 14. Jahrhunderts mit größter Heftigkeit geführt wurde, spielte sich auf mehreren Ebenen ab. Er betraf das Verhältnis der Laien zu den Institutionen der Kirche, das Verhältnis der franziskanischen Ordensmitglieder untereinander und – ganz entscheidend – das Verhältnis des Bettelordens zum Papsttum. Die Institution der Kirche war geprägt vom Gedanken des *ordo*, einer göttlichen hierarchischen Ordnung, die allein Angehörigen der Kirche die Kompetenz zusprach, die Sakramente zu spenden und zu predigen und auf diese Weise über die Lehre und die Gnaden des Christentums zu gebieten. Sowohl die traditionelle monastische Bewegung wie auch die übrigen kirchlichen Institutionen, allen voran das Papsttum, schlossen die Laien aus der religiösen und liturgischen Praxis aus und machte ihnen die Segnungen des christlichen Glaubens nur durch die Vermittlung über Mönche und Priester zugänglich. Doch das Bedürfnis, Gottes Wort ohne solche Vermittlung zu empfangen, nämlich durch das eigene Studium der Bibel, wuchs insbesondere in der städtischen, dem *ordo*-Gedanken gerade nicht verhafteten Bevölkerung. Die biblische Forderung nach einem Leben in evangelischer Armut griff Raum, und die Übersetzung der Bibel in die Volkssprachen für private, nichtkirchliche Zwecke unterstützte diese Entwicklung. Für beide, für die kirchlichen Institutionen wie die Laien, blieb die christliche Lehre das Fundament, auf dem sie ihre jeweiligen Standpunkte vertraten. Nicht die christliche Lehre als solche wurde angezweifelt, sondern die Organisation der Institution Kirche, ihre Einmischung in weltliche Angelegenheiten und ihr Reichtum, was nach Ansicht vieler Laien der biblischen Forderung nach materieller wie geistiger Armut widersprach. Nach der offiziellen kirchlichen Lehre musste diese Denkweise jedoch häretisch sein, denn die Zweifler widersetzten sich der göttlichen Ordnung, in der Gott die Kirche eben als alleinigen Vertreter der christlichen Lehre eingesetzt hatte.

Die Orden der Franziskaner und der Dominikaner, beide zu Beginn des 13. Jahrhunderts gegründet, verschrieben sich dem Ideal apostolischer Armut, organisierten aber ihr Leben und Wirken innerhalb der Institutionen der Kirche und unter päpstlicher Zustimmung. Bereits gemäß der seit 1209/10 mündlich approbierten Regel des Franziskanerordens durfte der Orden weder über ein einzelnes Mitglied noch als Kollektiv irgendwelche Güter besitzen. Das Leben in höchster Armut wurde als die einzig wahre Konkretisierung des evangelischen Lebens in der Nachfolge Christi gesehen. Dem äußeren Erscheinungsbild – grobes Wollgewand, Gürtelstrick, bloße Füße – sollte geistige Armut entsprechen. Unter geistiger Armut verstand man eine selbstlose Offenheit gegenüber dem Nächsten und die demütige Ablehnung von Stolz oder intellektuellem Hochmut. Der Lebensunterhalt sollte von den Gaben bestritten werden, die man für seine Handarbeit erhielt, oder, wenn dies nicht hinreichte, sollte man sich „an den Tisch des Herrn setzen", d. h. um Almosen betteln. Der schnelle Anstieg der Mitgliederzahl bereitete Schwierigkeiten für die Organisation und Struktur des als nicht sesshaft konzipierten Ordens. Die Forderung nach kollektiver und individueller Armut und die Notwendigkeit der Einrichtung des Noviziats und des Aufenthalts in festen Häusern widersprachen sich eigentlich. Beides ohne Verletzung der Regel in Einklang zu bringen, löste man zunächst dadurch, dass man lediglich Nutzungsrechte (im Gegensatz zu Besitzrechten) an Häusern in Anspruch nahm. Bald trat der Papst als fiktiver Eigentümer der Ordensgüter auf, die Brüder selbst hatten nur den *usus pauper*, den Gebrauch im Geiste der Armut inne.

Jedoch blieb der Begriff der Armut und seine Konkretisierung Gegenstand heftiger Auseinandersetzungen sowohl innerhalb des Ordens als auch zwischen dem Orden und den Päpsten, denen er letztlich unterstellt war. 1279 hatte Nikolaus III. mit der päpstlichen Verlautbarung *Exiit qui semina* die franziskanische Lehre bestätigt, dass Christus und die Apostel jeglichen individuellen oder kollektiven Besitz abgelehnt hätten und dass ein Leben in solcher Armut die höchste Form der Vollkommenheit darstelle. Auf diese päpstliche Interpretation berief sich der radikale Flügel des Ordens, die Spiritualen, der eine genaue Einhaltung der Regel des Franziskus als fundamentale geistige Grundlage forderte. Der mehrheitlich gemäßigte Flügel, die Konventualen, wollte dagegen begrenzten kollektiven Besitz zulassen. Papst Clemens V. hatte auf dem Konzil von Vienne 1312 in der Deklaration *Exivi de Paradiso* noch für die Position der Spiritualen Partei ergriffen und ihre Auffassungen zur Armutsfrage bestätigt. Sein Nachfolger im Amt, Johannes XXII., verurteilte jedoch die Ansicht der Spiritualen 1317 in dem Dekret *Quorundam exigit* als häretisch und forderte sie auf, zur mehrheitlichen Ansicht des Ordens zurückzukehren. Viele der Spiritualen, die sich nicht wieder eingliedern lassen wollten, wurden als Ketzer verfolgt und einige von Inquisitionsgerichten zum Tode verurteilt. Andere flohen nach Süditalien in eine Art selbst gewähltes Exil und bildeten dort eremitenhaft lebende Gemeinschaften, die man vereinzelt aber noch bis in die 40er-Jahre des Jahrhunderts verfolgte.

Doch auch die mehrheitliche Auffassung der Franziskaner widersprach der neuen päpstlichen Position. Als sie auf der päpstlichen Bestätigung ihrer Ansichten zur Armut von 1279 bestanden, kündigte Johannes XXII. ihnen 1322 durch das Dekret *Ad conditorem* das päpstliche Eigentumsrecht an allen Ordensgütern auf. Damit war der Orden jetzt auch nominell Besitzer seiner Güter und widersprach seiner eigenen Lehre. Des Weiteren erklärte der Papst in dem Dekret *Cum inter nonnullos* die Ansicht, Christus und die Apostel hätten kein Gebrauchsrecht besessen an den Dingen, deren sie sich bedienten, zur Häresie. So standen die Franziskaner nun vor der Schwierigkeit, im Gegensatz zu den eigenen Forderungen jetzt quasi über Nacht ein reicher, aber auch für seine materielle Existenz selbstverantwortlicher Orden geworden zu sein. Die päpstliche Position des Dekrets von 1322 bedeutete also, dass bei Gebrauchsgütern eine Scheidung in bloße Benutzungsbefugnisse und bleibende Verfügungsrechte praktisch einfach nicht durchführbar war, weil sie im Gegensatz zu Liegenschaften keine unbefristete Lebensdauer aufwiesen, sondern im Gegenteil durch die Verwendung unaufhaltsam verzehrt wurden. Dementsprechend verfiel für die römische Kirche aber auch jede logische Möglichkeit, Eigentumsansprüche an vergänglichen Gütern zu übernehmen oder anstelle des wirklichen Inhabers zu vertreten. Als Folge der unaufhebbaren Identität von Nutzung und Existenz bei normalen Gebrauchsgütern erhielt der Orden zur Führung seiner laufenden Geschäfte nicht nur volle wirtschaftliche Handlungsfähigkeit zugestanden, sondern es wurde ihm vielmehr uneingeschränkte Handlungsverantwortung für sein Lebensauskommen auferlegt.

Arma nostra sunt libri: Bücher als Waffen der Prediger – die Dominikaner

Der zweite neue Orden des 13. Jahrhunderts entwickelte sich durchaus vergleichbar mit dem Orden der Minderbrüder, wenn auch die Gründe für seine Entstehung vollkommen andere waren.

Doménico Guzmán, ein spanischer Adeliger aus Caleruega und Kanoniker am Domkapitel von Osma, machte sich die Bekämpfung der katharischen Ketzerei zu seiner Aufgabe. Die südfranzösischen Katharer hatten seit Mitte des 12. Jahrhunderts enormen Zulauf erfahren. Die Gründe dafür lagen sicherlich nicht nur in der Attraktivität dieser Lehre, sondern in der Vermengung politischer und religiöser Zielsetzungen. Denn auch die führenden Adeligen der südfranzösischen Herrschaften, allen voran die Grafen von Toulouse, bekannten sich zur katharischen Lehre und setzten sich damit gleichzeitig vom nordfranzösischen, auf eine zentrale Herrschaft ausgerichteten Königtum ab.

Die Katharer glaubten an einen zweigeteilten Kosmos, in dem die irdische Welt vom Teufel geschaffen worden und in jedem Fall verdammt sei. Nur einige Auserwählte, die die *catharsis*, die Läuterung und Reinigung ihrer Seele erlebt hätten, würden am Ende der Zeiten in das Reich Gottes eingehen. Und weil eben die irdische Welt verflucht war, konnten auch die Priester dieser Welt nicht die Vermittler eines jenseitigen Heils sein. Die katholische Kirche diagnostizierte natürlich, dass die katharischen Vorstellungen von der offi-

Die Feuerprobe (Pedro Berruguete, 1305)
Das christliche Buch – die Bibel – erhebt sich in Anwesenheit des hl. Dominikus aus den Flammen und beweist so seine Wahrhaftigkeit.

ziellen Glaubenslehre abwichen; die Katharer hätten darüber hinaus von allen moralischen Grundsätzen Abschied genommen, da ja nach ihrer Ansicht die irdische Welt ohnehin vom Teufel verderbt wäre und es von daher gar nicht mehr Not täte, den bestehenden Gesetzen – die dann ja auch vom Teufel wären – zu folgen. Die Art und Weise, wie die katholische Kirche die Katharer zu bekämpfen suchte, schien diese nur in ihren Vorstellungen zu bestärken. Denn die kirchlichen Abgesandten traten in aller nur denkbarer Prachtentfaltung auf, sie reisten mit großem Gefolge, distanzierten sich durch Sprache, Kleidung und sonstigen Aufwand so weit wie nur möglich von denjenigen, die sie in den Schoß der Kirche zurückholen wollten.

Doménico Guzmán erkannte den Konnex zwischen dem Auftreten der offiziellen Vertreter der Kirche und der mangelnden Akzeptanz durch die katharischen Glaubensgemeinschaften. Er projektierte für sich selbst und für die Brüder, die sich um ihn scharrten, ein anderes Vorgehen. Es setzte auf Glaubwürdigkeit der kirchlichen Vertreter und auf Überzeugung durch das verständliche Wort. Glaubwürdigkeit wollte er dadurch erlangen, dass er sich in seinem öffentlichen wie privaten Auftreten mit der Armutsbewegung identifizierte, die in katharischen wie in anderen städtischen Kreisen bereits so viele Anhänger gewonnen hatte. Zu Fuß, in einfacher Kleidung griff er das zeitgenössische Ideal des Wanderapostolats in evangelischer Armut auf und ließ sich die Rechtmäßigkeit dieses gemeinschaftlich geführten Lebens, das im Großen und Ganzen der Augustinerregel folgte, 1216 von päpstlicher Seite bestätigen. Überzeugungsarbeit für die katholische Kirche wollte er durch die auf genauer Kenntnis der Bibel beruhende Predigt leisten. Seine Mitstreiter sollten grammatisch, rhetorisch, dialektisch und didaktisch geschulte Redner sein, die einerseits ihre Sprache und ihre Predigtinhalte an der Lebenswelt ihrer Zuhörer orientierten, andererseits aber auch in der Lage waren, im wissenschaftlichen Disput ihre Positionen zu behaupten. Dies war auch der päpstliche Auftrag, den sie entgegennahmen: ein Predigerorden zu sein, der sich insbesondere um die Rückgewinnung von Häretikern für die katholische Lehre kümmerte und dies auf der Grundlage theologisch wissenschaftlicher Ausbildung tat. Um dies zu gewährleisten, wurden zügig feste Ordenshäuser eingerichtet, die man gleichzeitig als Studienzentren verstehen konnte. Die ersten wurden 1217 in Mailand, Bologna, Rom und Paris eröffnet.

Die Dominikaner leisteten dem Papst den schuldigen Gehorsam und ‚befragten' in den vorgeschriebenen Formen diejenigen, die der Häresie verdächtigt wurden, um sie im günstigsten Fall zur anerkannten christlichen Lehre zurückzuführen. Sahen die Inquisitoren im Zuge ihrer Befragungen den Häresieverdacht bestätigt, übergaben sie die Überführten der weltlichen Gerichtsbarkeit zur Bestrafung. So erhielten die Dominikaner in leichter Veränderung ihres Namens den Beinamen *domini canes*, sie waren „die Hunde des Herrn". Man sah in ihnen nicht nur mildtätige Mönche und wortgewaltige Prediger, sondern auch bösartige Eiferer.

Ähnlich wie der Franziskanerorden waren auch die Dominikaner an ihren Orden, nicht an ein bestimmtes Kloster gebunden und die Klöster in Ordensprovinzen eingeteilt. Dem gesamten Orden stand ein Ordensgeneral vor, der mit Provinzialmeistern regelmäßig zu einem allgemeinen Kapitel zusammentraf. Dominikus starb 1221 in Bologna und wurde 1234 heilig gesprochen. Die Kirche, die seine Gebeine aufnahm, entwickelte sich rasch zu einem Wallfahrtsziel.

Neben das zeitgenössische Ideal des Wanderapostolats in evangelischer Armut und dem intellektuellen Aufbruch in den schulischen und universitären Zentren – beides vor allem mit dem Ziel der Häretikerbekämpfung – trat im Zuge der weiter voranschreitenden Urbanisierung ein steigender Bedarf an religiösen Dienstleistungen. Neben die Predigt trat nach und nach die Seelsorge für die Gläubigen, also die Spendung der Sakramente wie zum Beispiel die Abnahme der Beichte oder die Salbung der Kranken. Dazu trat mancherorts die Kranken- und Siechenpflege, ähnlich wie es die Franziskaner taten. Ihre Häuser wurden für viele Gläubige zu Garanten des Rechts und mancher Ordensbruder wurde als Schlichter, Zeuge oder Testamentsvollstrecker in die Pflicht genommen. In Lübeck fungierte der gelehrte Dominikaner Detmar auch als Chronist der Stadt.

Mit zunehmender Integration in die städtischen Verhältnisse lockerte sich auch das Armutsideal. Besonderen Konfliktstoff zwischen den städtischen Räten und den Klöstern boten die zahlreichen nur formal, aber nicht real vorgenommenen Schenkungen und Stiftungen von Bürgern an die Orden der Dominikaner und Franziskaner. Geistliche Besitzungen waren steuerfrei, sie gehörten zur „toten Hand". Mit diesem Trick entwanden etliche Bürger Teile ihres Besitzes dem städtischen Steuerzugriff, ohne dass sie seine Nutzung eingebüßt hätten, denn diese Nutzung wurde ihnen von Seiten des Ordens sogleich wieder rückübertragen. Eine besondere Rolle spielten die Dominikaner bei der Einrichtung von Frauenklöstern, in denen ein guter Teil der weiblichen Religiosen seit der ersten Hälfte des 14. Jahrhunderts Aufnahme fand. Gerade auch in der deutschen Ordensprovinz entstanden besonders viele dominikanische Frauenklöster.

Tradition versus Innovation

Benediktiner und Zisterzienser versus Bettelorden

Das 13. Jahrhundert war ohne Zweifel ein wichtiger Entwicklungsschritt in der Ausdifferenzierung der monastischen Gemeinschaften. Das Mönchtum reagierte auf neue Anforderungen an die kirchlichen Institutionen, die Formen der Glaubensvermittlung und die Praxis der Glaubensausübung. Aber so, wie sich die Gesellschaft des Mittelalters nicht grundlegend wandelte, sondern stattdessen mit den urbanen Strukturen um neue Formen des Zusammenlebens und durch Ausbildung neuer Wertvorstellungen erweiterte, so änderte sich das Mönchtum nicht fundamental durch die Abschaffung bisheriger Formen, sondern öffnete sich für neue und andere Formen.

Einsamkeit versus Stadt

Das auf der *regula benedicti* basierende Mönchtum der Benediktiner und Zisterzienser gründete auf der Vorstellung des notwendigen Rückzugs des Einzelnen von den Anfechtungen der Welt in die Einsamkeit, hinter Klostermauern. Ihre Klöster entstanden fernab der betriebsamen Siedlungen und waren allein schon durch ihre Architektur von der Außenwelt abgeschlossen. Die Bettelorden der Franziskaner und Dominikaner hingegen wählten bewusst den städtischen Lebensraum und den Kontakt zur städtischen Bevölkerung als ihren Aktionsrahmen und die Adressaten ihrer Botschaft.

Stabilitas loci versus Ortsungebundenheit

Ein traditionelles Kloster war an einen Ort gebunden oder an eine Kirche mit ihrem dort verehrten Heiligen. In der Regel bildete ein Monasterium außerdem weltherrschaftliche Macht aus; es wurde ein Wirtschaftsunternehmen mit politischen und sozialen Rechten und Pflichten. Entsprechend war auch ein Mönch oder eine Nonne, die in ein solches Kloster eintrat, lebenslang an diesen Ort gebunden. Die Bettelorden hingegen waren ortsunabhängige personale Verbände; man trat in einen Orden ein, nicht in ein bestimmtes Kloster. Daraus ergab sich insbesondere in der Anfangszeit eine hohe Mobilität der Brüder, deren Wirken sich außerhalb ihrer Konvente entfaltete.

Das Wirken für die Gemeinschaft der Gläubigen

Der Weg zum Himmel schien bis in die zweite Hälfte des 12. Jahrhunderts immer zunächst über eine Klosterpforte zu führen. Das galt nicht nur für diejenigen, die dort lebenslänglich eintraten, sondern auch für diejenigen, die sich durch das dort geleistete Gebet Rettung für die eigene Seele erhofften. Das heißt, die Frommen mussten zum Kloster kommen, das in der Abgeschlossenheit der Klausur seinen gesellschaftlichen Auftrag erfüllte. Das Wirken von Franziskanern und Dominikanern hatte einen anderen Ausgangspunkt. Während Benediktiner und Zisterzienser stellvertretend für alle Christen beteten, nahmen die Bettelorden die Gläubigen selbst in die Verantwortung für ihr Heil. Die Seelsorge, insbesondere aber die ansprechende und verständliche Predigt sollte die Gläubigen auf einen gottesfürchtigen Weg zurückführen, geleitet von Buße und Barmherzigkeit. Damit entsprachen ihre Vorstellungen durchaus dem Wollen der städtischen Zeitgenossen, für die Eigenverantwortlichkeit und Mitgestaltung in ihren verschiedenen gesellschaftlichen Rollen eine Selbstverständlichkeit waren.

Autonome versus korporative Verfassung

Die Autonomie des einzelnen Klosters mit einem Abt oder einer Äbtissin an der Spitze bestimmte die traditionelle monastische Organisationsform. Äbte und Äbtissinnen wurden auf Lebenszeit eingesetzt, sie hatten innerhalb der Gemeinschaft, der sie vorstanden, größte Entscheidungsbefugnis. Es war ihnen überlassen, ob sie ihre Autorität mit anderen von ihnen eingesetzten Amtsträgern teilten oder nicht, ob sie deren Rat einholten oder ihre Entscheidungen allein trafen. Im Gegensatz dazu konnten die Amtsträger der Bettelorden auf Zeit gewählt werden, oder anders ausgedrückt: Es gab die Möglichkeit der Abwahl, wenn sie in den Augen der Generalversammlung die Aufgaben ihres Amtes nicht erfüllen konnten. Auch in dieser ‚korporativen' Verfassung waren sie im Übrigen mit den politischen Strukturen der sich selbst organisierenden und regierenden Städte vergleichbar, die eine große Vielfalt politischer Partizipationsformen entwickelten.

Mit der Ausbildung der Bettelorden war in der Entwicklung monastischer Organisationsformen auch zunächst einmal ein Ende erreicht. Ergänzt wurden sie durch die Laiengemeinschaften des späten Mittelalters, die sich an monastischen Vorbildern orientierten.

Maria im Ährenkleid. Gemälde auf Eichenholz (Hinrik Funhoff, 15. Jahrhundert)
Maria wird zur Bürgerin. Die Künstler des späten Mittelalters versuchten die Helden und Heldinnen ihres Glaubens in der städtischen Lebenswirklichkeit widerzuspiegeln.

XII. Laienfrömmigkeit und ihre Organisationsformen – Mystik und Vita apostolica

Die Urbanisierung mit den Veränderungen der sozialen Strukturen auf der einen Seite und die ‚lebenden Beispiele' der Franziskaner und Dominikaner für praktizierte Barmherzigkeit auf der anderen Seite hatten bei zahlreichen Gläubigen eine neue Einstellung zu den bestehenden kirchlichen Institutionen bewirkt. Sie schwankte zwischen ablehnender Kritik und bejahender Nachahmung. Auf Ablehnung stießen die hierarchischen Strukturen, die den Laien die aktive selbstständige Erschließung der göttlichen Lehre erschwerten und auf der Notwendigkeit einer die Gnadenschätze vermittelnden Instanz pochten. Zu diesen Kritikern zählten zum Beispiel die Waldenser, deren Tun ansonsten ja durchaus mit dem Handeln der Predigerorden vergleichbar war. In diesem Punkt der Unterwerfung unter die kirchlichen Instanzen aber unterschieden sie sich fundamental. Zustimmung dagegen fanden Franziskaner und Dominikaner als neue Orden, die sich unter Anerkennung der übrigen kirchlichen Institutionen als Wanderprediger, Bettler und Seelenhirten ihre Aufgaben in der mobilen städtischen Gesellschaft gesucht hatten. Ihre gelebte *vita apostolica* war eng verknüpft mit der Aufgabe der *caritas*. Ihre tätige Hinwendung zu den Randgruppen der Gesellschaft erweckte gleichermaßen Scham wie Verständnislosigkeit. Denn diese Form der *caritas* verlangte, sich über die bestehenden gesellschaftlichen Normen hinwegzusetzen, die vorschrieben, sich seinem Stand gemäß zu verhalten. Tat man das nicht, rüttelte man an den Grundfesten der sozialen Ordnung.

Die adelige Helferin – das Beispiel der Elisabeth von Thüringen

Elisabeth von Thüringen gehörte zu denjenigen, die beides hervorriefen – Bewunderung und Verständnislosigkeit, denn sie missachtete die Stellung, in die Herkunft und Stand sie gehoben hatten, und verstieß gegen alle sich daraus ergebenden gültigen Verhaltensregeln. 1207 wurde sie als Tochter des ungarischen Königs Andreas II. und seiner Frau Gertrud von Andechs-Meran geboren. Im Alter von vier Jahren wurde sie nach Heiratsverhandlungen zwischen ihrem Vater und dem Landgrafen von Thüringen an den thüringischen Hof gebracht, wo sie bis zum heiratsfähigen Alter eine standesgemäße höfische Erziehung erhalten sollte. Als der vorgesehene Bräutigam starb, übernahm sein jüngerer Bruder Ludwig 1218 von seinem Vater das Landgrafenamt und setzte auch die begonnene Familienpolitik – die Verbindung mit dem ungarischen Königshaus – fort. Er verlobte sich mit Elisabeth und heiratete sie 1221. Als Elisabeth zwanzig Jahre alt war, hatte sie bereits drei Kinder geboren: 1222 den Sohn und Erbprinzen Hermann, 1224 die Tochter Sophie, die später dem Herzog von Brabant vermählt wurde, und 1227 die Tochter Gertrud, die Äbtissin des Klosters Altenburg wurde. Bis dahin hatte Elisabeth also alle Erwartungen, die man an die Frauen einer hochadeligen Familie stellte, erfüllt: Sie hatte für einen männlichen Nachfolger gesorgt sowie für weitere Kinder, die entsprechend den familiären Interessen eingesetzt werden konnten.

Doch bereits 1224/25 waren erstmals Franziskaner in Thüringen aufgetreten; ihre Predigten zogen die junge Frau vollkommen in ihren Bann. Zunächst agierte sie weiterhin so, wie man es von einem Mitglied der landgräflichen Familie, das sich dem Orden wohlgesonnen zeigen wollte, erwarten durfte: Elisabeth handelte als adelige Stifterin und wies den Mönchen eine Kapelle in Eisenach zu. Es heißt, dass sie sie mit selbst gesponnener Wolle für ihre einfachen braunen Kutten versorgt hätte. Hier lässt sich der erste deutliche Regelverstoß vermerken, denn selbstverständlich mochte das Spinnen in den eigenen Räumlichkeiten auch für adelige Frauen eine angemessene Beschäftigung sein, ganz sicher aber war ein solches Geschenk, das man in der Öffentlichkeit wahrnahm, keine adäquate Gabe von Seiten des landgräflichen Hauses.

Nach den Franziskanern war es der Prediger Konrad von Marburg, der so großen Einfluss auf Elisabeth ausübte, dass sie ihn 1226 sogar zu ihrem Beichtvater ernannte. Von dieser Zeit an bis zum Tod ihres Mannes auf dem

Kreuzzug nahm Elisabeths praktisch ausgeübte *caritas* so umfangreiche und für alle Welt sichtbare Formen an, dass sie für ihre Familie zum Ärgernis wurde. Obwohl Angehörige des adeligen Standes, ließ sie ihre barmherzigen Gaben nicht von Mägden oder Knechten austeilen, sondern begab sich selbst zu den Armen und Kranken, versorgte und pflegte sie. Dies tat sie sehr zum Missfallen ihres Mannes und ihrer übrigen Verwandten, die die Akzeptanz ihrer Herrschaft in der Bevölkerung durch die freiwillige Erniedrigung Elisabeths gefährdet sahen. Die adelige Herrschaft beruhte nicht zuletzt auch auf der Distanz zwischen Herrschenden und Beherrschten. Wurde dieser Abstand aufgegeben, musste auch der Respekt vor der Herrschaft schwinden, so jedenfalls sah man es auf adeliger Seite. Das ‚Bad in der Menge' durfte keine Selbstverständlichkeit werden, um seinen Reiz nicht zu verlieren, und schon gar nicht durfte man als Mitglied einer adeligen Familie sich in irgendeiner Weise mit den Menschen der niederen Stände gemein machen. Die Wunder, die in der Elisabeth-Vita erzählt werden, sind denn zum Teil auch solche, die sie zunächst von dem Vorwurf, sich unstandesgemäß benommen zu haben, reinigen: Als sie wieder einmal gegen den Willen ihres Mannes den Armen der Umgebung einen Korb voller Brotlaibe bringen will, kommt ihr Gatte erzürnt hinzu und zerrt ihr das Tuch vom Korb und siehe, da waren es lauter Rosen. Und als sie bei anderer Gelegenheit einen Kranken in ihrem Bett versteckt, um ihn zu pflegen, stürmt ihr Ehemann, den ein Diener des Hauses informiert hat, voll Wut ins Zimmer, reißt die Bettdecke zurück und siehe, da lag nur ein Kruzifix und gemahnte den Erstaunten, an seine christlichen Pflichten zu denken.

Nach dem Tod ihres Mannes wurde Elisabeth zu einer nicht länger tragbaren Belastung für das gesellschaftliche Ansehen der Familie: sie musste den thüringischen Hof verlassen. 1228 legt sie ein Gelübde ab, mit dem sie weiteren Anfeindungen von Seiten ihrer angeheirateten Familie begegnen und sich selbst den Verpflichtungen ihr gegenüber entziehen wollte: Sie sagte sich von allen Verwandten einschließlich ihren Kindern los, ebenso wie sie ihren eigenen Willen aufgab und jedem weltlichen Glanz entsagte. Im Sommer 1228 siedelte sie nach Marburg um. Konrad von Marburg blieb ihr ein offenbar unbarmherziger Beichtvater, der sie in ihren Vorstellungen von extremer Askese und ständigen Bußübungen bestärkte. In Marburg arbeitete sie in einem Hospital, das sie noch mit ihren eigenen finanziellen Mitteln hatte einrichten können. Dort pflegte sie die Kranken und verrichtete, so erzählen die Lebensberichte, die niedrigsten Arbeiten und ließ sich davon auch nicht durch Bitten ihrer Mitschwestern abbringen. Doch die junge Frau hielt diese Doppelbelastung von Schwerstarbeit und gleichzeitiger körperlicher Selbstkasteiung nicht lange aus. Sie starb 1231 im Alter von nur 24 Jahren, vermutlich an Auszehrung.

Kaspar Elm hat in seiner Eröffnungsrede zur Ausstellung, die sich aus Anlass des 750sten Todesjahres der heiligen Elisabeth als „Fürstin, Dienerin, Heilige" widmete, ihr Leben in suggestiven Sprachbildern zusammengestellt. Er betonte aber auch, dass die so evozierten Bilder vor allem den Überlieferungen derjenigen zu verdanken sind, die Elisabeth in eine verträgliche Konzeption von Heiligkeit einzuordnen suchten: „Wir verehren in Elisabeth ja nicht eine Frau, die ... sich entfaltete und reifte, sondern ein Mädchen, eine junge Frau, deren kurzes Dasein in hektischer Abfolge alles umfasste, was ein Frauenleben prägen kann: mit nur vier Jahren dem Landgrafensohn Ludwig IV. von Thüringen verlobt, bald darauf nicht nur heimat-, sondern auch mutterlos, mit zehn Jahren an der Seite eines nach dem Tode seines Vaters zum Herrscher gewordenen Siebzehnjährigen, in kurzen Abständen zweimal Mutter, noch vor der Geburt des dritten Kindes von ihrem im Gefolge Kaiser Friedrich II. ins Heilige Land ziehenden Mann zurückgelassen, 1227, mit zwanzig, bereits Witwe, schließlich, halb freiwillig, halb gezwungen, aus ihrer bisherigen Lebenswelt gerissen, gedemütigt, gepeinigt, am Ende mit vierundzwanzig Jahren dahingerafft durch einen Tod, der – für das menschliche Auge – nicht vollendete, sondern in einem völlig ent-

Die hl. Elisabeth bekleidet die Armen und sorgt für die Kranken (Ende 14. Jahrhundert)
In jedem Bedürftigen – so die Vorstellung – war Christus selbst verkörpert, wie es der Kreuznimbus über den Häuptern der beiden Armen zeigt, denen sich Elisabeth in Liebe und mit innerer Ruhe zuwendet.

kräfteten Körper das Lebenslicht auslöschte" (Elm, Elisabeth, S. 4 f.).

Elisabeth verstieß gegen alle geltenden Normen und gesellschaftlichen Konventionen. Sie „kündigt die Solidarität mit ihren hochadeligen Standesgenossen auf, löst sich aus deren Lebens- und Wertegemeinschaft, kümmert sich nicht um die Wirtschaft des Hauses, das Ansehen des Hofes und das Prestige der Dynastie, solidarisiert sich vielmehr mit den Armen und Schwachen, mutet sich und ihrem großzügigen, wohlwollenden Ehegatten das Nebeneinander von ehelicher Liebe und mönchischer Askese zu, unterwirft sich noch zu seinen Lebzeiten dem Regiment Konrads von Marburg, eines bereits von seinem Zeitgenossen Caesarius von Heisterbach als hart und Furcht erregend gekennzeichneten Beichtvaters und Seelenführers, nahm es hin, dass dieser ihr den Umgang mit den vertrauten Gefährtinnen untersagte und sie für geringfügige Vergehen und vermeintlichen Ungehorsam bis aufs Blut strafte, verzichtet schließlich auf die Fürsorge und Verantwortung für ihre eigenen Kinder, um sich statt ihrer einem aussätzigen Mädchen, einem ruhrkranken Einäugigen und einem krätzigen Knaben zuzuwenden" (ebd., S. 6).

Ihr barmherziges Wirken in Marburg hatte sich schnell herumgesprochen und so wurde sie bereits zu Lebzeiten wie eine Heilige verehrt. Als man ihren Leichnam nach ihrem Tode aufbahrte, drängten sich tagelang gläubige Verehrer in die Kirche, um ein Stück von ihr selbst oder ihrer Kleidung als Reliquie zu ergattern. Das Ringen um ein Fitzelchen von der als heilig erachteten Toten nahm offenbar Formen an, die an Leichenfledderei erinnerten, so dass man den Leichnam regelrecht bewachen ließ. Schon am Tag des Begräbnisses ereigneten sich mehrere Wunder an ihrem Grab, gefolgt von weiteren Krankenheilungen. Diese Ereignisse wurden im Franziskushospital sorgfältig registriert und schriftlich festgehalten. 1232 lagen bereits 106 Mirakelberichte vor, die zum größten Teil Krankenheilungen verkündeten. Doch dies war erst der Anfang einer dauerhaften Elisabeth-Verehrung durch die Gläubigen. Denn nun setzte Konrad von Marburg alles daran, die Taten seines ehemaligen Beichtkindes öffentlich zu machen. 1232 leitete er mit einem Bericht an den Papst die Eröffnung eines Verfahrens zur Heiligsprechung Elisabeths ein, dem 1235 von Gregor IX. stattgegeben wurde. Elisabeth stieg zu einer der beliebtesten Heiligen auf. Über ihrem Grab errichtete der Deutsche Orden, der sich nach der Jungfrau Maria die heilige Elisabeth als zweite Schutzpatronin erwählte, eine der ersten gotischen Kirchen in Deutschland. Ihre Tochter Sophie stiftete später einen kostbaren, edelsteinübersäten Schrein für die Gebeine ihrer Mutter.

In den bildlichen Darstellungen wird Elisabeth immer als das Zentrum aktiv geleisteter Hilfe dargestellt, sie ragt – buchstäblich – aus der Gruppe der Hungrigen und Kranken, Leprösen und Bettler heraus und wird dabei dem Schauenden zum Vorbild. Ihr Tun erschöpft sich nicht in Mahnung und Warnung; sie agiert in diesen Darstellungen nicht mit dem erhobenen Zeigefinger, ihr Blick richtet sich nicht auf den Betrachter, sondern sie füllt den Löffel und beugt sich zu dem geöffneten Mund des Hungrigen, sie wischt mit dem Tuch dem Kranken über die Stirn, sie reicht die Kleider den sich ihr entgegenstreckenden Händen hinunter. Sie hat keine Berührungsängste, keine Scheu, keinen Dünkel. Geboren in königlichem Haus, aufgewachsen am adeligen Hof vollendet sie ihr Leben als barmherzige Laienschwester – so zeigen es die Glasfenster, Altartafeln und die Werke der Buchmalerei. Auf diese Weise wurde sie zur Volksheiligen und unterschied sich deutlich von den adeligen Heiligen der vorangegangenen Jahrhunderte, die vor allem auf Grund ihrer Gläubigkeit, ihrer geistigen Haltung und der göttlichen Gnade, die ihnen gewährt wurde, zu Heiligen aufstiegen. Auch Elisabeth war ursprünglich eine Adelige – und in einem modernen Sinn wird sie durch ihre barmherzige Zuwendung für die Notleidenden ihrer Gesellschaft geadelt. Aber das, was sie im 12. Jahrhundert zur Heiligen machte, ist symptomatisch für diese ganze Zeit und die in ihr entstehenden Laienbewegungen: das Ausbrechen aus den starren Zwängen der gesellschaftlichen Schranken und das Nachahmen einer *vita apostolica* durch solche Tätigkeiten, auf die man sich selbst verpflichtete. „Elisabeths Leben war ... auch Reaktion auf die eigene Zeit mit ihren Brüchen und Widersprüchen, Veränderungen und Umwälzungen. Freilich nicht nur im Sinne seismographischer Registrierung, sondern auch aktiver Bewältigung. Nicht durch Anklagen und Protest, mit Lärm und Gewalt, sondern durch eine das Maß des Gewohnten überschreitende Teilnahme. Sie beschränkte sich nicht auf die traditionellen Formen des Mitleides und der Mildtätigkeit, wie sie sie bei ihren Standesgenossinnen, etwa bei ihrer Schwiegermutter, der frommen, nach dem Tode ihres Gatten zu den Zisterzienserinnen des Katharinenklosters nach Eisenach gezogenen Landgräfin Sophie von Wittelsbach, hatte beobachten können. Elisabeth wollte selbst zur Armen werden und war wie Franz von Assisi erfindungsreich in Gesten und Taten, die ihre Identifikation mit den Armen und Schwachen aller Welt, zuerst aber den *pauperes* selbst, deutlich machen konnten. Sie wollte ihnen nicht nur das körperliche Leid und die materielle Not nehmen, sondern ihnen auch ihre Würde wiedergeben, ja sie froh und glücklich machen: *Ecce, dixi vobis, quod letos deberemus facere homines* (Also sage ich euch, dass wir die Menschen heiter machen sollen). Sie zeigte damit ein Verständnis von sozialem Dienst und menschlicher Solidarität, das zu seiner Durchsetzung Menschen bedurfte, die wie sie selbst das Herrenwort von den Armen, in denen Gott sich offenbart, zur Maxime ihres Lebens machten" (Elm, Elisabeth, S. 13).

Elisabeth fand keine direkten Anhängerinnen und strebte wohl auch nicht danach; sie gründete keine eigene Gemeinschaft oder gar einen Orden; sie selbst hinterließ keine schriftlichen Aussagen über die Beweggründe für ihr Handeln und ihre praktischen oder spirituellen Erfahrungen. Von daher ist sie schwer zuzuordnen, aber sie gehört doch eindeutig zu denjenigen, die im 12. und 13. Jahrhundert auf der Suche nach einer Form religiöser Selbstbestimmung waren. Insbesondere Frauen fanden dafür verschiedene, in der Öffentlichkeit wahrgenommene Ausdrucksformen. Eine der mittlerweile bekanntesten und von verschiedenen Forschungsrichtungen bereits gut untersuchten Gruppen religiöser Frauen sind die Beginen, die zunächst in der zweiten Hälfte des 12. Jahrhunderts auftraten und, obwohl eingebunden in das gesellschaftliche und wirtschaftliche Leben der Städte, sich um eine ganz eigene religiöse Identität bemühten.

Fromme Frauen in den Städten – das Beispiel der Beginen

Beginen waren „fromme Frauen, meist Jungfrauen und Witwen, die ohne dauerndes Gelübde und approbierte Regel allein, meist aber in klosterartigen Gemeinschaften ... unter der Leitung einer Magistra oder Martha ein geistliches Leben führten, dass kirchenrechtlich zwischen dem Status der Ordensleute und dem der Laien einzuordnen ist" (Elm, in: LMA, Bd. 1, Sp. 1799). Verschiedene Disziplinen haben unterschiedliche Frageansätze entwickelt, um sich dem weiblichen Religiosentum im hohen Mittelalter zu nähern. Die *gender studies* (Frauen- und Geschlechterforschung) fragen danach, inwieweit die Entscheidung von Frauen zu einem Beginenleben weibliche Rollenmuster durchbrach oder bestätigte, ob Beginentum als frühe Form weiblicher Emanzipation und Selbstverwirklichung angesehen werden kann oder doch eher Muster festschrieb, die bis heute als typisch weiblich angesehen werden. Die Kirchengeschichte untersucht, in welchen Beziehungen die verschiedenen religiösen Bewegungen (Beginen, *Devotio moderna*, Tertiarinnen) zueinander standen. Der sozialgeschichtliche Ansatz fragt nach der Rolle der religiösen Laiengemeinschaften im Kontext der urbanen Gesellschaft, nach schichtenspezifischer Zugehörigkeit und sozialer Mobilität innerhalb dieser Gruppen, nach der Wahrnehmung bestimmter Aufgaben innerhalb der städtischen Fürsorgeeinrichtungen und der Prägung des Stadtbildes und des stadtbürgerlichen Selbstverständnisses durch diese Einrichtungen. Die Kultur- und Kunstgeschichte geht den Fragen nach, inwieweit die Laienbewegung einen Beitrag zur Alphabetisierung größerer Bevölkerungskreise durch den Gebrauch der Volkssprachen in ihren Schriften leistete, in welcher Weise Beginen und andere Laiengemeinschaften ihre Frömmigkeit in Schriftform sowie in Werken der bildenden Kunst zum Ausdruck brachten und wie sich die Motivik gegenüber traditionellen Darstellungen der klösterlichen Orden änderte.

Die Anfänge der Bewegung, ja selbst der Name „Beginen" liegen im Dunkeln. Rührt der Name von der einfachen, vielleicht ursprünglich beigefarbenen Kleidung aus ungefärbter Wolle? Aber solche oder ähnliche Gewandung findet sich bei vielen Vertretern der Armutsbewegung. Leitet sich die Bezeichnung, was aber mittlerweile verworfen worden ist, von dem Priester Lambert le Bege (gest. 1177) ab, der in Lüttich ein Hospital führte, in dem fromme Frauen der Stadt die selbst gestellten Aufgaben der Barmherzigkeit erfüllten? Mag sein, dass sie in seinem Spital arbeiteten, aber Lambert war eben in erster Linie Spitalsgründer und kein Stifter einer Frauenbewegung. Orientierten sich die Beginen an der Klostergründerin und Heiligen Begga? Aufgrund der zeitlichen Distanz ist diese Überlegung eigentlich abwegig, da Begga am Ende des 7. Jahrhunderts wirkte; trotzdem wählten sich etliche flandrische und niederländische Beginenhöfe die heilige Begga zur Schutzpatronin. Oder rückte sie bereits der Name dieser Bewegung in die Nähe der Häresie, da er sich von den südfranzösischen Katharern ableiten könnte, die ihren Hauptsitz in Albi hatten und deshalb auch Albigenser genannt wurden? Keine der diskutierten Thesen vermag wirklich zu überzeugen. Jedenfalls breitete sich die Bewegung nach und nach in den Städten Flanderns und Brabants aus, wanderte den Rhein hinauf und fand in den westfälischen und in den Städten der Nord- und Ostseeküste sowie deren Hinterland rege Akzeptanz, aber auch in Italien, Frankreich und der Schweiz. Im Rheinland und in anliegenden Gebieten finden sich für die Zeit zwischen 1242 und 1533 urkundliche Belege für 65 Orte, in denen Beginen genannt werden, im norddeutschen Raum werden zwischen 1251 und 1318 bereits 17 Beginenniederlassungen erwähnt. In allen Städten der genannten Gebiete entstanden ein oder oftmals auch mehrere Beginenhäuser. In Köln werden Beginen erstmals 1223 urkundlich erwähnt, in Osnabrück 1233, in Frankfurt 1242, in Straßburg 1246 und in Münster 1248. Solche urkundlichen Belege bedeuten aber nicht, dass sie das erste Auftreten dieser religiösen Gemeinschaften in den genannten Städten überhaupt markieren. Im Gegenteil kann man davon ausgehen, dass zum Zeitpunkt einer urkundlichen Erwähnung ein solches Haus bereits seit einiger Zeit Bestand haben musste, um selbstständig in einem Rechtsgeschäft tätig zu sein oder aber Gegenstand von Schenkungen oder Stiftungen zu werden, die Gemeinschaft also bereits einen gewissen Grad der Institutionalisierung erreicht hatte. In Köln, das im 13. Jahrhundert eine besonders große Dichte von Beginenhäusern aufwies, werden zum Beispiel drei Beginen schon 1223 erwähnt, über die Existenz eines Beginenkonventes hingegen erfährt man erst etwas zum Jahr 1230. Die zweite Hälfte des 13. Jahrhunderts und das beginnende 14. Jahrhundert kann als Blütezeit des Beginenwesens bezeichnet werden. 1350 lebten in Köln knapp 1200 Beginen in mehr als 25 Konventen.

Ein Problem der Annäherung an die Beginenbewegung ist die Vielfalt ihrer Erscheinungsformen. Da sie nicht in institutionalisierter Form auftraten und vor allem da sie nicht an einen Orden und von daher auch nicht an eine für alle gleiche Regel und deren Auslegung gebunden waren, entschieden sich einzelne Frauen, kleinere Gruppe oder größere Gemeinschaften jeweils individuell für eine bestimmte Form der Realisierung ihrer frommen Lebensideale. Es gab Frauen, die innerhalb ihres gewohnten Familienverbandes blieben und dort ein Leben in Armut, Keuschheit und tätiger Nächstenliebe führten. Andere schlossen sich zu Kleingruppen zusammen, bewohnten gemeinsam ein Haus und lebten gemäß einer Übereinkunft, die sie miteinander gefunden hatten. Schließlich gab es aber auch größere Anlagen, die so genannten Beginenhöfe in Brügge oder Gent, in denen die Frauen einerseits zwar jeweils einen eigenen Haushalt führten oder zu zweit oder zu dritt in einem solchen lebten, andererseits aber einer für alle verbindlichen Hausordnung folgten, die ähnlich einer Ordensregel sowohl das alltägliche als auch das geistige Leben strukturierte.

Betende Frauen
Insbesondere die Frauen prägten die fromme Laienbewegung, die seit der zweiten Hälfte des 13. Jahrhunderts eine neue, selbstbewusste religiöse Einstellung hervorbrachte.

Die größte Gefahr bestand für die wandernden Beginen, die – in aller Regel allein oder in sehr kleinen Gruppen unterwegs – oft unter Häresieverdacht fielen. Im 14. Jahrhundert waren sie in der Tat diejenigen unter den Beginen, die am ehesten der kirchlichen Inquisition zum Opfer fielen.

Wer entschied sich aus welchen Gründen für das Leben als Begine? Der folgende Abschnitt kombiniert Überlegungen der *gender studies* und der sozialgeschichtlichen Forschung. Die Beginen lassen sich durchaus in die Armutsbewegung einordnen, aber, wie auch schon bei den Bettelorden, waren es nicht nur in erster Linie Arme, die sich ihr anschlossen. Es waren im Gegenteil Menschen aus den mittleren und gehobenen Schichten der Bevölkerung, die ihre eigene Wohlhabenheit – in krassem Gegensatz zu der vielerorts um sie herum herrschenden Armut – als Missachtung christlicher Gebote empfanden und nach einem neuen Weg der Nachfolge Christi suchten und zuallererst in einem Ausdruck des Verzichts fanden. Beginen waren oftmals Witwen oder allein stehende Frauen, die eine weitere oder überhaupt eine Ehe als künftige Lebensperspektive ablehnten. Ob man dies als Akt weiblicher Emanzipation begreifen kann, wenn sich Frauen diesem gängigen Rollenmuster verweigerten, sei dahingestellt, denn andere Zuweisungen weiblicher Rollen griffen sie ohne Protest auf. Die ersten Jahrzehnte der deutschsprachigen Frauen- und Geschlechtergeschichte waren dadurch geprägt, dass man Frauen entweder als Opfer der ihnen per Geschlecht zugewiesenen Rollen betrachtete oder als Heroinnen, die genau diese Rollen zurückwiesen und Alternativen suchten. Mit Blick auf die von Seiten der Kirche den Frauen zugebilligten Rollen polarisierte man die beiden Lebenskonzeptionen von Frauen als „Evatöchter" (Ehefrauen) oder „Bräute Christi" (Jungfrauen, Nonnen), beides durchaus zeitgenössische Termini. Die nachfolgenden differenzierenden Forschungen haben ein wesentlich vielschichtigeres Bild zu Tage gefördert. Zwar blieb die angesprochene Polarisierung bestehen, wenn man die Ansichten der Theologen zu Grunde legte. Fragte man jedoch nach den tatsächlich von Frauen genutzten herrschaftlichen, sozialen, wirtschaftlichen und rechtlichen Handlungsspielräumen, zeigte sich eine große Breite von Rollen, die von Frauen angenommen wurden, auch wenn weiterhin eine geschlechtsbedingte Einschränkung in vielen Lebensbereichen zu konstatieren war.

Tatsache ist, dass viele der späteren Beginen zunächst die Erfahrung einer Ehe gemacht hatten, sich dann aber für eine andere Lebensform entschieden – nicht immer mit dem Einverständnis der eigenen Familie, für die auch im städtischen Milieu die Heirat eine nützliche gesellschaftliche Verbindung darstellte. Der Eintritt in einen Beginenkonvent bedeutete schließlich auch, dass das Vermögen einer Witwe auf diese Weise der wirtschaftlichen Verwendung durch die eigene Familie entzogen wurde. Eine Ehe hieß für den weiblichen Teil in jedem Fall immer die Unterordnung unter die Weisungen des Ehemannes. Die Wahl einer religiösen Lebensform hingegen konnte, gerade in den offeneren Formen der Laiengemeinschaften, eine gewisse Form von Selbstständigkeit bieten, wenn auch natürlich unter der Voraussetzung der Anpassung an die Regeln dieser Gemeinschaft. Diejenigen, die die Eheerfahrung noch nicht gemacht hatten, mochten noch stärker von der Suche nach religiöser Erfüllung bestimmt gewesen sein. Selbstzeugnisse, die die Motive für den Eintritt in eine Beginengemeinschaft kritisch reflektieren, sind bislang nicht bekannt, so dass man sich nur auf die Überlegung eines den Beginen wohl gewogenen Chronisten berufen kann, dass *viele Frauen ... den Reichtum der Eltern verschmäht und die Ehe mit vermögenden und vornehmen Männern ausgeschlagen hatten, um in Armut, von der Arbeit ihrer Hände lebend, dürftig in Nahrung und Kleidung, sich ganz ihren religiösen Zielen ... zu widmen* (Jacob von Vitry, zit. nach Grundmann, Religiöse Bewegung, S. 189).

Versorgungsanstalten oder Auffangbecken für Frauen, die nicht oder nicht mehr verheiratet werden konnten, waren die Beginengemeinschaften also nicht. Die Einführung einer Altersgrenze für Beginen wurde von Stadt zu Stadt unterschiedlich gehandhabt, eine einheitliche Regelung gab es auf Grund der nicht vorhandenen Ordenszugehörigkeit nicht. Aber es fällt auf, dass nach 1311/12, d. h. bedingt durch die Bestimmungen des Konzils von Vienne, welches die umherziehenden Beginen generell unter Häresieverdacht stellte, die überlieferten Hausordnungen des Öfteren eine Regelung der Altersfrage trafen. Manche dieser Ordnungen sahen vor, dass erst Frauen über vierzig in einen Beginenkonvent aufgenommen werden sollten, also frühestens dann, wenn ihre biologische Funktion als Gebärerin sich dem Ende näherte oder wenn, so die kirchliche Sicht, die sexuelle Attraktivität nachließ und diese Frauen für die männlichen Seelsorger keine Versuchung mehr darstellten. Andere Ordnungen allerdings sehen auch die Aufnahme von jungen Frauen vor, was die Beginengemeinschaften selbst nicht als Problem ansahen, denn enthaltsam zu sein war nach ihren Vorstellungen ohnehin der Wunsch derjenigen, die als Beginen leben wollten.

Es ist jedoch in der Forschung umstritten, ob tatsächlich überwiegend Frauen aus den gehobenen und mittleren Schichten des städtischen Bürgertums den Beginenkonventen beitraten oder ob nicht ebenso viele oder gar noch mehr Frauen aus den unteren Schichten dort vertreten waren. Da sich viele der schriftlichen Quellenzeugnisse auf finanzielle Transaktionen beziehen – sei es, dass Beginen selbst urkundeten, als Zeugen auftraten oder Empfänger einer Urkunde waren –, muss man davon ausgehen, dass hier vor allem diejenigen in Erscheinung traten, die auf Grund ihres finanziellen und sozialen Hintergrundes überhaupt in der Lage waren, solche Geschäfte zu tätigen oder in solche eingebunden zu werden. Zumindest kann aber definitiv gesagt werden, dass sich eben die Frauen des städtischen Patriziats der Bewegung nicht verweigerten, sondern im Gegenteil einen deutlichen Anteil an ihr hatten.

Hinzu kommt, und dies mag ein nicht unwesentlicher Aspekt sein, dass sich der Rat einer Stadt eher dann für die Beginen einsetzte, wenn auch Mitglieder der führenden Familien in den entsprechenden Häusern lebten.

Eine der deutlichsten Unterscheidungen zu den Bettelorden war, dass die „behausten" Beginen – im Gegensatz zu den Umherziehenden, von denen bislang eigentlich nur etwas durch kirchengeschichtliche Schriften bekannt ist – ihren laufenden Unterhalt durch eigene Arbeit bestritten. Ein materieller Grundstock war meist über eine Stiftung oder einzelne Spenden gegeben. Diese sicherten zum Beispiel das Wohngebäude und seinen Unterhalt, hier und da wurden ein Garten oder ein Ackergrundstück oder deren Naturalerträge übertragen oder andere finanzielle Zuwendungen wie Geldspenden, Sach-, Natural- und Realwerte (Korn, Wein und Brot, Kochgeschirr, Schuhe, Bettzeug und anderes) gemacht. Hinzu kam das Vermögen, das die Beginen selbst in die Gemeinschaften einbrachten. Die Handarbeiten, die der Selbstversorgung der Gemeinschaften dienten, müssen deutlich von den Arbeiten abgesetzt werden, die sie im Rahmen ihrer *vita apostolica* leisteten, also den Werken der Barmherzigkeit. Die städtischen Quellenzeugnisse berichten von Arbeiten im Bereich der Textilherstellung und -bearbeitung wie Weben und Sticken, Spinnen, Nähen und Garnbleichen, aber auch von Kerzenzieherei, Seifensiederei, Bierbrauerei und Kopierarbeiten. Solange die Beginen dies nur in kleinem Rahmen betrieben und in Absprache mit den jeweiligen für diese Handwerkszweige zuständigen Zünften, konnten sie ihren Tätigkeiten ohne Behinderungen nachgehen. Wurden sie allerdings in wirtschaftlich schwierigen Zeiten zur Konkurrenz der Handwerker, die durch die Beginen ihrer Auskommen gefährdet sahen, mussten sie mit heftigen Reaktionen und wirtschaftlichen Sanktionen rechnen. Dann wurde einem Konvent auch schon einmal verboten, nach eigenem Gutdünken zu produzieren. In Köln zum Beispiel unterstand die Textilarbeit eines bestimmten Konventes, des Schelenkonventes, der Aufsicht einer Tuchmacher- und Weberzunft, die sowohl das Aufstellen einer bestimmten Anzahl von Webstühlen genehmigte als auch die Art der zu webenden Stoffe bestimmte und die Qualität der gefertigten Tuche begutachtete. Als sich ab 1437 die Beschwerden der Zunftmitglieder über die Konkurrenz der Beginen häuften, verbot ihnen die Zunft das Weben. Die Beginen legten dagegen beim Rat der Stadt Widerspruch ein, der entschied, dass der Konvent künftig statt der bisherigen sechs nur noch drei Webstühle betreiben dürfe, womit ein größerer Handel unterbunden werden sollte. Gerade für Köln sind etliche solcher Auseinandersetzungen aus dem 15. Jahrhundert überliefert bis hin zum endgültigen Verbot der Ausübung bestimmter Tätigkeiten wie der Wappenstickerei im Jahr 1504.

Ein weiterer größerer Bereich der Erwerbsarbeit für Beginen waren die privaten Haushalte, in denen sie als Dienerinnen oder Wäscherinnen gegen Lohn arbeiteten. Um es noch einmal zu betonen: Alle diese Arbeiten dienten lediglich dem Erwerb des notwendigen Unterhalts der Gemeinschaft. Viel wichtiger im Rahmen des städtischen Gemeinschaftslebens dürften die Aufgaben gewesen sein, die die Beginen in den kirchlichen und später auch in den städtischen Fürsorgeeinrichtungen ebenso wie in privaten Haushalten übernahmen. Dort verwirklichten sie auch ihre religiösen Ziele einer Armut im Geiste Christi und einer Demut, die sich in der Hinwendung zu Armen und Kranken, Schwachen und Hilflosen äußerte. Sie schlüpften damit durchaus wieder in typische, den weiblichen Mitgliedern der Gesellschaft zugewiesene Rollen. Manche dieser Aufgaben übernahmen sie wohl ganz einfach in eigener Entscheidung, boten ihre Hilfe an, die sicherlich gern gesehen war, und taten, was man im medizinischen und pflegerischen Bereich für Kranke tun konnte, um ihre Leiden zu lindern. Im Laufe der Jahrzehnte wurden die Beginen in den Städten offenbar zu selbstverständlichen Ansprechpartnern für soziale und erzieherische Dienstleistungen. Unterrichtstätigkeiten von Beginen sind für Straßburg am Ende des 13. Jahrhunderts belegt, in Hannover für den Beginn des 16. Jahrhunderts. In Wesel wurden seit der Mitte des 14. Jahrhunderts offenbar verwaiste Mädchen bei den Beginen untergebracht und in Frankfurt nahm das Beginenhaus seit 1488 gegen ein Entgelt des Rates Findelkinder auf. Auch die Aufgabe, Verstorbene würdig zu bestatten, also sie zu waschen, einzukleiden und die Totenwache zu halten, leisteten mancherorts die Beginen.

Ihr alltägliches Leben war also in hohem Maße geregelt – mit oder ohne Hausordnung. Sie verpflichteten sich auf die Einhaltung von Armut und Keuschheit sowie darauf, durch ihrer Hände Arbeit ihren Unterhalt zu beschaffen, ohne ein Gelübde abgelegt zu haben. Die einfache Kleidung, die in einigen Städten fast wie eine Tracht festgelegt wurde, machte sie außerhalb ihrer Gemeinschaft für Außenstehende kenntlich. Ihr Tagwerk bestand in Handarbeit und karitativen Dienstleistungen.

Die knappen Statuten des Konventes „Auf dem Sande" in Wesel, die seine Mitglieder um 1309 niederlegten, spiegeln recht gut die moralischen Maßstäbe, nach denen die Beginen lebten, und die vermögensrechtlichen Grundlagen, auf denen ihr Gemeinschaftsleben basierte:

1. Es sollen nur brave und ehrsame Personen mit Genehmigung ihrer Eltern aufgenommen werden, keine natürlichen Schwestern außer zweien, keine persönlich Unfreien.

2. Jede aufgenommene Schwester soll zum Lebensunterhalt Renten oder Vermögen besitzen oder eine Kunst verstehen, um sich die Existenzmittel zu erwerben.

3. Entsteht Zwistigkeit unter Schwestern des Hauses, so muss diese vor Schlafengehen von der Vorsteherin in Friede und Liebe beigelegt werden.

4. Keine Schwester des Hauses soll ohne Erlaubnis der Vorsteherin ausgehen und nie allein, sondern stets zu zweien, nicht vor Sonnenaufgang und nicht nach Sonnenuntergang, es sei denn, dass einer redlichen Ursache willen die Vorsteherin dieses gestattet hat.

5. Vor Sonnenaufgang und nach Sonnenuntergang soll das Haus allen männlichen Personen verschlossen sein.

6. Alle Schwestern sollen ein gemeinsames Schlafzimmer und ein gemeinsames Wohnzimmer haben, ausgenommen die Kranken und die Alten.

7. Täglich sollen sie für ihre Wohltäter Vigilien lesen, und zwar neun Lektionen.

8. Diejenige Schwester, die sich unmanierlich und ungeistlich beträgt und deswegen zweimal zur Rede gestellt, sich nicht bessert, soll aus dem Hause entfernt werden und alle Ansprüche an dieses verlieren.

9. Geld und Gut, das der Gesamtheit gehört, soll nicht unter die Einzelnen verteilt werden, sondern dem gemeinsamen Nutzen des Hauses verbleiben.

10. Schwestern, die freiwillig oder gezwungen das Haus verlassen, verlieren ihre Ansprüche und müssen von ihrem Vermögen dem Hause eine Brabanter Mark zedieren; ebenso hat jede Schwester bei ihrem Tode dem Hause wenigstens zwei Brabanter Mark zu hinterlassen, sofern sie viel besitzt.

(Zit. nach: Krimm, Quellen zur Geschichte der Diakonie (578), Nr. 147, S. 128 f.)

Im Gegensatz zur Akzeptanz der täglichen Lebensgestaltung der Beginen stellte ihre geistliche Betreuung ein Problem dar, da sie durch ihre Lebensweise in einer Art „Zwitterzustand" lebten. Sie gehörten einerseits keinem Orden an, unterstanden dem für alle nichtkirchlichen Einrichtungen gültigen Stadtrecht und seinen Verpflichtungen, hatten sich aber andererseits auch aus den pfarrkirchlichen Zusammenhängen der Laien herausgelöst. Die kirchlichen Institutionen mussten aus ihrer Sicht darauf bestehen, dass diese Gemeinschaften eine regelmäßige, sie kontrollierende geistliche Versorgung erhielten. Predigerorden und Minderbrüder, Dominikaner und Franziskaner waren geeignet, diese Aufgaben zu übernehmen, da sie gedanklich der Beginenbewegung nicht allzu fern standen. Zum Teil wurde die geistliche Betreuung der Beginenhäuser ganz offiziell von Seiten der kirchlichen Institutionen an die Mitglieder der neuen Orden übertragen, zum Teil wurden von städtischer Seite Pfleger bestellt, die die Gemeinschaften kontrollierten, aber auch nach außen vertraten. So war also die geistliche Betreuung, insbesondere Gottesdienst und Beichte, gemäß der Vermittleraufgabe der Kirche für die Beginen geregelt.

Wie aber beförderten die Beginen selbst ihre geistliche Bildung? Oder verwirklichte sich ihre *vita apostolica* ausschließlich in Handarbeit und *caritas?* Die Antwort darauf fällt nicht leicht und nicht eindeutig aus, da sich seit Beginn des 14. Jahrhunderts viele Beginenkonvente den Bettelorden anschlossen, um dem Häresieverdacht zu entgehen. Klar ist jedoch, dass, wie bereits beschrieben, literate Kenntnisse in den Konventen vorhanden waren. Lesen und Schreiben war Voraussetzung, um, wie in einigen Städten nachgewiesen, eine Schule führen zu können. Hinzu kommen die in den Beginenkonventen verwendeten Schriften sowie die Werke der bildenden Kunst. Beide Bereiche sind bislang in der Forschung relativ selten behandelt worden. Erst seit wenigen Jahren, seit verschiedene Disziplinen die Laienfrömmigkeit als ein wichtiges Thema entdeckt haben, bei dem sich Sozial-, Kirchen- und Mentalitätsgeschichte überlappen, versucht man, diese Ausdrucksformen dem heutigen Verständnis zu erschließen. Dazu gehören auf der einen Seite die schriftlichen Werke der Mystik und die Verdichtung geistlicher Grundhaltungen in Bildwerken und Skulpturen, auf der anderen Seite die ganz handgreiflichen Objekte der Verehrung. Sowohl bei den

Elsbeth Stagel, Initiale aus der Chronik von Töss
Chroniken und Schwesternbücher des 14. und 15. Jahrhunderts berichten von alltäglichen Begebenheiten und mystischen Erlebnissen klausurierter Frauen, die diese Berichte zum Teil auch eigenhändig verfassten.

Beginen als auch bei der etwas späteren, ebenfalls im nordwesteuropäischen Raum besonders ausgeprägten Bewegung der *devotio moderna* und auch bei anderen Laienbewegungen lassen sich letztlich wohl diese Überschneidungen finden von intellektueller, reflektierender Gottesschau einerseits – einschließlich ihrer Umsetzung in Schrift und Bild – und körperbezogener Gotteswahrnehmung über die eigene Leiblichkeit andererseits.

Die spirituelle Gottesschau und das geistige Erlebnis göttlicher Nähe lassen sich für die heutige Forschung nur dann auswerten, wenn sie einen schriftlichen oder bildlichen Niederschlag gefunden haben. Genau da aber beginnt das Problem, dem sich die derzeitige Forschung anzunähern sucht. Es geht nicht nur um die Frage, *was* in den Texten der mittelalterlichen Mystik niedergeschrieben wurde – oder in welche Bilder das Erleben gebracht wurde. Es geht auch um die Bewertung der Texte: Handelt es sich bei den mystischen Texten um tatsächlich authentische, spontane, unmittelbare Erlebnisberichte, wie viele der überlieferten Texte es dem Leser suggerieren, sei es dass der oder die Schauende selbst schrieb oder einem Schreiber quasi unmittelbar das Erlebnis diktierte? Oder liegen nicht vielmehr literarische Produkte vor, in denen das Erlebte durch vielfältige Brechungen – die eigene Reflexion, die Befragung von Außenstehenden, der Adressatenkreis, für den geschrieben wurde – zu einem Kunstwerk verdichtet wurde? Die moderne Literaturwissenschaft hat versucht, die Textsorten der Mystik zu kategorisieren. Man unterscheidet zwischen philosophischen, spekulativen und frauenmystischen Texten. Aus der Gruppe der philosophischen Mystiker ragt Meister Eckhart hervor. Kleriker wie Johannes Tauler oder Heinrich Seuse werden zu den spekulativen Mystikern gezählt. Die frauenmystischen Texte werden zum einen mit Zisterzienserinnenklöstern wie Helfta in Zusammenhang gebracht, zum anderen mit süddeutschen Dominikanerinnenklöstern und einzelnen Beginen, die z. T. in reguläre Klöster eintraten, um drohender Verfolgung zu entgehen.

Wenn man die weiblichen religiösen Gemeinschaften als eigene soziale Gruppe sieht, mag man diese Textkategorisierungen akzeptieren. Jedoch, und darauf weisen viele neuere Untersuchungen zu den so genannten frauenmystischen Texten hin, sollte man sich hüten, diese Texte biologistisch und in Abgrenzung von den ‚männlichen' Texten zu deuten. Es kann nicht darum gehen, eine Opposition aufzubauen zwischen Texten männlicher Erfahrung, die in der geistigen Kultur angesiedelt sind, und Texten weiblicher naturverbundener Erlebnisse, zwischen theoretischer und praktischer Mystik, spekulativ-intellektueller und erlebnisgesättigter Mystik.

Die Textinhalte, so die Forschung, sind nicht geschlechtlich ausgerichtet, sondern nach den kulturhistorischen Voraussetzungen, den jeweiligen sozialen Bedingungen und der individuellen, autorzentrierten Motivation. Als viertes Element, das die Entstehung von Texten, auch mystischen Texten, beeinflusst, ist die institutionelle Verortung von Texten zu nennen. Den Hintergrund mittelalterlicher Texte bildet, so Susanne Bürkle, ihre „lebenspraktische Einbindung in institutionelle Zusammenhänge, ihre von den Interessen sozialer Gruppen abhängige Entstehung und funktionale, am Kollektiv orientierte Ausrichtung" (Bürkle, Literatur im Kloster, S. 6).

Betrachtet man nun diese institutionellen Zusammenhänge etwas näher, so erscheinen die frauenmystischen Texte als Ergebnisse einer intensiven literarischen Zusammenarbeit zwischen den religiös stark bewegten Frauen und den sie seelsorgerisch betreuenden Theologen und Predigern, die sie entweder dazu anregten, ihre mystischen Bilder, ihre Visionen selbst niederzuschreiben, oder aber diese für sie niederschrieben. Die Texte entstanden also im Zusammengehen von weiblichen Gemeinschaften und der für sie geleisteten *cura monialium* durch die männlichen Kleriker.

Die literarische Teamarbeit wurde lange Zeit aus der ‚Seelenverwandtschaft' der Mystikerin und des sie betreuenden Klerikers erklärt, die in einer sehr persönlichen Beziehung zueinander gestanden hätten. Mittlerweile gibt es auch eine andere Lesart dieser Verhältnisse, nämlich die Überlegung, dass die *cura monialium* institutionell vorgegeben war, eine Verpflichtung, der die männlichen Kleriker nachgehen mussten. Umgekehrt hätten die Frauenklöster die Aura und Dignität der anerkannten Kleriker zur Erhöhung ihres eigenen Renommees genutzt, indem sie diese Kleriker ihre mystischen Erfahrungen niederschreiben und verbreiten ließen. Mit anderen Worten: In einem Abgleich zwischen den mystischen Texten einerseits und den normativen Texten andererseits muss man feststellen, dass das so häufig in den mystischen Texten beschriebene enge Verhältnis zwischen Beichtvater und Mystikerin so wohl doch nicht existiert hat, sondern Teil eines hagiographischen Konzeptes des 14. und 15. Jahrhunderts ist.

Als die Beginen sich am Ende des 12. und verstärkt zu Beginn des 13. Jahrhunderts in den Städten als fromme Frauengemeinschaften etablierten und durch ihre Häuser oder Höfe, ihre Kleidung, ihr Tun, ja in manchen Städten allein durch ihre Zahl unübersehbar wurden, stellte sich die Frage ihrer Akzeptanz von Seiten der Kirche. Einer ihrer Förderer, Jacob von Vitry, erwirkte 1216 eine päpstliche Erlaubnis und Anerkennung ihrer Art des Zusammenlebens. Hinzu kamen in einigen Fällen kirchliche Schutzprivilegien, die die Beginengemeinschaften erfolgreich für sich einklagten, da sie sowohl von Seiten unredlicher Kleriker als auch von städtischen Institutionen bedrückt und belästigt worden wären, wie es in der Sprache der Quellen heißt. Worin konkret diese Bedrückung und Belästigung bestand, wird nicht recht deutlich. Es bleibt in jedem Falle festzuhalten, dass diese Schutzprivilegien nur individuell ausgestellt wurden, nicht jedoch für die Bewegung als ganze galten. Denn weil die Erscheinungsformen des Beginentums so vielfältig waren und sie eben nicht als regulärer Orden fassbar und kontrollierbar waren, sondern letztlich jede dieser Gemeinschaft nach einer eigenen, von ihr selbst gesetzten Ordnung lebte, musste die Kirche ihr die Anerkennung versagen. Insbesondere dann, wenn innerhalb der Beginenbewegung vereinzelt Äußerungen laut wurden, die eindeutig als häretisch anzusehen waren, wie die Forderung, sich gegenseitig die Beichte abnehmen zu dürfen – also in das allein den Klerikern vorbehaltene Recht der Sakramentenspendung einzugreifen –, theologische Fragen erörtern oder gar predigen zu dürfen.

Die Beurteilung der Beginen durch die Zeitgenossen war keineswegs einhellig. Insbesondere in der ersten Hälfte des 13. Jahrhunderts, als auch auf monastischer Seite das Armutsideal und die *caritas* einen herausragenden Stellenwert einnahmen, ließen sich viele einflussreiche Stimmen hören, die die Beginen in höchstem Maße wertschätzten. Robert Grosseteste (ca. 1198–1253), Philosoph und Bischof von Lincoln, wies ihnen die oberste Sprosse auf der Tugendleiter zum Himmel an, da sie in der Verbindung von christlicher Armut und eigener Handarbeit zur Bestreitung ihres Lebensunterhaltes den höchsten Grad christlicher Vollkommenheit erreicht hätten. Der Pariser Theologe Robert von Sorbonne (1201–1274) erachtete ihr praktisches Tun für ebenso schwerwiegend in den Waagschalen des Jüngsten Gerichtes wie all das Wissen der Gelehrten. Auf der anderen Seite wurden die Beginen aber auch angefeindet. Heuchelei, Scheinheiligkeit, Arbeitsscheu, Intoleranz, Stolz und Überheblichkeit gegenüber allen Nicht-Armen warf man ihnen vor; jedoch gewinnt man vielfach den Eindruck, dass diese Angriffe aus Vorurteilen resultierten und aus einer allgemeinen Unsicherheit im Umgang mit solchen Gruppierungen, die sich nicht mehr ganz in der Welt, aber ebenso wenig innerhalb der kirchlichen Organisationen bewegten.

Doch auch viele Zwischentöne waren zu hören. Insbesondere versuchte man, die Beginenbewegung zu klassifizieren, ihre Anhängerinnen einzuteilen in solche, die in geregelten Bahnen lebten, nach einer, wenn auch selbst gesetzten Ordnung, und in solche, die ohne jegliche Bindungen durch das Land zogen. Sesshafte Beginen wurden in dieser Klassifizierung zu frommen Frauen, vagabundierende Beginen zu kirchenfeindlichen Häretikerinnen, die es zu verfolgen galt. In diesem Sinne bestimmten einige Konzilien des 13. und 14. Jahrhunderts den Umgang mit oder besser, die Verfolgung und Verurteilung von Beginen. Auf dem Konzil von Lyon 1272 sprachen sich all diejenigen, deren Gutachten zur Bewertung der Beginenbewegung eingeholt worden waren, gegen die Aufrechterhaltung dieser Gemeinschaften aus. Ein dritter Weg zwischen Laienwelt und der monastischen Welt war offenbar für viele Kleriker schlicht noch nicht denkbar, sondern wurde stets als Angriff gegen etablierte kirchliche Institutionen gesehen. Ein häufig vorgebrachter Punkt war, dass man den Frauen theologische Bildung und damit das Recht auf die Interpretation theologischer Schriften absprach. Ersteres ist institutionengeschichtlich schwer zu entkräften, da Frauen in der Tat von den universitären Bildungsmöglichkeiten ausgeschlossen waren, die Universitäten aber gegenüber den Jahrhunderten zuvor ein immer größeres Gewicht für die Auslegung der kirchlichen Lehren gewannen. Tatsächlich aber wurde die Interpretation theologischer Schriften bereits von vielen Frauen aus dem monastischen Bereich praktiziert, ohne dass dies als anstößig empfunden worden wäre. Dass jedoch weibliche Laien sich die theologischen Schriften zu Eigen machten, war jenseits aller von der Kirche noch akzeptablen Grenzen. Das Konzil von Lyon kam zu keinem eindeutigen Ergebnis. Es verbot neue Ordensgründungen und wiederholte den Beschluss, dass die nach 1215 neu entstandenen Ordensformen aufzulösen oder zu verbieten seien – ein Beschluss, der eigentlich auch die Eliminierung des Franziskaner- und Dominikanerordens hätte beinhalten müssen, was aber angesichts des Erfolgs dieser beiden Bewegungen bereits zu diesem Zeitpunkt kein realistisches Unterfangen mehr gewesen wäre. Die klerikale Kritik am Beginentum hielt jedenfalls an und kulminierte im Konzil von Vienne 1311/12 unter Papst Clemens V., denn auf diesem Konzil wurde definitiv beschlossen, das Beginentum zu verbieten. Neben die dauerhaft vorgebrachten Argumente trat nun ein Katalog mit „Irrlehren", denen Beginen und Begarden, die männliche Variante der frommen städtischen Laienbewegung, angeblich anhingen. Zu ihnen zählten als schwerwiegendste Beschuldigung die Missachtung der kirchlichen Sakramentenlehre sowie die Vorstellung, dass der Mensch gottgleich werden und bereits im diesseitigen Leben die endgültige Seligkeit erlangen könne. Und doch hatte die wachsende Laienfrömmigkeit in den Köpfen der Konzilsteilnehmer offenbar Spuren hinterlassen, denn obwohl auf der einen Seite ein allgemeines Verbot der beginischen Lebensformen formuliert wurde, waren auf der anderen Seite die rechtgläubigen Beginen von diesen Bestimmungen ausgenommen:

Unter den im Volk „Beginen" genannten Frauen, die weder der Gehorsamspflicht noch irgendeiner approbierten Regel unterworfen seien, aber dennoch eine eigene Tracht besäßen und gewissen religiösen Männern folgten, seien einige, die über die Dreifaltigkeit und die göttliche Substanz disputierten und predigten und außerdem Lehrsätze gegen die Sakramente und den katholischen Glauben verbreiteten. Sie täuschten dabei unter dem Deckmantel der Heiligkeit viele aus dem einfachen Volk und seien deshalb mit der Zustimmung des Konzils zusammen mit ihrem gesamten Stand für alle Zeiten zu verbieten und aus der Kirche zu entfernen. Auszunehmen von diesem Verbot seien allerdings jene gläubigen Frauen, die in ihren Häusern ein ehrbares Leben der Buße führten und Gott im Geiste der Demut dienten (zit. nach Schweitzer, Beginen, S. 555).

Damit war die Verantwortung für die Umsetzung der Konzilsbeschlüsse auf lokale und regionale Ebenen verlagert worden. Denn nur dort würde man entscheiden können, ob es sich um gläubige Frauen oder eben um ungläubige und häretische Frauen handelte. In Vienne war auch die Bindung der Frauengemeinschaften an die Pfarrkirchen gefordert worden, was aber bereits zu jenem Zeitpunkt der gängigen Praxis widersprach, da sich viele Beginenhäuser in die Seelsorge der Dominikaner oder Franziskaner begeben hatten. In einem päpstlichen Nachtrag wurden 1319 auch diese Frauengemeinschaften von den Verfolgungen ausgenommen. Trotzdem war die Verunsicherung groß. In jeder Stadt trafen die Räte eigene Maßnahmen gegen die Beginen, die in der Auflösung ihrer Gemeinschaft gipfeln konnten – oder eben auch nicht. Vielfach untersagte man ihnen ihre einheitliche Tracht, mit der sie fälschlicherweise wie Mitglieder eines kirchlicherseits anerkannten Ordens erschienen. Um der Verfolgung zu entgehen, schlossen sich viele Beginengemeinschaften den in ihren Städten bestehenden Bettelordenskonventen an. Mancherorts suchte man andere Bezeichnungen wie *devote mulieres* oder *vrouwen unde iunchvrouwen* oder nannte die Frauen in urkundlichen Bezügen nur noch mit ihrem Namen, aber nicht mehr mit ihrem frommen Stand.

Eine zweite Inquisitionswelle zu Ende der 60er und Anfang der 70er Jahre des 14. Jahrhunderts richtete sich insgesamt gegen die semireligiösen Bewegungen, von denen nach den Beginen und Begarden weitere entstanden waren, und noch einmal kam es in einigen Fällen zur Auflösung von Beginengemeinschaften.

Insgesamt jedoch blieben viele der Häuser der frommen Frauen mit städtischer Billigung bestehen.

Im heutigen Sprachgebrauch ist der Begriff ‚Begine' fast völlig verschwunden. In seiner Bedeutung als Gemeinschaft frommer Frauen existiert er überhaupt nicht mehr. In manchen Orten wird durch offizielle oder privat initiierte Hinweistafeln auf die ehemaligen Häuser dieser Konvente hingewiesen, wie zum

Beispiel mit einer modern gestalteten Steinplatte am Dortmunder Reinoldinum, einem evangelischen Studienzentrum. Ansonsten haben solche Zusammenschlüsse von Frauen, die sich heute als Beginengemeinschaften bezeichnen, nichts mehr mit den mittelalterlichen religiös bewegten Beginen gemein. Die Bremer ‚Beginen', um nur ein Beispiel zu nennen, bemühen sich um den Aufbau eines Netzwerkes von Frauen, die als Unternehmerinnen tätig sind. Versucht man sich in einer knappen Beantwortung der anfänglich gestellten Fragenkomplexe, ergeben sich große Schwierigkeiten. Eindeutige Antworten gibt es nicht und jede verallgemeinernde Aussage könnte aufgrund der Vielgestalt der Häuser und Höfe der Beginengemeinschaften durch ein Gegenbeispiel widerlegt werden. Trotzdem sei das Angebot einer zusammenfassenden Bewertung dieser Bewegung gemacht:

1. Die Beginen können sicherlich als eine emanzipatorische Bewegung angesehen werden, da sich diese Frauen als Laien eine eigene Lebensgestaltung und eine eigene Organisationsform nicht außerhalb, aber neben den bestehenden kirchlichen Einrichtungen suchten. Sie durchbrachen damit zum einen die Rollenmuster der Kirche, die ihren weiblichen Gliedern entweder den Part als ‚Tochter Evas' oder ‚Braut Christi' zuwies, zum anderen aber auch die Erwartungen der laikalen Gesellschaft an die Frauen, da sie sich deren meist männlicher Vormundschaft entzogen und ihre familiären, wirtschaftlichen und sozialen Positionen aufgaben. Zum anderen bestätigten sie aber auch weibliche Rollenmuster – zumindest so, wie wir sie seit dem 19. Jahrhundert zu sehen gewohnt sind –, da sie ‚typisch weibliche' Aufgaben in der Krankenpflege, der Betreuung von Schwachen und der Erziehung von Kindern (im schulischen Bereich) sowie andere soziale Dienste übernahmen, die sie selbst aber keineswegs als ‚weiblich', sondern als ‚christlich' empfanden.

2. Die Beginen stellten keine singuläre Erscheinung dar, sondern können in den breiten Strom der spätmittelalterlichen Erscheinungen der Laienfrömmigkeit eingeordnet werden, wobei diese Bewegung einen besonderen Schwerpunkt auf die *vita activa* in der Befolgung des christlichen Gebotes des Nächstenliebe legte.

3. In vielen Städten stellten die Beginenkonvente in mehrfacher Weise einen wichtigen Faktor für das städtische Gemeinschaftsleben dar. Die Beginenbewegung war ein schichten- und ständeübergreifendes Phänomen. Sie unterstützte allein durch ihre Existenz die Laien in deren Überlegungen zur Frömmigkeit und ihre Häuser waren Objekte für Stiftungen und Spenden aus frommer Intention. Solange sie keine wirtschaftliche Konkurrenz darstellten oder sogar für manches Handwerk Zuarbeit leisteten, waren die Beginen auch keinerlei Belastung für die städtischen Kassen, da sie sich selbst versorgten. Im Gegenteil überbrückten sie – in der Rückschau betrachtet – quasi die Lücke zwischen den früheren karitativen Leistungen, wie sie die Klöster erbracht hatten, und der sich institutionalisierenden städtischen Armen- und Krankenfürsorge des ausgehenden Mittelalters und der Frühen Neuzeit durch ihren tatkräftigen Einsatz bei der Versorgung der städtischen Bedürftigen.

4. Beginen gehörten eindeutig zur alphabetisierten Schicht der städtischen Bevölkerung, ohne dass sie aber Literatentum als Voraussetzung für ein christliches Leben angesehen hätten. Über die Schrift- und die Lesefähigkeit und auch über die mystischen Erfahrungen hinaus entwickelten sie einen Ausdruck von Frömmigkeit, der seine Motive in ihrem konkreten Lebensumfeld fand. Die daraus entstandenen Werke mögen keine innovatorischen Meisterstücke der bildenden Kunst gewesen sein, aber sie machten laienreligiöses Gedankengut zu einem allgemein für jeden Mann und jede Frau erfahrbaren Erlebnis.

Die Predigerin – Katharina von Siena und die dominikanischen Laienschwestern

So wie sich nördlich der Alpen seit dem 13. Jahrhundert die Beginen als religiöse weibliche Gemeinschaften etablierten, folgten in Italien viele Frauen dem Beispiel der Franziskaner und Dominikaner. Auch sie schlossen sich

Die hl. Katharina von Giovanni di Paolo (15. Jahrhundert)
Sie überragte, in der Einschätzung der Zeitgenossen, die ‚normalen' frommen Bürger um ein Vielfaches, versammelte sie jedoch gleichzeitig – bildlich gesprochen – unter ihrem schützenden Mantel.

zu Laiengemeinschaften zusammen – zum Beispiel den Pönitentiarinnen oder den Büßerinnen – oder lebten mit ihrem Glauben weiterhin in den familiären Zusammenhängen. Die Viten vieler dieser Frauen erzählen im Gegensatz zu den kirchenrechtlichen Quellen, die auch für Laien eher auf ein ordensgebundenes, zumindest aber in irgendeiner Weise regelorientiertes Leben drängten, von den privaten Möglichkeiten, ein religiös erfülltes Leben zu führen. Allerdings, so lassen sich diese hagiographischen Texte auch interpretieren, war der Aktionsradius dieser Frauen auf die direkte häusliche Umgebung und die unmittelbare Nachbarschaft beschränkt. Dort lebten sie ein bußfertiges Leben vor und belehrten Familienmitglieder, Verwandte und Freunde über die nach ihrer Auffassung richtige geistige Haltung, die hinter all ihrem Tun stand. Hinzu kamen die Werke der Barmherzigkeit – die Armenunterstützung, die Krankenversorgung, das Totengeleit, manchmal Vermittlungstätigkeit zwischen Streitenden. Ähnlich wie in späteren nordeuropäischen Bewegungen ging es den Büßerinnen aber nicht in allererster Linie um die aktive Nachfolge Christi durch praktische soziale Hilfe, sondern um die innere Haltung, die dabei eingenommen wurde. Ohne einem Orden anzugehören, versuchten die Pönitentiarinnen doch, ihrer geistlichen Grundhaltung Ausdruck zu verleihen. Viele von ihnen trugen ein der Nonnentracht nachempfundenes Habit, das sie sichtbar von anderen Laien abgrenzte; sie nahmen asketische Gewohnheiten an, sie legten regelmäßig und in kurzen Abständen die Beichte ab und baten sehr häufig um die Erteilung der Kommunion. Während des 13. Jahrhunderts war ein solches Leben in einer Atmosphäre der relativen Offenheit in den religiösen Ausdrucksformen möglich ohne allzu großen Anstoß bei der offiziellen Kirche zu erregen. Im 14. und 15. Jahrhundert drängte die Kirche wieder stärker auf die Klausurierung, insbesondere auch für weibliche Laien.

Eine aus diesem Muster herausfallende und gleichzeitig herausragende Figur war Katharina von Siena (1347–1380), deren Verehrung bis heute in katholischen Kreisen ungebrochen ist. 1461 wurde sie heilig gesprochen – immerhin erst 80 Jahre nach ihrem Tod –, 1939 erhob man sie zur Schutzpatronin Italiens und 1970 reihte man sie sogar in die Gruppe der heiligen Kirchenlehrer ein. Katharina entstammte dem kleinen Seneser Handwerkermilieu. Sie war das 23. (!) Kind einer Gerberfamilie und bereits als kleines Mädchen, so erzählt nach gängigem Muster ihre Vita, von Visionen, Bildern und Trancezuständen heimgesucht oder erleuchtet, je nachdem von welcher Warte aus man ein solches Kindheitserlebnis bewerten will. Als sie mit zwölf Jahren das heiratsfähige Alter erreichte, verweigerte sie sich dem Wunsch der Mutter, einer Heirat zuzustimmen, und schnitt sich zum äußeren Zeichen ihrer Entschlossenheit gegen diese ihr zugedachte Rolle als Ehefrau und Mutter die Haare ab. Trotz aller religiösen Offenheit legte der Lebensentwurf für die Frauen der sozialen Oberschicht ebenso wie der gehobenen und unteren Mittelschicht auch im 14. Jahrhundert noch immer die Entscheidung zwischen Ehe oder Kloster nahe. Beides erlebte eine junge Frau als großes Fest, egal ob es sich um die Hochzeit mit einem weltlichen oder mit dem himmlischen Bräutigam handelte. Katharina dagegen fiel aus der Rolle. Sie begann in der Öffentlichkeit Buße und Barmherzigkeit zu predigen und sich damit eine Männerrolle anzueignen. Das, was die Pönitentiarinnen in familiärer Umgebung realisierten, war auch Katharinas Ziel, nur mit dem großen Unterschied, dass sie es vor großem Publikum in aller Öffentlichkeit tat. Ihre Predigten, insbesondere wohl aber ihr individuelles Auftreten, ihre Frömmigkeit, ihre innere Haltung – trotz aller Krankheiten, mit denen sie geschlagen war –, die sie überzeugend nach außen tragen konnte, ließen sie zahlreiche Anhänger weiblichen wie männlichen Geschlechts finden. So bestand sie auch 1374 unbeschadet ein Inquisitionsverhör vor den Dominikanern und erhielt, obwohl sie ein Frau war, offiziell die Erlaubnis zur Predigt. 1375 empfing sie während eines Trancezustandes die Zeichen der Stigmatisation. Ein Jahr später nahm sie Kontakt zum Papst in Avignon auf, um ihn zur Rückkehr nach Rom zu bewegen. Für ihre Anhängerinnen gründete sie ein Kloster. Sie war aber auch bestrebt, ihren Vorstellungen durch das schriftlich niedergelegte Wort Dauerhaftigkeit zu verleihen. Der „Dialogo", den sie verfasste, orientierte sich der Form nach an dem universitären Vorbild des Streitgesprächs. Katharina starb 1380. Während die bildliche Rezeption Elisabeths von Thüringen sie in der Regel bei der Ausübung ihrer barmherzigen Tätigkeiten zeigt, wird Katharina von Siena vor allem in dem Bild der mystischen Verzückung übermittelt.

Zeugnisse der Sachkultur und die Sprache der Bilder

Bislang wurde in der theologischen wie in der historischen Forschung den Texten, die in Klöstern oder in ihrem Umfeld entstanden, deutlich mehr Aufmerksamkeit gewidmet als den Zeugnissen der Sachkultur, die aber seit dem späten Mittelalter durchaus in beachtlicher Zahl überliefert sind und Hinweise auf die frommen Vorstellungswelten geben können. Aus den Frauenkonventen des 14. und 15. Jahrhunderts haben sich neben den handschriftlichen Manuskripten mit ihren Illuminationen auch Tafelbilder, individuelle Andachtsbilder, Holzschnittblätter, die als Massenprodukte verbreitet wurden, sowie Stick- und Webarbeiten erhalten. In vielen dieser Zeugnisse verbinden sich Bildmotiv und beigefügter Text zu einer Einheit, wie es auch durch andere nichtmonastische Beispiele für solche Sachzeugnisse überliefert ist. Angesprochen waren also gleichermaßen literate wie illiterate Betrachter, wobei illiterat nicht unbedingt gleichzusetzen ist mit leseunkundig, sondern eher mit nicht universitär vorgebildet. Dabei mussten Text und Bild durchaus nicht vollständig übereinstimmen, vielmehr eröffnete ihre Zusammenschau die Möglichkeit, einen Text, oftmals eine Bibelstelle, der sinnlichen, hier genauer gesagt der visuellen Erfahrung und anschließenden Reflexion gegenüber aufzuschließen. Bilder und Texte waren Ausdruck von religiösen, kirchlicherseits anerkannten Vorstellungen und gleichzeitig

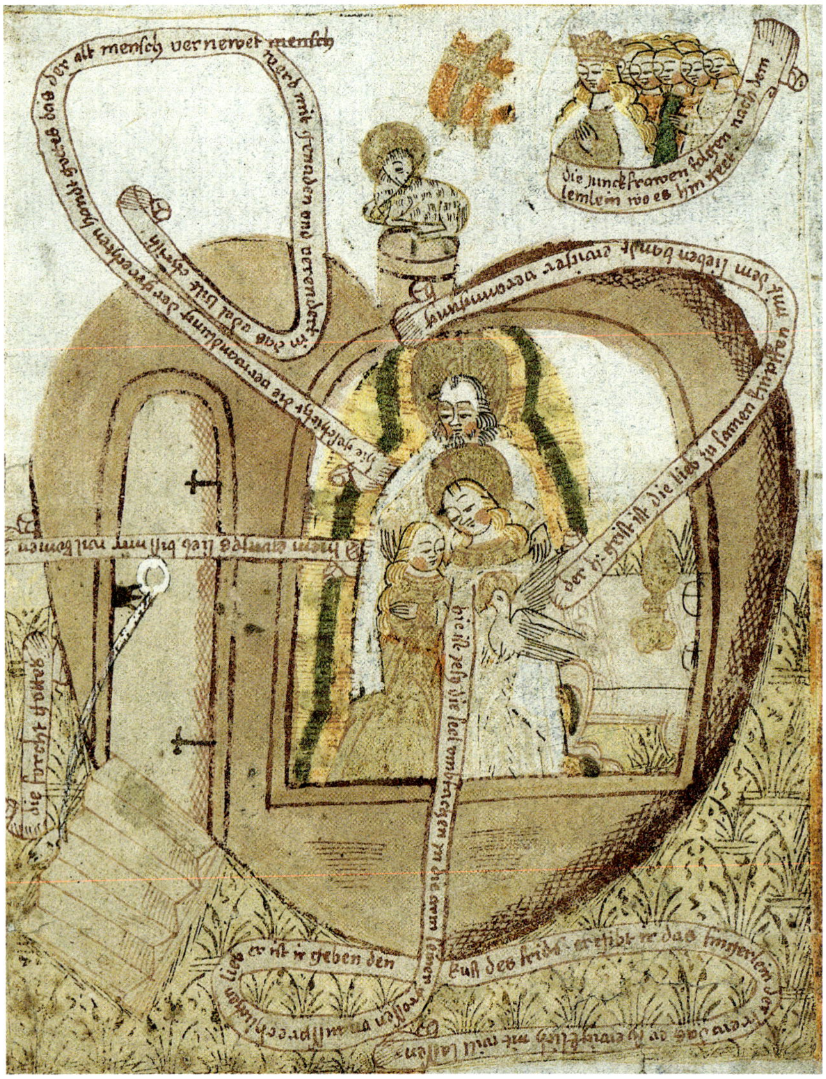

Das Herz als Haus
„... mein Herz ist rein, soll niemand drin wohnen als Jesus allein". Gott sollte man aufnehmen in seinem tiefsten Inneren. Diese Forderung hat sich in dem einfachen Bild vom Herz als Haus bis zu den heutigen kindlichen Gebeten erhalten.

Teil einer gemeinschaftlichen oder individuellen Gebetserfahrung.

Insbesondere Andachtsbilder konnten Hilfen zur Meditation sein. In monastischem ebenso wie in laienfrommem Kontext dienten sie, wie Jeffrey F. Hamburger es formuliert, einer paraliturgischen Frömmigkeit, die die offiziellen Gottesdienste in der privaten Frömmigkeit ergänzte, und sie waren Instrumente affektiver Frömmigkeit, da in ihrer Betrachtung nicht nur die intellektuelle Reflexion, sondern auch die gefühlsmäßige, körperliche Hinwendung gefragt war (Hamburger, The Visual and the Visionary). Die visuelle Kultur, wie sie in den Klöstern bereits vorgebildet war, wurde in Laienkreisen übernommen. Das galt nicht nur für die ‚Schaustücke' einer Gemeinschaft, wie der geschenkte Kelch, der mit dem Wappen des Spenders versehen war, oder das prachtvoll eingebundene Evangeliar, das auf der ersten Seite die Übergabe als feierliche Zeremonie zeigte und das vielleicht dauerhaft auf dem Altar ausgestellt war. Es galt vor allem auch für die Andachtsbilder und privaten Gebetbücher, die eben in der Tat keinen für den Stifter oder Spender ehrenvollen Auftritt boten, sondern im Stillen, in der Innerlichkeit rezipiert wurden.

Frommsein ist Innerlichkeit – die Bewegung der Devotio moderna

Alle religiösen Laienbewegungen des hohen und späten Mittelalters rangen mit einer wichtigen Entscheidung. Es ging immer wieder um dieselbe, manchmal im wörtlichen Sinn existentielle Frage: Sollten sie ihren Laiencharakter und damit auch ihre selbstständigen, unabhängigen Gemeinschaften fern jeder institutionalisierten Form ohne eine für alle diese Gemeinschaften verbindliche Regel beibehalten – und sich damit natürlich auch der kirchlichen Kontroll- und Disziplinargewalt entziehen? Oder sollten sie sich nach dem Modell vorhandener Institutionen organisieren und die Sicherheit vor kirchlicher Kritik – und daraus resultierender möglicher Verfolgung – durch die Bindung an einen Orden suchen? Die gesamte Lebensweise eines Laien war von einer solchen Entscheidung betroffen. Denn die Mitglieder der lockereren, nicht ordensgebundenen Gemeinschaften trafen zwar eine Entscheidung, die sie aus ihren familiären Zusammenhängen ausgliederte, nicht aber aus ihren beruflichen und gesellschaftlichen. Und wenn sie aus irgendwelchen Gründen das Leben in der frommen Gemeinschaft nicht mehr als das ihre erachten konnten, hatten sie, ohne dass sie von dort größere Schwierigkeiten zu gewärtigen hatten, die Möglichkeit des Austritts und der Wiederaufnahme ihres alten Lebens. Wer sich aber einem Orden anschloss, leistete bei seinem Eintritt ein rechtsverbindliches Gelübde, dass dieser Entschluss ein endgültiger sei. Der rechtmäßige Austritt aus einem Orden war wesentlich komplizierter als bei einer Laiengemeinschaft.

Petrus Waldes und seine Anhänger hatten sich als Laiengemeinschaft zusammengefunden und waren dafür, dass sie von der offiziellen kirchlichen Lehre in einigen Punkten abwichen, zu Häretikern erklärt worden, die mit den Mitteln der Inquisition verfolgt wurden. Franziskus und Dominikus, deren Armutsideal kaum von dem eines Petrus Waldes abwich, hatten hingegen sich selbst und ihre Gemeinschaften von Anfang an der Aufsichtsgewalt der Kirche unterstellt und sich zu tragenden Säulen dieser Kirche entwickelt. Die Beginen, die wandernd – und damit unkontrolliert – umherzogen, mussten nach dem Konzil von Vienne fürchten, unter Häresieverdacht zu fallen und in einem Inquisitionsprozess zu unterliegen, wie es etliche Fälle ja auch tatsächlich belegen. Diejenigen, die sich dagegen einem der städtischen Ordenshäuser anschlossen oder die sich eine gemeinschaftliche Lebensregel in einem festen Haus gaben, konnten damit rechnen, als fromme Frauen kirchliche und stadtgesellschaftliche Anerkennung zu erfahren.

Die religiösen Bewegungen, die sich im Laufe der zweiten Hälfte des 14. und im 15. Jahrhundert insbesondere in Nordwesteuropa ausbildeten, aber auch noch in Mitteleuropa ihre Anhänger fanden, steckten alle in dem gleichen Dilemma, das schließlich wiederum zu den unterschiedlichen Ausprägungen der selbstständigen Laiengemeinschaften einerseits und der Ordensanbindung andererseits führte.

Die Gründe für die immer neuen, mit jeweils anderen Schwerpunkten entstehenden religiösen Laienbewegungen waren stets ähnlich. Viele Laien auf der Suche nach dem rechten Leben in der Nachfolge Christi fühlten sich in den kirchlichen Institutionen nicht mehr gut aufgehoben. Die Lehren der Kirche, die sich auf die Evangelien stützten, spiegelten sich nicht in dem vorgelebten Lebenswandel der Geistlichkeit, das eher ein Zerrbild war.

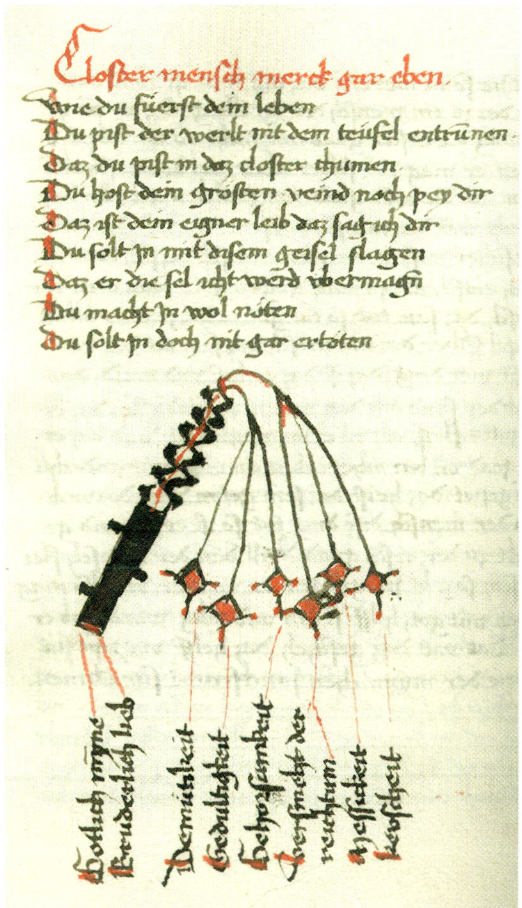

Die spirituelle Geißel
Göttliche Minne, brüderliche Liebe, Demut, Geduld, Gehorsam, Verzicht auf Reichtum, Mäßigung und Keuschheit – mit diesen Knoten der Geißel sollte sich der ‚closter mensch' schlagen:
Closter mensch merk gar eben,
wie du führst dein Leben,
Du bist der Welt mit dem Teufel entronnen
Dass du bist in das Kloster gekommen.
Du hast deinen größten Feind noch bei dir
Das ist dein eigenen Leib, das sag ich dir.
Du sollst ihn mit dieser Geißel schlagen,
Dass er die Seele nicht wird überragen,
Du machst ihn wohl (in) Nöten,
Du sollst ihn doch nicht gar ertöten.

Im 14. und zu Beginn des 15. Jahrhunderts erreichte diese Diskrepanz zwischen evangelischer Lehre und dem Auftreten der kirchlichen Vertreter ihren Höhepunkt im so genannten avignonesischen Exil der Päpste und dem anschließenden großen Schisma.

Zu Beginn des 14. Jahrhunderts geriet das Papsttum unter französischen Einfluss, der so weit ging, dass der französische König Papst Bonifaz VIII. aus Rom entführen ließ und ihm Avignon als vorübergehenden Aufenthaltsort zuwies. Doch aus dem zeitlich begrenzten Aufenthalt wurde ein dauerhafter. Statt einer provisorischen Bleibe ließen die Päpste in Avignon einen gewaltigen Palast errichten, der von außen den Eindruck einer Trutzburg und von innen den eines aufwendig gestalteten adeligen Schlosses mit einer kostbaren Kunstsammlung erweckte. Tatsächlich erlang-

Heinrich Seuse (14. Jahrhundert)
‚Er hat mich und ich in minicklich umbvangen.' Die Liebe zu Gott sahen die Mystiker als ihre ganzheitliche Vereinigung mit Christus.

te der päpstliche Palast in Südfrankreich eine Art Vorbildcharakter für adelige Repräsentationsformen. Darüber hinaus entwickelte sich in der päpstlichen Kurie eine der effektivsten Finanzverwaltungen der europäischen Territorien. Die Vergabe von Pfründen, die der päpstlichen Genehmigung bedurften, war ein einträgliches Geschäft, und der Verleih der so eingenommenen Gelder an Fürsten und Könige tat ein Weiteres, die päpstlichen Kassen zu füllen. Zwar bemühte sich 1378 einer der Anwärter auf das höchste Amt der Kirche, den Sitz Petri wieder in Rom zu etablieren, doch das wählende Kardinalskollegium war gespalten. Von 1378 bis 1415 standen zunächst zwei, ab 1409 gar drei Päpste an der Spitze der römisch-katholischen Kirche, ein unhaltbarer Zustand, dem erst das Konzil von Konstanz mit der Absetzung und der Annahme des Rücktritts der drei Päpste und der Wahl eines einzigen neuen Papstes ein Ende machte.

Doch bis dies geschehen konnte, war Europa seit dem zweiten Drittel des 14. Jahrhunderts auf vielfache Weise erschüttert worden: Nicht nur von Päpsten, die beim besten Willen nicht als die armen und demütigen Nachfolger Christi angesehen werden konnten, sondern auch von Naturkatastrophen, Missernten, Überschwemmungen und Erdbeben sowie von Epidemien wie der Pest, die das städtische wie das ländliche Leben in soziale und wirtschaftliche Krisen stürzte. Die Institutionen der Kirche boten in dieser Situation offenbar nur noch wenig Hilfe und Orientierung. Viele Laien besannen sich auf ihre Fähigkeit, zu lesen, und sie lasen neben der vielfältigen volkssprachlichen Literatur, neben den Chroniken und den Schwänken und Possen auch in dem Buch, das die Grundlage ihres Glaubens war. Sie lasen die Bibel und begannen, über das Gelesene nachzudenken, es am eigenen Sein zu prüfen und dem Inhalt der geschriebenen Seiten im eigenen Denken und Fühlen nachzuspüren. Die innere Hingabe an Gott war der wichtigste Tenor der neuen Frömmigkeit, der *devotio moderna*.

Die Anfänge der Bewegung sind verbunden mit dem Namen Geert Groote, die wichtigste ihrer Schriften, die *imitatio Christi*, mit dem Namen Thomas von Kempen. Geert Groote wurde 1340 in der ostniederländischen Stadt Deventer als Sohn einer wohlhabenden Kaufmannsfamilie geboren. Er strebte jedoch selbst keine Händlerkarriere an, sondern studierte in Paris und Aachen neben Medizin und Astronomie vor allem Theologie und Kirchenrecht. Er wurde Mitglied der Dom- und Stiftskapitel von Utrecht und Aachen. Während dieser Zeit sagte man ihm ein recht lockeres und genussfreudiges Leben nach. Im Alter von 34 Jahren suchte er die enge Gesellschaft seines Freundes und geistigen Mentors Heinrich von Kalkar und erlebte unter seinem Einfluss eine Art Konversion. Ähnlich wie Franziskus von Assisi verzichtete er auf sein väterliches Erbe, von dem er nur einen Mindestteil zurückbehielt, den er zum Leben brauchte, und zog sich zunächst aus dem gesellschaftlichen Leben von Deventer zurück. Schließlich verbrachte er einige Jahre im Karthäuserkloster in Monnikhuizen bei Arnheim und widmete sich dort dem Studium der Bibel und der Schriften der Kirchenväter. Im Jahr 1379 kaufte er von dem Rest seines Erbes ein Haus für eine weibliche Laiengemeinschaft, in der Frauen jeden Standes ohne reguläres Ordensgelübde, jedoch in Gehorsam, Armut und Keuschheit unter der Leitung einer Meisterin zusammenlebten. Geert Groote selbst kehrte aus der selbst gewählten Einsamkeit in ein aktives Dasein als Wanderprediger zurück, dessen Botschaft den Aufruf zu Buße und Umkehr sowie die innere Nachfolge Christi beinhaltete. Nicht genug, dass er dies von seinen Schützlingen verlangte, er forderte in seinen Predigten auch eine innere Reform der gesamten Kirche und des Klerus. Prompt wurde er 1383 vom Bischof von Utrecht mit einem Predigtverbot belegt. Seine Verteidigungsschrift, in der er darlegte, dass es gottgefällig wäre, wenn jeder, der sie verstünde, die Worte der Evangelien verkündete, fand beim Papst keine Zustimmung. 1384 starb Geert Groote an den Folgen der Pest, so dass es Spekulation bleiben muss, ob er möglicherweise in einem nächsten Schritt unter die Anklage der Häresie gestellt worden wäre.

Geert Groote fand schnell Anhänger seiner Vorstellung, dass man durch persönliche Lektüre der Evangelien zur meditativen Verinnerlichung des Lebens und Leidens Christi gelangen könne und dass man einer solchen verinnerlichten *imitatio Christi* durch ein gemeinschaftliches Leben (wie Christus mit den Aposteln) und durch Werke der Barmherzigkeit (wie sie Christus tagtäglich vollbrachte) nach außen Ausdruck verleihen könne. Dabei sollte man seine berufliche Tätigkeit weiter ausüben und durch seiner Hände Arbeit seinen Unterhalt verdienen. Entsprechend wurden in den Totenbüchern der späteren Zusammenschlüsse die Verstorbenen mit ihren Berufen als Zusatz zu ihrem Namen angeführt: Das Totengedenken, die *memoria*, umfasste Zimmerleute, Schneider, Schuster usw. Zunächst fanden sich Grootes Anhänger in Laiengemeinschaften zusammen. Sie nannten sich die „Brüder und Schwestern vom gemeinsamen Leben". Wie die Gemeinschaften der Beginen und Begarden legten sie kein Gelübde ab, sondern regelten ihr Zusammenleben durch einfache Statuten. Im Gegensatz zu den Anfangsformen der Beginengemeinschaften war ihr Zusammenleben jedoch auf die Erfahrung der inneren Nachfolge Christi ausgerichtet. Gebet und Meditation standen im Vordergrund, weniger die tätige *caritas*.

„Die Kleriker und Laien, die sich zuerst in Deventer, dann in Zwolle, Kampen, Hoorn und Amersfoort zusammenschlossen und in wenigen Jahrzehnten Gleichgesinnte auch außerhalb der Niederlande fanden, führten ... ohne Unterschied ihres Standes ein gemeinsames Leben in Armut und Bescheidenheit, für das sie die materiellen Voraussetzungen in erster Linie durch ihre eigene Arbeit schufen. Ohne Regel, Gelübde und einheitliches Gewand, unter Verzicht auf die Privilegien des geistlichen Standes wollten sie in einem dennoch ordensähnlichen Leben durch gegenseitige Erbauung und gemeinsame geistliche Übungen an ihrer eigenen Vervollkommnung arbeiten und zugleich für das Seelenheil ihrer Nächsten wirken. Ohne offiziell mit der Seelsorge beauftragt zu sein, bemühten sie sich um die studierende Jugend, um fromme Frauen und zur Besserung ihres Lebens entschlossene Kleriker. Dabei bedienten sie sich nicht der üblichen Mittel der *cura animarum*, sondern versuchten auf indirekte Weise, durch ein vorbildliches Leben, durch Ermahnung und volkssprachliches Schrifttum, ihr Ziel zu erreichen" (Elm, Die Bruderschaft vom gemeinsamen Leben, S. 474). In den Annalen und Akten der Brüder des gemeinsamen Lebens im Lüchtenhofe zu Hildesheim heißt es z.B. zur Charakterisierung des Bruders Gotfried:

Simplitatem valde amabat, superfluitatem et curiositatem acrius increpabat. Multo zelo flagrabat erga convertendos homines et gloriam dei agendam in instituendis domibus et congregacionibus clericorum, sororum autem reformandis monasteriis.

(Er liebte die Einfachheit so wie er gleichermaßen Überfluss und Neugier scharf ablehnte. Er richtete seinen Eifer darauf, Menschen zu bekehren und zur Ehre Gottes Häuser und Gemeinschaften von Klerikern oder Jungfrauen einzurichten oder Klöster zu reformieren (Annalen und Akten der Brüder des gemeinsamen Lebens, S. 2).

Damit gingen also auch die „Brüder und Schwestern vom gemeinsamen Leben" einen dritten Weg, der zwischen der Welt der Laien und der Welt der Klöster verlief. Wie eben auch viele andere Laien nahmen sie damit einen *status medius* zwischen den *saeculares saeculariter viventes*, den Laien, die auf weltliche Weise lebten, und dem *status religiosorum*, dem Stand der Mönche und Nonnen ein und führten ein Leben „allein oder in Gemeinschaft ... das intensiver war als das der Laien, sie aber dennoch nicht zu Ordensleuten oder Klerikern machte" (Elm, Die Bruderschaft vom gemeinsamen Leben, S. 477).

Wie unterschieden sich nun diese Gemeinschaften von den regulierten Ordensgemeinschaften? Die Kirche verlangte von ihnen „die Unterordnung unter das kirchliche Lehramt, Gehorsam gegenüber Pfarrklerus und Episkopat, die Teilnahme am Pfarrgottesdienst, (den) regelmäßigen Sakramentenempfang und (den) Verzicht auf Beschäftigung mit theologischen Subtilitäten und mystischen Spekulationen" (ebd., S. 482). Des Weiteren war ihnen verboten, ein einheitliches Gewand – quasi eine Form des Ordenskleides – zu tragen. Ihre Gemeinschaften waren anders organisiert als ein Kloster. Letzteres war ja eine Gemeinschaft, die auf dem Gehorsam gegenüber dem Abt gründete und dessen Amtsgewalt von einer übergeordneten kirchlichen Institution – Bischof oder Papst – bestätigt wurde. Die Brüder und Schwestern des gemeinsamen Lebens hatten offiziell keine Vorsteher in ihren Häusern, die über wirkliche Befehls- und Strafgewalt verfügten. Ihren Ratschlägen oder Ermahnungen folgte man freiwillig aufgrund besserer Einsicht. Pröpste oder gar Äbte gab es nicht.

Die historische und theologische Forschung hat sich seit vielen Jahrzehnten mit der Bewegung der *devotio moderna* beschäftigt und dabei die Frage aufgeworfen, ob es sich bei dieser Laienbewegung um eine rückwärts gewandte Gruppierung handelte, die sich am Urchristentum und dem der Askese verpflichteten Eremitentum orientierte, oder aber ob sie als der erste wichtige Vorläufer der Reformation des 16. Jahrhunderts anzusehen sei und dementsprechend ihre spirituellen Führer als „Reformatoren vor der Reformation" (ebd., S. 471). Nimmt man Letzteres an, so wäre die *devotio moderna* eine Protestbewegung gewesen, die sich gegen die hierarchisch strukturierte Kirche und ebenso gegen das Ordenswesen stellte. Das tat sie aber wohl eindeutig nicht. Die *devotio moderna* verfolgte eher eine in den Traditionen der religiösen Bewegungen stehende Richtung, die seit der zweiten Hälfte des 12. Jahrhunderts die Laien in die Erfahrungen der Gottsuche mit einband. Man sollte aber auch keinesfalls davon ausgehen, dass die Kirche in den Gemeinschaften des dritten Standes nur eine Kraft sah, die es in kontrollierten Bahnen zu halten galt, damit sich ihre Mitglieder nicht gänzlich aus dem Rahmen kirchlich akzeptierter Lehrmeinungen und Organisationsformen begaben. Denn die Kirche als ‚Dachverband' aller Christgläubigen profitierte auch von diesen Laienbewegungen. Der einzelne Laie mag seinen Eintritt in den *status medius* als Erweiterung seiner individuellen Heilsmöglichkeiten angesehen haben, als Chance, ein erfülltes spirituelles Leben zu führen. Die Kirche aber ebenso wie Orden und weltliche Gewalten erhielten mit den Laiengemeinschaften „ein Instrumentarium zur Bewältigung der sich ihnen stellenden Probleme. Die weltliche und geistliche Obrigkeit übertrug ihnen Funktionen etwa im Bereich der Sozialfürsorge und der Ketzerbekämpfung, die sie selbst nicht erfüllen wollten oder konnten" und „das Ordenswesen verfügte in ihnen über ein Reservoir, aus dem es sich immer wieder zu regenerieren vermochte" (ebd., S. 479).

Schlussstein
aus Kloster Ebstorf

XIII.

Reformatio in capite et membris – das Jahrhundert vor der Reformation

Während das 14. Jahrhundert oftmals als das Jahrhundert der Krisen bezeichnet wird, gilt das 15. Jahrhundert als das Jahrhundert der Reformen, im weltlichen wie im geistlichen Bereich.

Beides gehört eng zusammen. Das 14. Jahrhundert stürzte viele Menschen in existentielle Notlagen. Klimaeinbrüche zu Beginn des Jahrhunderts gingen einher mit Missernten und Hungersnöten. Naturkatastrophen wie Erdbeben und Flutwellen überraschten die Menschen mit ihrer zerstörerischen Kraft. Seuchenzügen wie die Pest brachen in fast regelmäßigen Abständen wieder aus, so dass fast jede nachwachsende Generation davon betroffen war. Wirtschaftliche Umbrüche in Stadt und Land, aber auch politische Konflikte wie der Hundertjährige Krieg, der insbesondere die französischen Gebiete verheerte, und kirchliche Entwicklungen wie das avignonesische Exil dürften das Verständnis der meisten gläubigen Laien überfordert haben. Disperspektivität und Dysfunktionalität sind die Forschungsbegriffe, die man für die Auswirkungen dieser Krisen geprägt hat. Sie bezeichnen die geistige und geistliche Verunsicherung und Orientierungslosigkeit, die eine Vielzahl von Menschen in ihrem Denken und Handeln beeinträchtigten, ebenso wie die strukturellen Probleme, die durch die sinkende Funktionsfähigkeit vieler Institutionen – allen voran Königtum und Kirche – verursacht wurden. ‚Die Krise muss überwunden werden, die Reformbedürftigkeit auf allen Ebenen ist unübersehbar' – man könnte glauben, Sätze aus einer politischen Rede, unabhängig vom parteipolitischen Lager, aus den letzten Jahren des 20. oder den ersten Jahren des 21. Jahrhunderts zu lesen. Vielleicht macht genau dies das Interesse aus, mit dem man dem späten Mittelalter zur Zeit begegnet.

Auch die Krise der Kirche musste überwunden werden. Absichtsbekundungen und guter Wille waren dafür nicht ausreichend. Es galt, die Einheit der Kirche wiederherzustellen, Perspektiven für ihre künftige Gestaltung zu entwickeln und die einzelnen Institutionen erneut zu ihren eigentlichen Bestimmungen zurückzuführen, in alte und nach den Vorstellungen der Zeitgenossen besser bewährte Formen zu bringen, zu re-formieren im Sinne des Wortes. Das war keine leichte Aufgabe, und die Umwälzungen der Reformation zu Beginn des 16. Jahrhunderts mögen die Schlussfolgerung nahe legen, dass man an der Aufgabe gescheitert war. Dann aber würde man ein ganzes Jahrhundert aufgrund der späteren Entwicklungen einfach beiseite schieben und die vielfältigen Bemühungen seiner Menschen abwerten. Dies jedoch wird weder den intellektuellen Anstrengungen noch den pragmatischen Ansätzen gerecht, mit denen man versuchte, den Widersprüchen zu begegnen, die sich zwischen den Ansprüchen der Kirche und ihren tatsächlichen Erscheinungsformen aufgetan hatten.

Auf dem Konzil von Konstanz (1414–1418) wurde eine erste große Anstrengung zur Reform der Kirche unternommen. Vordringlichstes Anliegen war die Beendigung des großen Schismas, das seit fast einem halben Jahrhundert, seit 1379, die Kirche spaltete und sie zu einem zunächst zwei, dann seit 1409 gar dreiköpfigen Unwesen hatte mutieren lassen. Die *causa unionis* stand an oberster Stelle der Kirchenversammlung, der die Aufgabe zukam, drei Päpste mit mehr oder weniger deutlichem Nachdruck aus dem Amt zu heben und sich im Anschluss auf ein neues gemeinsames Oberhaupt zu einigen. Damit realisierte diese Versammlung, zu der Hunderte von Amtsträgern der Kirche zusammengeströmt waren, auch einen Grundsatz politischen Handelns: „Was alle angeht, soll auch von allen behandelt und gebilligt werden" *(Quod omnes tangit, ab omnibus approbari debet)*. Die Versammlung selbst definierte sich als Vertreterin der Gesamtkirche, als *sacrosanta synodus universalem ecclesiam repraesentans*. Dabei sollte nicht vergessen werden, dass letztlich der politische Einfluss des deutschen Königs das Seine tat, damit die Versammlung zu einer Entscheidung gelangte. Mit der Wahl Martins V. hatte man dann das erste Ziel erreicht, die Kirche wieder zu einer Institution mit einem gemeinsamen Oberhaupt zu machen. In den Gremien, die während des Konzils eingerichtet wurden, diskutierte man aber auch weitere Reformen.

Dazu zählte sowohl die bessere Versorgung der Laien in den Pfarrgemeinden als auch die Anregung monastischer Reformen. Ersteres war eine Forderung, die nicht zuletzt die weltliche Seite, also die Fürsten, an das Konzil herantrugen. In ihren Bemühungen um eine effektivere Organisation ihrer Territorien strebten sie auch die Einbindung der Pfarrgeistlichkeit an, von der sie einen angemessenen und überprüfbaren Bildungsstand erwarteten. Die Forderung nach monastischen Reformen wurde vor allem in den Orden selbst laut, und nach dem Konstanzer Konzil formierten sich erste Klöster als Reformkongregationen. Bischöfe und Landesherren taten das Ihre dazu, um die Reformen auch zu einer Stabilisierung der jeweiligen klösterlichen Landschaft zu nutzen.

Die Reform der Kirche an Haupt und Gliedern blieb das zentrale Anliegen auch der weiteren Konzilien des 15. Jahrhunderts, sowohl in Siena, wo die Kirchenvertreter 1424/25 nur wenige Monate tagten, als auch in Basel (1431–1448). Das Konzil von Basel, das sich über den langen Zeitraum von achtzehn Jahren erstreckte, interessiert vor allem auf Grund von zwei widersprüchlichen Entwicklungen. Auf der einen Seite gab sich am Ende des Konzils die Kirchenversammlung als Repräsentantin der Gesamtkirche eigentlich selbst auf, indem sie die oberste Entscheidungsgewalt in geistlichen Fragen und kirchenorganisatorischen Angelegenheiten in die Hände des Papstes legte. Die Kirche blieb eine von oben gesteuerte, hierarchisch gelenkte Institution. Auf der anderen Seite hatte das Konzil von Basel eine ganz neue Form von Öffentlichkeit zugelassen. Erzbischöfe, Bischöfe und Äbte oder auch deren Abgesandte waren in den einzelnen Arbeitsgruppen ebenso aufgetreten wie die Vertreter von Fürsten, Städten und Universitäten. Das Konzil hatte sich zu einem europaweiten intellektuellen Diskussionsforum entwickelt.

Klöster im Argen

Sicherlich kann man bereits die Vereinheitlichungsbestrebungen des Benedikt von Aniane im 9. Jahrhundert, die Gründung des Zisterzienserordens im 12. Jahrhundert und der Bettelorden im 13. Jahrhundert als Reformen des Klosterwesens ansehen. Die hochmittelalterlichen Reformen mündeten jeweils in der Gründung neuer Orden, während die Klöster älterer Prägung in ihren tradierten Formen weiterexistierten. Die spätmittelalterlichen Reformen wurden in den bestehenden Klöstern selbst verwirklicht.

Ein Auf und Ab der monastischen Existenz sah schon am Ende des 15. Jahrhunderts Johannes Trithemius, Abt von Sponheim und klösterlicher Reformer. Er machte insbesondere die sich immer wieder einschleichende Verbindung von klösterlicher Lebensweise und klösterlichem Reichtum für den Verfall monastischer Ideale verantwortlich. Reichtum, dessen Gebrauch nicht mehr durch den Willen zur Askese und zu mitmenschlicher *caritas* bestimmt werde, verhalte sich langfristig wie eine Tochter, die ihrer Mutter den Hals zuschnüre, führte er in einer drastischen Metapher aus. Was aber war reformbedürftig? Visitationsberichte und Chroniken, die die Dinge in der Rückschau bewerten, zeichnen ein Bild von Klöstern, das deutliche Parallelen zur gesamtkirchlichen Situation aufwies. Die monastischen Gemeinschaften, die ursprünglich einmal als betende Elite mit hohem intellektuellem Anspruch und gesamtgesellschaftlicher Verpflichtung angetreten waren, hatten sich zu Institutionen stark herrschaftlicher und weltlicher Prägung gewandelt. Doch dies war nicht der eigentliche kritische Punkt. Problematisch war, dass sie den selbst gesetzten Ansprüchen und den ihnen übertragenen Aufgaben nicht mehr gerecht wurden und obendrein auch ihre wirtschaftlichen Leistungen zur Existenzerhaltung nicht mehr erbringen konnten. Damit hatten sie für die sie umgebende Gesellschaft auf allen Ebenen an Attraktivität und Überzeugungskraft verloren. Einige konkrete Entwicklungen mögen dies verdeutlichen: Die Ausbildung der Mönche und Nonnen war zum Teil so sehr vernachlässigt worden, dass das *opus dei* in Gefahr lief, völlig vergessen oder verballhornt zu werden, weil die Lateinkenntnisse der Klosterinsassen nicht mehr ausreichten, um das Chorgebet korrekt zu sprechen. Der Chorgesang hatte kaum noch Beachtung gefunden, geschweige denn, dass man entsprechend dafür übte, und grenzte wohl in manchen Konventen an Katzenmusik. Die Bibliotheken hatte man verkommen lassen oder zumindest nicht mehr regelmäßig ergänzt, Bücher hatte man um schnöden Gewinns willen verkauft. Viele Konvente hatten sich intern quasi aufgelöst, in dem das Gemeinschaftsleben, das sich vor allem im gemeinsamen Dormitorium und dem für alle gleichen und gemeinsamen Mahl im Refektorium ausdrückte, durch private Zellen und schließlich durch eigene Haushalte der Insassen ersetzt worden war. Dort lebten die Mönche und Nonnen zwar noch innerhalb der Klostermauern, aber durchaus sehr bequem mit eigenem Dienstpersonal und gemäß den individuellen Wünschen nach einem gehobenen Lebensstil in puncto Kleidung, Speisen und gesellschaftlichen Kontakten. ‚Klausur' war schon fast ein Fremdwort geworden, man besuchte die Familie oder Freunde im Umland oder empfing nach Belieben willkommene Gäste. Und als ob all dies noch nicht genug gewesen wäre, standen viele Klöster auch noch vor dem wirtschaftlichen Zusammenbruch. Güter waren verkauft worden, um den Lebensstandard der Konventsmitglieder aufrechtzuerhalten, Pächter zahlten keine Abgaben mehr, da auch die Klosterverwaltung ihren Verpflichtungen nicht mehr nachkam, notwendige Reparaturen blieben aus und die Gebäude verfielen. Da musste eine angesehene Familie es sich ernsthaft überlegen, ob die Unterbringung in einem Kloster noch eine standesgemäße Versorgung für einen Sohn oder eine Tochter bedeutete. Mit anderen Worten, viele Konvente schrumpften erheblich zusammen; zum Teil lebte nur noch eine Hand voll Mönche oder Nonnen in ehemals blühenden Klostergemeinschaften.

Die Entstehung von Reformkongregationen

Der innere wie äußere Verfall des Klosterlebens war zum Teil bereits im 14. Jahrhundert sichtbar geworden. Von päpstlicher Seite war 1336 in der Bulle *summa magistri* die Aufforderung an die Ordensgemeinschaften ergangen, den allgemein bekannten Missständen abzuhelfen. Gewährleistet werden sollte dies zum Beispiel durch die Abhaltung regelmäßiger allgemeiner Ordensversammlungen, also durch Generalkapitel, sowie durch Visitationen, denen sich die einzelnen Klöster unterwerfen sollten. Zu Ende des 14. Jahrhunderts, und verstärkt seit den Konzilien des 15. Jahrhunderts, übernahmen einzelne Klöster eine Vorreiterrolle und Vorbildfunktion, um monastisches Leben zu geistlicher Korrektheit zurückzuführen und gleichzeitig wieder intellektuell attraktiv und somit ‚gesellschaftsfähig' zu machen. Wohlgemerkt, der Großteil der Klöster erkannte die Notwendigkeit von Reformen nicht an. Aber die meisten derjenigen, die aus eigenem Antrieb oder durch herrschaftliche Weisung einen Neuanfang versuchten, blieben auch nach der Welle von Klosterauflösungen während der Reformation des 16. Jahrhunderts als monastische Gemeinschaften bestehen.

Zu den großen Zentren reformwilliger Klöster gehörten Melk an der Donau, Kastl in der Pfalz und Bursfelde an der unteren Weser. Die Kongregation von Bursfelde sei als Beispiel angeführt. Zunächst war es der Mönch Johannes Dederoth (1439), der in Bursfelde auftrat. Das Kloster lag seit Jahrzehnten darnieder, nur noch wenige Mönche fristeten dort ihr Auskommen. Dederoth war durchdrungen von seiner Absicht, die monastischen Gemeinschaften zu ihren alten Aufgaben und ihrer früheren Größe zurückzuführen. In Clus bei Gandersheim war er bereits um 1430 erfolgreich tätig gewesen. Seine Erfahrungen nutzte er nun auch für die Wiederherstellung von Bursfelde. Es gelang ihm, gleich gesinnte Mönche für den Wiederaufbau des heruntergekommenen Klosters zu gewinnen und dort die Observanz, die strikte Orientierung an der *regula Benedicti*, wieder einzuführen. Schon 1436 bezeichnete sich der Konvent von Bursfelde als *in observantia regulari reformati*, also als reformiertes Kloster. Dederoth orientierte sich dabei an den Statuten des Trierer Reformklosters St. Matthias, die der Abt Johannes Rode (1421–29) ausgearbeitet hatte. Auch die Überlegungen der *devotio moderna* und ihres monastischen Zweiges, der Kongregation, die sich um das Kloster Windesheim gesammelt hatte, gaben Vorbilder für das Bursfelder Kloster ab. Andere Klöster begannen, sich an Bursfelde zu orientieren. Bald folgten mehrere Klöster einer einheitlichen Linie. Sie bemühten sich um die kirchliche Anerkennung als Verbund innerhalb des benediktinischen Ordens. 1445 bestätigte das Basler Konzil ihre neu erarbeitete Gottesdienstordnung, 1446 erlangten die Klöster um Bursfelde die Anerkennung als Kongregation. In praktischer Umsetzung bedeutete dies, dass die Mitglieder der Kongregation einmal jährlich ein eigenes Kapitel abhielten, auf dem sie die Neugestaltung des monastischen Lebens diskutierten. Beschlossene Änderungen in der bisherigen Lebensweise mussten zunächst in den Klöstern erprobt werden, bevor man sie auf weiteren Kapiteln bestätigen und schließlich nach drei Jahren in die Statuten der Kongregation aufnehmen konnte. Des Weiteren hatten die Klöster der Kongregation das Recht der freien Abtswahl und die Verpflichtung zur Visitation ihrer Klöster. Die Visitatoren wurden aus den Klöstern der Kongregationsangehörigen bestellt.

In Bursfelde – und so geschah es auch in den anderen Reformkongregationen – entstanden im Laufe der nächsten Jahrzehnte mehrere Schriften, die die Basis aller Reformausrichtung bildeten. Sie bezogen sich auf die liturgischen Zusammenhänge wie Gottesdienst und Messe, aber eben auch auf die innere Grundhaltung, die man als Mönch oder Nonne gegenüber den Anforderungen monastischen Lebens einnehmen sollte. Mit dem *ordinarius divinorum* schuf sich die Bursfelder Kongregation eine neue Gottesdienstordnung, der *liber ordinarius* regelte den Ablauf der Messen. Schließlich vergab das Generalkapitel 1497 an den Abt von Sponheim, Johannes Trithemius, den Auftrag, eine Schrift zusammenzustellen, die insbesondere die Novizen in ihr korrektes mönchisches Leben einweisen sollte. Nach mehreren Überarbeitungen wurde sein Werk *De triplici regione claustralium et spirituali exertitio monacorum* vom Generalkapitel angenommen. Mit Hilfe dieses Handbuches konnten sich Mönche und Nonnen nun anleiten lassen, die Forderungen nach strenger Klausur Schritt für Schritt nachzuvollziehen und in systematisierter Form in disziplinierten Exerzitien Kontemplation, Versenkung, Gehorsam und demütige Akzeptanz aller ihnen gestellten Auflagen zu üben.

Nacheinander werden die verschiedenen Zustände beschrieben, die ein Mönch zu seiner geistigen Vervollkommnung durchlaufen muss. Das Leben in der untersten Region, der *infirma regio*, ist am weitesten von Gott entfernt, der Mensch, der sich dort bewegt, wird durch seine Sinnlichkeit und seine Triebe gesteuert. Jeder Mensch und insbesondere jeder Mönch muss danach streben, diese Region so bald wie möglich zu verlassen. Die mittlere Region, die *media regio rationis*, war geeignet, durch immer wieder neu geübte Selbstreinigung, also Askese, Gottesfurcht zu lernen. Ziel der Askese war es, den Intellekt von allen Phantasien zu befreien, das Gedächtnis von allen unerlaubten Beschäftigungen zu entschlacken und den Willen zu aller ungeordneten Zuneigung zu brechen. Die dritte und höchste Stufe, die *suprema regio*, war der geistige Zustand wahrer Gotteserkenntnis, ein hohes und nur von wenigen erreichbares Ziel.

Die Spiritualität der Bursfelder Reformmönche war christozentrisch ausgerichtet und erging sich im geistigen Nachvollzug des Leidens Christi. An jedem Moment des Tages sollte man sich daran erinnern: beim Betreten der Kirche, beim Glockenschlag, bei der Rückkehr in die Zelle, beim Anblick eines Kreuzes. Ziel dieser Passionsfrömmigkeit war die Verinnerlichung des Leidens und die daraus resultierende Freude über die Auferstehung. Ihren stärksten Ausdruck fand sie in der Verbindung der Kontemplation des Einzelnen und dem Chordienst in der Gemeinschaft. Die

Meditation sollte, so die Anweisungen in den Exerzitienbüchern, damit beginnen, dass sich der Betende von allen anderen Gedanken, Vorstellungen und Phantasien frei machte. Trithemius empfiehlt dazu, sich die Nichtigkeit aller irdischen Dinge ins Bewusstsein zu rufen. Das Erkennen der eigenen Unwürdigkeit ist der zweite Schritt. Schließlich, wenn der Betende zu allen Dingen und sich selbst auf Distanz gegangen ist, sei er erst fähig, seinen Geist zu Gott zu erheben, sich auf Gott und Christus zu konzentrieren. Ziel dieser Kontemplation sei es, Gott kennen zu lernen, um in einem letzten Schritt auch seine Liebe zu erfahren.

Reformen und ihre praktischen Auswirkungen

Insbesondere die oftmals neu angelegten Rechnungsbücher offenbaren, wie angestrengt man sich bemühte, ein Kloster auch ganz konkret in materieller Hinsicht wieder zu restaurieren. Zunächst einmal war es notwendig, nach der Akzeptanz einer innerlichen Hinwendung zu monastischen Anforderungen die äußeren Rahmenbedingungen wieder so zu gestalten, dass ein Kloster zum Ersten überhaupt wieder seinen Aufgaben entsprechend funktionieren konnte, dass es zum Zweiten diesen Wandel auch nach außen hin zum Ausdruck brachte und dass es zum Dritten und nicht zum Letzten die Annahme der Reformen nach innen für sich selbst dokumentierte. Über alle drei Bereiche finden sich Nachrichten in den überlieferten schriftlichen Quellen und in den Realien, die während der Reformzeit entstanden.

Als Erstes galt es, ein Kloster wieder in angemessenen baulichen Stand zu setzen. Man begann mit den zentralen Teilen, der Kirche und dem Klausurbereich. Da wurden die Breschen in der äußeren Mauer geschlossen, die Dächer neu gedeckt oder wenigstens repariert, Gräben gezogen, Wände errichtet und verputzt, Balken ersetzt oder ausgebessert. Die Rechnungsbücher erzählen von Maurerkolonnen, die in den Klöstern Arbeit fanden, von Zimmerleuten und Dachdeckern, von Handlangern und Hilfsarbeiten. Die Verwalter der Klöster listeten vor allem die Lohn- und Materialkosten auf, weshalb diese Bücher auch eine wichtige Quelle für die Wirtschafts- und Sozialgeschichte darstellen. Wenn man den inneren Bereich zur allgemeinen Zufriedenheit wiederhergestellt hatte, ging es an die Reparaturen der äußeren Gebäude. All dies war nur möglich, wenn auch die Finanzen des Klosters so im Gleichgewicht waren, das solche Kosten gedeckt werden konnten. Die Zunahme akribisch geführter Wirtschaftsbücher, von Einnahme- und Ausgaberegistern, zeugt von den Bemühungen, keinen Schlendrian mehr zuzulassen, sondern mit großer Sorgfalt die materielle Basis der Gemeinschaften sicherzustellen. Die durchgeführten Renovierungsmaßnahmen ebenso wie die wiederauflebende klösterliche Wirtschaft wurde auch außerhalb der Klostermauern wahrgenommen. Die Handwerker der Umgebung erhielten reichlich Aufträge, die Händler konnten mit einem neuen, regelmäßigen Kunden rechnen, die Bauern davon ausgehen, dass ihre Abgaben wieder jährlich eingefordert und kontrolliert werden würden und im Gegenzug ihr klösterlicher Grundherr seinen Verpflichtungen wie etwa der regelmäßigen Ausübung der Gerichtsbarkeit nachkäme. Die Familien der umliegenden Adelsfamilien ebenso wie des städtischen Patriziats konnten in den reformierten Klöstern erneut standesgemäße Versorgungseinrichtungen für ihre Kinder sehen und gleichzeitig eine Institution, die im Lande wieder etwas galt, da sie über Besitz und Einfluss verfügte.

Ein deutliches Zeichen neuer Besinnung, das insbesondere dem Konvent selbst zugute kam, setzten einige der norddeutschen Frauenklöster. Die Ergebnisse ihrer Anstrengungen kann man vorbildhaft im Teppichmuseum des Klosters Lüne bewundern. Die Frauen, die sich dort der Bursfelder Kongregation angeschlossen hatten, übten im Auftrag ihrer Äbtissin eine Arbeit aus, der sie auch schon zuvor nachgekommen waren, die sie jetzt aber mit größter Intensität ausübten: sie stickten. Innerhalb weniger Jahre entstanden etliche großformatige Wandteppiche im so genannten

Klosterstich – er verbraucht sehr wenig Wolle, obwohl das Endergebnis fast wie gewebt aussieht –, in die geistliche wie weltliche Motive, Erzählungen und Fabeln eingingen. Bekannte Bilder des Alten Testaments wie der Harfe spielende König David finden sich ebenso wie heidnisch-prophetische Sibyllen, anrührende und schmerzhafte Szenen des Neuen Testamentes wie die Krippenkomposition oder eine Kreuzigung ebenso wie zum Teil auch fast kindlich-naiv anmutende Bilder wie die Katze, der eine Art Sprechblase mit „miau" zugefügt wird, oder das mehrfach wiederkehrende Motiv des Fuchses, die mit seiner falschen Predigt die dummen gackernden Gänse verführt.

Reformen und ihre Widersacher

Durchaus nicht alle Klöster, die von Seiten der Orden oder auch der fürstlichen Landesherren, die sich ein geordnetes und kontrollierbares Kirchenwesen wünschten, für eine Reform ausersehen waren, akzeptierten diese ohne Widerspruch. Der kleineren Gruppe reformwilliger Klöster stand ganz im Gegenteil eine Mehrzahl solcher Konvente gegenüber, die auf ihre alten Rechte pochten – auf unabhängige Haushalte, auf lockere Handhabung der Klausur, auf gemilderte Kleidervorschriften, auf Dispense (Befreiung von bestimmten Verpflichtungen) aller Art. Man nahm mehrere Möglichkeiten wahr, solchem Widerstand zu begegnen. Die einfachste Methode war es, eine Vakanz auf dem Abtsstuhl abzuwarten und dann von oben, unter Umgehung einer Wahl durch den Konvent, einen reformbereiten Abt oder eine Äbtissin einzusetzen, die vielleicht gar schon in anderen Konventen Erfahrungen im Umgang mit der Durchsetzung von Reformen gewonnen hatten. In der Regel ließ man eine neue Klosterführung nicht allein agieren, sondern schickte zusätzlich eine ‚Reformdelegation' in das zu reformierende Kloster. Dabei konnte es sich um eine kleine Gruppe aus zwei oder drei Personen handeln, die aber in die entsprechenden Führungspositionen eingesetzt wurden, oder aber um eine größere Gruppe, die allein zahlenmäßig einen kleinen Konvent dominieren konnte. Wenn ein Kloster erst einmal von reformerischer Begeisterung erfasst war und nach innen wie außen die Reformen überzeugend vertrat, mochte es zum Ausgangspunkt für die Reformen in weiteren Klöstern werden und eigene Delegationen oder reformerprobte Äbte und Äbtissinnen aussenden können. Auf diese Weise ergaben sich innerhalb der Reformkongregationen wiederum kleinere Verbände, die auf Grund personeller Verflechtungen zusammengehörten. Das heißt auch, dass die Reformen innerhalb eines bestimmten Radius Kommunikationsnetze von gleich gesinnten Konventen schufen, die in permanentem geistlichen und manchmal auch wirtschaftlichen Austausch miteinander standen.

Was aber geschah mit denjenigen, die die Reformen nicht annehmen wollten? Reformklöster bildeten die Ausnahme, nicht die Regel, so dass für die reformunwilligen Mitglieder eines Konventes normalerweise die Möglichkeit bestand, in nichtreformierte Klöster zu wechseln. Dabei wurde darauf geachtet, dass es für diese Unannehmlichkeit eine Entschädigung gab. Die Konventsinsassen, die ein Kloster auf Grund von Reformen verließen, konnten eine Ausgleichszahlung ihres alten Klosters einfordern, was diese zum Teil ganz erheblich belastete. Nicht immer verlief eine Reform auf friedlichem Wege oder in einer praktisch-rechnerischen Lösung. In manchen Fällen kam es auch zu gewalttätigen, ja blutigen Ausschreitungen, wenn die Konventsmitglieder ihre angestammten Privilegien nicht kampflos oder unter Annahme der angebotenen Entschädigungen aufgaben.

Die große monastische Reform, die das Klosterleben von Grund auf erneuerte und es vielleicht auch gegen die heftigen Angriffe von protestantischer Seite wenige Jahrzehnte später gefestigt hätte, gab es letztendlich im 15. Jahrhundert nicht. Jedoch wurden in etlichen Teilbereichen der Kirche Reformen nicht nur auf den Konzilien diskutiert, sondern sie wurden auch in die Praxis umgesetzt. Die Klöster vieler Orden hatten die Chance ergriffen, durch Reformen die Legitimation ihrer Existenz und damit ihre soziale Akzeptanz in der Wahrnehmung bestimmter geistlicher und gesellschaftlicher Aufgaben zurückzugewinnen; interne Zusammenschlüsse erleichterten das gemeinsame Vorgehen und die gegenseitige Kontrolle, die gleichzeitig nach außen hin das Vertrauen schuf, dass diese neuen Anstrengungen ernst gemeint waren. Davon unberührt blieb die Tatsache, dass insbesondere die Klöster, die den älteren Orden der Benediktiner und Zisterzienser angehörten, weiterhin vorwiegend adelig ausgerichtete Institutionen blieben, wie es die Namenlisten der Äbte und Äbtissinnen auch über das 15. Jahrhundert hinaus zeigen.

Tausend Jahre mittelalterliches Mönchtum – ein Wort zum Schluss

Klöster und mit ihnen Mönche und Nonnen bildeten zwischen 500 und 1500 einen integralen Bestandteil der mittelalterlichen Welt, auch wenn sie höchst unterschiedliche Positionen einnahmen. Benediktinische und zisterziensische Klöster standen als ummauerte unzugängliche Gebäudekomplexe am Rande gesellschaftlichen Lebens oder versteckt in Wäldern und Sümpfen. Doch Pilger und Reisende verbanden sie mit der Welt, da sie die Heiligen besuchten, die man verehrte, von denen man Hilfe erhoffte und die in den Kirchen der Klöster ihre Heimstatt gefunden hatten. Die Franziskaner und Dominikaner öffneten ihre Kirchen und Spitäler zwar von Anfang an auch der städtischen Bevölkerung, doch auch diese Gebäude blieben Teil einer geistlichen Welt, in die die Laien nur durch bestimmte Formen der Vermittlung eintreten konnten.

Habit und Tonsur oder Schleier kennzeichneten die Angehörigen des monastischen Standes. Sie hatten sich damit aller Repräsentationsmöglichkeiten durch die Kleidung begeben. Doch gleichzeitig waren sie damit kenntlich als Mitglieder des privilegierten geistlichen Standes. Untereinander unterschieden sie sich weniger durch den Schnitt der Gewänder als durch Farbe und Zusammenstellung. Das einfache Habit sollte Demut und Bescheidenheit signalisieren, aber wenn ein König sich am Ende seines Lebens in diesem Habit aufbahren ließ, war dies dann nicht eher Anmaßung?

Das mittelalterliche Mönchtum schwankte stets zwischen Beharrung und Veränderung. Es beharrte einerseits auf seinen Privilegien, seinen wirtschaftlichen und sozialen Positionen, und verlangte andererseits immer wieder die Rückkehr zu den Ursprüngen, zu Einsamkeit, Gebet und Dienst an Gott. Seine Geschichte ist eine Geschichte von Reformen, die stets aufs Neue eingefordert wurden, um die eigene Existenz begründen zu können. Mehrfach in verschiedenen Phasen der mittelalterlichen monastischen Entwicklungen wiederholte sich die Forderung nach der Rückkehr zum Geist und zu den Bestimmungen der *regula benedicti*: um 800, als zunächst unter Karl dem Großen und dann unter seinem Sohn und Nachfolger Ludwig dem Frommen Versuche zur Vereinheitlichung des Reiches weltliche und geistliche Lebensbereiche zu erfassen suchten, im 10. und 11. Jahrhundert, als unter der Führung des burgundischen Klosters Cluny, also ausgehend von mönchischen Kreisen, die Forderungen nach der Unabhängigkeit geistlicher Einrichtungen von weltlicher Herrschaft immer schärfer formuliert wurden, im 12. Jahrhundert, als sich Bernhard von Clairvaux als einflussreichster Sprecher einer neuen Gruppe reformbewegter Mönche gerade gegen die cluniazensische Auslegung der Regel wandte, im 13. Jahrhundert, als die Predigerorden der Franziskaner und Dominikaner mit ihrer erneuten Forderung nach Rückkehr zu Armut und *vita apostolica* auf die Bedürfnisse der städtischen Bevölkerung reagierten, im 15. Jahrhundert, als sich die großen Kirchenversammlungen, die Konzilien von Konstanz und Basel, auch die Erneuerung des Mönchtums zum Ziel setzten.

Das Klosterwesen stand in dauerhafter Verflochtenheit mit den Herrschenden. Waren die frühen monastischen Missionare für ihre Tätigkeit abhängig von der Zustimmung der militärischen Führer, der Fürsten und Könige, so vertrauten sich umgekehrt getaufte Fürsten in der Regel nicht allein, sondern gleich zusammen mit ihrer Gefolgschaft den geistlichen Ratgebern an. Klöster waren nicht nur geistliche Zentren, sondern stets auch Herrschaftsstützpunkte, abhängig von den herrschaftlichen Strukturen einerseits, sie mitgestaltend und prägend andererseits. Sie waren tragende Kräfte bei dem Aufbau der mittelalterlichen Wirtschaftsform der Grundherrschaft und als Institutionen, ebenso wie die weltgeistlichen Einrichtungen, entscheidend für die personellen Verbindungen, die die Herrschenden auf weltlicher wie geistlicher Ebene eingingen. Klöster, Mönche und Nonnen waren allgegenwärtig. Ebenso aber auch das weltliche Pendant dazu, also die geistlichen Gruppen, die sich unabhängig von der allein anerkannten kirchlichen Glaubenslehre formierten. Dazu zählten die Ketzer und Häretiker in wandernden oder versteckten Gemeinschaften, die schließlich von Ordensleuten in der Inquisition auf die Probe der Rechtgläubigkeit gestellt wurden, ebenso wie die städtischen Laien, die sich in Bibelkreisen oder karitativen Vereinigungen zusammenschlossen, weil sie die christlichen Gebote weder von den Weltgeistlichen noch von den Orden befolgt sahen.

Klöster, Mönche und Nonnen sind heute eine Randerscheinung unserer Gesellschaft geworden. Die Beschäftigung mit dem mittelalterlichen Kloster- und Ordenswesen zeigt zum einen, wie sehr sich die Strukturen einer vergangenen Gesellschaft verändert haben, zum anderen aber auch, wie sehr komplexe Vereinigungen eine Gesellschaft mitbestimmen können.

Glossar

Abbatiat Amtsausübung als Vorsteher eines Klosters

Anachoret ein allein in der Wüste seinem Glauben lebender Mensch

Annalen Jahrbücher

Antependium Altartuch

Approbation offizielle Anerkennung/Zustimmung

Aquamanile kleines Gießgefäß für Wasser

Artes liberales die sieben freien Künste: Grundlage für das Studium der höheren Wissenschaften

Caritas Barmherzigkeit

Cellerar Kämmerer

Centonendichtung aus Versen anderer Gedichte zusammengestellte Stücke

Chorgebet regelmäßiges Gebet einer Mönchsgemeinschaft im Chorraum der Kirche

Codex mehrere zu einem Buch zusammengebundene Handschriften

Confessio Bekenntnis, Bekehrungsbericht

Consuetudines schriftlich festgelegte Gewohnheiten eines Klosters als Ergänzung zur eigentlichen Ordensregel

Dekan verantwortlich für die liturgischen Angelegenheiten eines Klosters

Diakon Geistlicher mit unterem Weihegrad

Dienstkonsolen Auflage für stützende Pfeiler

Dispens Ausnahmegenehmigung, einem kirchlichen Gesetz nicht nachkommen zu müssen

Disputation Verteidigung einer These im Streitgespräch

Dormitorium klösterlicher Schlafsaal

episkopal bischöflich

Eremit Einsiedler

Eucharistie Wandlung von Brot und Wein in Leib und Blut Christi in der Messe

Evangeliar die vier Bücher der Evangelisten Matthäus, Markus, Lukas und Johannes

Exkommunikation Verbannung aus der Gemeinschaft der christlichen Kirche

Fraternität Bruderschaft

Generalkapitel allgemeine Versammlung der Äbte bzw. klösterlichen Abgesandten eines Ordens

Graduale Messbuch

Habit Kleidung für Mönche und Nonnen

Hagiograph Autor der Lebens- und Wunderberichte von Heiligen

Hagiographie Literatur über das Leben und Wirken von Heiligen

Häresie von der kirchlichen Lehre abweichende Glaubensmeinungen

Herrenfest die Feste im Kirchenjahr, die sich auf Jesus Christus beziehen

Illuminatores Maler und Zeichner in einer klösterlichen Schreibstube

Illuminierung Bemalung und Verzierung von Manuskripten

Kämpferplatte Auflageplatte für das Säulenkapitell

Kanoniker Mitglied eines Kapitels oder eines Ordens regulierter Chorherren

kanonisches Recht kirchliches Recht

Kapitel(versammlung) tägliche Zusammenkunft der Vollmitglieder einer klösterlichen Gemeinschaft, bei der zu Beginn ein Kapitel aus der Bibel oder der Ordensregel gelesen wird

Kapitelsaal Versammlungssaal für die tägliche Kapitelversammlung

Katharer Gruppe von Häretikern, die sich selbst als die „Reinen" bezeichneten, glaubten an eine duale Schöpfung, in der die irdische Welt vom Teufel beherrscht wird

Klausur Einschließung von Mönchen und Nonnen in einem vorgegebenen Klosterbereich

Klausurtrakt/claustrum das Geviert um den Kreuzgang mit Kirche, Schlaf- und Speisesaal

Kleriker Geistlicher

Konvent Gemeinschaft der Vollmitglieder eines Klosters

Konversen die Laienmitglieder eines Klosters

Konversion Bekehrung

Konzil kirchliche Versammlung

Kopiar Abschrift von einzelnen Urkunden in ein Buch

Kopten ägyptische Christen

Korrespondenz Verweise von Stellen des Alten auf das Neue Testament

Krabben Auswülste an Ziertürmchen

Kreuzgang begehbares und überdachtes Geviert im Klausurbereich des Klosters, schließt sich oft im Süden an die Klosterkirche an und enthält in der Mitte eine Gartenanlage oder ältere Grabstätten verstorbener Äbte

Kukulle Kapuzengewand des Mönchskleides

Kustode Hausoberer eines Klosters der Bettelorden

lectio divina individuelle Lesung biblischer oder anderer religiöser Texte

Legat Abgesandter, Stellvertreter

Lektionar Messbuch

Ligatur Verbindungszeichen

literati mittelalterliche Bezeichnung für Menschen, die lesen konnten

Liturgie festgelegte Formen des Gottesdienstes und des Messgeschehens

Majestas Domini kunstgeschichtlicher Ausdruck für die Darstellung des thronenden Christus, oft auf einem mandelförmigen leuchtenden Hintergrund

Martyrolog kalendarische Eintragung von als Märtyrern gestorbenen Heiligen

memoria Gebetsgedächtnis

Minuskel Kleinbuchstaben, die alle über der Schreiblinie liegen

Mirakelberichte Wundererzählungen

Misericordien unter der Sitzplatte angebrachte Auflagen für das Gesäß für die langen Zeiten, in denen die Mönche und Nonnen im Chor stehen mussten

Mitra Bischofsmütze

monastisch klösterlich

Mystik in Sprache oder Bilder gebrachtes, innerliches Erleben religiösen Geschehens

Nekrolog Totenbuch

Neumen mittelalterliches System, um Tonhöhen und -längen aufzuzeichnen

Novize/Novizin Anwärter auf das Mönchsdasein, quasi „Lehrling“

Noviziat Zeit der Vorbereitung auf das Ablegen des endgültigen Gelübdes

Oblate ungeweihte Hostie

opus dei Dienst an Gott, im Kloster insbesondere Chorgebet und -gesang

Ordensgeneral erster Vorsitzender des Gesamtordens

Ordensprovinzial erster Vorsitzender in einer Provinz eines Ordens

ordo göttlich gesetzte Weltordnung nach Ständen

Parochia, paruchia pfarrkirchliche Gemeinde

Patene Teller für Hostien

Patron/-in Schutzheilige/-r

Pergament Tierhaut, die für Beschreibzwecke aufbereitet wurde

Perigrinatio Pilgerschaft

Pönitentiarinnen Büßerinnen (italienische religiöse Frauenbewegung)

Predella Altarvorsatz

Prior Stellvertreter des Abtes, zweiter Mann im Kloster

Priorat Tochtergründung eines Klosters, die weiterhin vom Abt des Mutterklosters geleitet wird

Profess Ablegen des mönchischen Gelübdes

Proskynese Unterwerfungs- und Demutsgeste (Gesicht nach unten ausgestreckt auf dem Boden liegend)

Provinzialkapitel Versammlung der Äbte bzw. deren Stellvertreter in einer Ordensprovinz

Psalter die 150 Psalmen des Alten Testaments

Punzierung Musterung in der Metallfarbe eines Bildes

Pyxis Hostienbehälter

Refektorium Speisesaal

Reliquiar Behältnis für eine Reliquie

Reliquien Überrest eines Heiligen (Gewand oder Gebein), als heilig verehrt, stellvertretend für die Ganzheit des Heiligen

Rotuli Pergamentrollen

Sakramentar Messbuch

Sakristei kleiner Raum, der Kirche angegliedert zur Aufbewahrung der Messgeräte und zur Vorbereitung des Priesters auf die Messe

scriptores Schreiber

Segmentierung Aufteilung in einzelne Bestandteile

Skapulier Schürze des klösterlichen Gewandes

Skriptorium/scriptorium Schreibsaal

Stigmatisierung Empfangen der Wundmale Christi

Synode Bischofsversammlung

Tiara Kopfschmuck des Papstes

Tonsur kreisrund ausrasierte Stelle des Kopfhaars als Zeichen der Demut eines Mönches

Traktat Abhandlung

Translation Überfühung von heiligen Gebeinen an einen neuen Aufbewahrungsort

Trinität Dreieinigkeit von Gott Vater, Gott Sohn und Heiligem Geist

Tunika ärmelloser Überwurf, Teil des mönchischen Gewandes

Urbar Besitzstandsverzeichnis

Vigilien Nachtgebete

Villikation mittelalterliches Wirtschaftssystem

Visitation Kontrollbesuche

Vita Lebensbericht eines Heiligen

vita apostolica Leben in der Nachfolge Christi

Vogt weltlicher Vertreter eines Klosters

Ziborium Weihrauhgefäß

Zisterze Zisterzienserkloster

Zönobit/Coinobit gemeinschaftlich lebender Mönch

Literatur

Allgemein

- Allessio, Gian Carlo (Hg.): Dall'eremo al cenobio: la civiltà monastica in Italia dalle origini all'età di Dante, Mailand 1987.
- Angenendt, Arnold: Geschichte der Religiosität im Mittelalter, Darmstadt 1997.
- Angenendt, Arnold: Heilige und Reliquien. Die Geschichte ihres Kultes vom frühen Christentum bis zur Gegenwart, München 1994.
- Assunto, Rosario: Die Theorie des Schönen im Mittelalter, Köln ²1996.
- Atienza, Juan G.: Monjes y monasterios españoles en la edad media, Madrid 1994.
- Balthasar, Hans Urs von: Die großen Ordensregeln, Einsiedeln ⁶1988.
- Benediktus. Symbol abendländischer Kultur, Stuttgart/Zürich 1997.
- Bernhard von Clairvaux. Sämtliche Werke lateinisch-deutsch, hg. von Gerhard B. Winkler, Bd. 1–5, 7, 9, Innsbruck 1990–98.
- Biblioteca Apostolica Vaticana. Liturgie und Andacht im Mittelalter, Ausstellungskatalog Köln 1993.
- Binding, Günther: Kleine Kunstgeschichte der mittelalterlichen Ordensbaukunst im Mittelalter, Darmstadt ²1993.
- Borst, Arno: Mönche am Bodensee: 610–1525, Sigmaringen ³1991.
- Burton, Janet E.: Monastic and religious orders in Britain 1000–1300, Cambridge 1994.
- Constables, Giles: Monks, Hermits and Crusaders in Medieval Europe, London 1988.
- Die Benedictusregel: lateinisch-deutsch, hg. im Auftrag der Salzburger Äbtekonferenz, Beuron 1992.
- Die Legenda Aurea des Jacobus de Voragine, aus dem Lateinischen übersetzt von Richard Benz, Gerlingen ¹²1996.
- Duby, Georges: Die drei Ordnungen. Das Weltbild des Feudalismus, Frankfurt a. M. 1986.
- Duby, Georges: Kunst und Gesellschaft im Mittelalter, Berlin 1998.
- Duchet-Suchaux, Gaston: Les ordres religieux: guide historique, Paris 1993.
- Fößel, Amalie; Anette Hettinger: Klosterfrauen, Beginen, Ketzerinnen. Religiöse Lebensformen von Frauen im Mittelalter, Idstein 2000.
- Frank, Karl Suso: Geschichte des christlichen Mönchtums, 5., verbesserte Aufl., Darmstadt 1993.
- Gerchow, Jan (Hg.): Das Jahrtausend der Mönche. Werden 799–1803, Ausstellungskatalog Köln 1999.
- Gleba, Gudrun: Klöster und Orden im Mittelalter, Darmstadt 2002.
- Grégoire, Réginald; Léo Moulin; Raymond Oursel (Hgg.): Die Kultur der Klöster, Stuttgart 1995.
- Hawel, Peter: Zwischen Wüste und Welt: das Mönchtum im Abendland, München 1997.
- Hawel, Peter: Das Mönchtum im Abendland. Geschichte – Kultur – Lebensform, Freiburg i. Br. 1993.
- Holtz, Leonard: Geschichte des christlichen Ordenslebens, Düsseldorf 2001 (ursprünglich ²1991).
- Janzin, Marion; Joachim Güntner: Das Buch vom Buch. 5000 Jahre Buchgeschichte, Hannover 1997.
- Johnston, William M. (Hg.): Encyclopedia of monasticism, Chicago 2000.
- Kasper, Clemens M. (Hg.): Viva vox und ratio scripta: mündliche und schriftliche Kommunikationsformen im Mönchtum des Mittelalters, Münster 1997.
- Lanczkowski, Johanna: Kleines Lexikon des Mönchtums, Stuttgart 1993.
- Ornamenta Ecclesiae. Kunst und Künstler der Romanik, Ausstellungskatalog in 3 Bänden, Köln 1985.
- Pacaut, Marcel: Les ordres monastiques et religieux au Moyen Age, Paris 1993.
- Penco, Gregorio: Storia del monachesimo in Italia: delle origini alla fine del Medioevo, Mailand 1988.
- Pernoud, Régine: Die Heiligen im Mittelalter, Bergisch Gladbach 1987.
- Schreiner, Klaus: Mönchsein in der Adelsgesellschaft des hohen und späten Mittelalters, in: Historische Zeitschrift 248 (1989), S. 557–620.
- Schwaiger, Georg: Mönchtum, Orden, Klöster: von den Anfängen bis zur Gegenwart. Ein Lexikon, München 1993.
- Schwaiger, Georg; Manfred Heim: Orden und Klöster. Das christliche Mönchtum in der Geschichte, München 2002.
- Steidle, Basilius: Beiträge zum alten Mönchtum und zur Benedictusregel, Sigmaringen 1986.
- Vita Religiosa im Mittelalter. Festschrift für Kaspar Elm zum 70. Geburtstag, hgg. von Franz J. Felten und Nikolaus Jaspert unter Mitarbeit von Stephanie Haarländer, Berlin 1999.

I. Eremiten, Anachoreten, Wüstenväter, Coinobiten

- Bacht, Heinrich: Das Vermächtnis des Ursprungs: Studien zum frühen Mönchtum. Band 2: Pachomius, der Mann und sein Werk, Würzburg 1983.
- Das frühe Christentum bis zum Ende der Verfolgun-

gen. Bd. 1: Die Christen im heidnischen Staat. Übersetzung der Texte von Peter Guyot, Auswahl und Kommentar von Richard Klein, Darmstadt 1993.
- Dassmann, Ernst: Die Anfänge der Kirche in Deutschland: von der Spätantike bis zur frühfränkischen Zeit, Stuttgart 1993.
- Demandt, Alexander: Geschichte der Spätantike. Das Römische Reich von Diocletian bis Justinian 184–565 n. Chr., München 1998.
- Disselkamp, Gabriele: „Christiani Senatus Lumina". Zum Anteil römischer Frauen der Oberschicht im 4. und 5. Jahrhundert an der Christianisierung der römischen Senatsaristokratie, Bodenheim 1997.
- Elm, Susanna: 'Virgins of God'. The Making of Asceticism in Late Antiquity, Oxford University Press 1994.
- Goehring, James E.: The Encroaching Desert: Literary Production and Asceti, in: Journal of early Christian Studies: Journal of the North American Patristics 1, Heft 3, 1993, S. 281–296.
- Goehring, James E.: Ascetics, society and the desert. Studies in early Egypt monasticism, Harrisburg 1999.
- Gottlieb, Gunther; Pedro Barceló (Hgg.): Christen und Heiden in Staat und Gesellschaft des zweiten bis vierten Jahrhunderts. Gedanken und Thesen zu einem schwierigen Verhältnis, München 1992.
- Holze, Heinrich: Erfahrung und Theologie im frühen Mönchtum: Untersuchungen zu einer Theologie des monastischen Lebens bei den ägyptischen Mönchsvätern, Johannes Cassian und Benedikt von Nursia, Göttingen 1992.
- Il Camposanto di Pisa, hgg. von Clara Baracchini und Enrico Castelnuovo, Turin 1996.
- Jensen, Anne: Frauen im frühen Christentum. Unter Mitarbeit von Livia Neureiter, Bern u. a. 2002.
- Lohse, Bernhard: Askese und Mönchtum in der Antike und in der alten Kirche, München/Wien 1969.
- Meinardus, Otto: Monks and Monasteries of the Egyptian Desert, Kairo 1989.
- Prinz, Friedrich: Askese und Kultur. Vor- und frühbenediktinisches Mönchtum an der Wiege Europas, München 1980.
- Regnault, Lucien : Les pères du désert à travers leurs apophtegmes, Solesmes 1987.
- Regnault, Lucien: La vie cotidienne des pères du désert en Égypte au IV siècle, Paris 1990.
- Smith, Julie Ann: Ordering women's lives: penitentials and nunnery rules in the early medieval west, Ashgate 2001.
- Vogüé, Adalbert de: De saint Pachome à Jean Cassien. Études litteraires et doctrinales sur le monachisme égyptien à ses debuts, Rom 1996.

II. Noch einmal das 4. Jahrhundert

- Brunert, Maria-Elisabeth: Das Ideal der Wüstenaskese und seine Rezeption in Gallien bis zum Ende des 6. Jahrhunderts, Münster 1994.
- Groß, Werner; Wolfgang Urban (Hgg.): Martin von Tours. Ein Heiliger Europas, Ostfildern 1997.
- Krön, Martin: Das Mönchtum und die kulturelle Tradition des lateinischen Westens: Formen der Askese, Autorität und Organisation im frühen westlichen Zönobitentum, München 1997.
- Nürnberg, Rosemarie: Askese als sozialer Impuls: monastisch-asketische Spiritualität als Wurzel und Triebfeder sozialer Ideen und Aktivitäten der Kirche in Südgallien im 5. Jahrhundert, Bonn 1988.
- Pernoud, Régine: Martin von Tours. Einer, der wußte, was recht ist, Freiburg/Basel/Wien 1997.
- Sulpicius Severus: Leben des heiligen Martin. Vita Sancti Martini, Lateinisch und Deutsch, hg. von Kurt Smolak, Eisenstadt 1997.

III. Irische und angelsächsische Mönche, Asketen, Missionare

- Alexander, J. J. G.: A Survey of Manuscripts illuminated in the British Isles Vol. I: Insular Manuscripts 6th to 9th century, London 1978.
- Angenendt, Arnold: Das Frühmittelalter. Die abendländische Christenheit von 400 bis 900, Stuttgart [3]2001.
- Bieler, Ludwig: Irland. Wegbereiter des Mittelalters, Olten/Lausanne/Freiburg i. Br. 1961.
- Bitel, Lisa M.: Isle of the saints: monastic settlement and Christian community in early Ireland, Ithaca u. a. 1990.
- Briefe des Bonifatius (Ausgewählte Quellen zur deutschen Geschichte des Mittelalters 46), bearb. von Reinhold Rau, Darmstadt [3]1994.
- Erichsen, Johannes (Hg.): Kilian, Mönch aus Irland, aller Franken Patron, München 1989.
- Felten, Franz: Äbte und Laienäbte im Frankenreich. Studie zum Verhältnis von Staat und Kirche im frühen Mittelalter, Stuttgart 1980.
- Felten, Franz: Herrschaft des Abtes, in: Friedrich Prinz (Hg.): Herrschaft und Kirche. Beiträge zur Entstehungs- und Wirkungsweise episkopaler und monastischer Organisationsformen, Stuttgart 1988, S. 147–296.
- Fuhrmann, Manfred: Rom in der Spätantike. Portrait einer Epoche, Düsseldorf/Zürich 1994.
- Gallico, Paul: Glocke über Irland. Das Leben des heiligen Patrick, Hamburg 1958.
- Herbert, Máire: Iona, Kells and Derry. The History and Hagiography of the monastic familia of Columba, Dublin 1996.
- Kasper, Clemens M.: Theologie und Askese: die Spiritualität des Inselmönchtums von Lérins im 5. Jahrhundert, Münster 1991.
- Kottje, Raymund; Helmut Maurer (Hgg.): Monastische Reformen im 9. und 10. Jahrhundert, Sigmaringen 1989.
- Löwe, Heinz (Hg.): Die Iren und Europa im früheren Mittelalter, Teilband 1, Stuttgart 1982.
- Irland und Europa im früheren Mittelalter. Bildung und Literatur. Hgg. v. Próinséas Nì Chatháin und Michael Richter, Stuttgart 1996.

- Padberg, Lutz E. von: Bonifatius, Missionar und Reformer, München 2003.
- Padberg, Lutz E. von: Die Christianisierung Europas im Mittelalter, Stuttgart 1998.
- Padberg, Lutz E. von: Mission und Christianisierung. Formen und Folgen bei Angelsachsen und Franken im 7. und 8. Jahrhundert, Stuttgart 1995.
- Prinz, Friedrich (Hg.): Von Konstantin zu Karl dem Großen. Entfaltung und Wandel Europas, Düsseldorf/Zürich 2000.
- Prinz, Friedrich (Hg.): Herrschaft und Kirche. Beiträge zur Entstehung und Wirkungsweise episkopaler und monastischer Organisationsformen, Stuttgart 1988.
- Prinz, Friedrich (Hg.): Mönchtum und Gesellschaft im Frühmittelalter, Darmstadt 1976.
- Prinz, Friedrich: Frühes Mönchtum im Frankenreich. Kultur und Gesellschaft in Gallien, den Rheinlanden und Bayern am Beispiel der monastischen Entwicklung (4.–8. Jahrhundert), München [2]1988.
- Richter, Martin: Irland im Mittelalter. Kultur und Geschichte, München 1996.
- Ryan, John: Irish Monasticism. Origins and Early Development, Dublin 1986.
- The Book of Kells, described by Sir Edward Sullivan, London 1986.
- Untersuchungen zu Kloster und Stift, hg. v. Max-Planck-Institut für Geschichte, Göttingen 1980.
- Vogt, Hermann: Zur Spiritualität des frühen irischen Mönchtums, in: Heinz Löwe (Hg.): Die Iren und Europa im früheren Mittelalter, Teilband 1, Stuttgart 1982, S. 26–51.

IV. Herrschaft der Regel

- Bauer, Dieter (Hg.): Mönchtum – Kirche – Herrschaft: 750–1000, Sigmaringen 1998.
- Bauer, Dieter; Klaus Herbers (Hgg.): Hagiographie im Kontext. Wirkungsweisen und Möglichkeiten historischer Auswertung, Stuttgart 2000.
- Benedictus: Symbol abendländischer Kultur, Stuttgart/Zürich 1997.
- Constables, Giles: The ceremonies and symbolism of entering religious life and taking the monastic habit, from the fourth to the twelfth century, in: Segni e riti nella chiesa altomedievale occidentale (Settimane di studi nel centro italiano di studi sull'Alto Medioevo XXXIII), Spoleto 1983, S. 771–834.
- Flasch, Kurt: Das philosophische Denken im Mittelalter. Von Augustin zu Machiavelli, Stuttgart 1986.
- Flaskamp, Franz: Anna Roedes spätere Chronik von Herzebrock. Eine westfälisch-mundartliche Quelle der Osnabrücker Klostergeschichte, in: Jahrbuch der Gesellschaft für niedersächsische Kirchengeschichte 68 (1970), S. 75–146.
- Hecht, Konrad: Der St. Galler Klosterplan, Sigmaringen 1983.
- Jacobson, Werner: Der Klosterplan von St. Gallen und die karolingische Architektur. Entwicklung und Wandel von Form und Bedeutung im fränkischen Kirchenbau zwischen 751 und 840, Berlin 1992.
- Masser, Achim (Hg.): Die lateinisch-althochdeutsche Benediktinerregel. Stiftsbibliothek St. Gallen, Codex 916, Göttingen 1997.
- Monumenta aevi Anianensis, in: Monumenta Germaniae Historica Scriptores XV, S. 198–220, Hannover 1888.
- Monumenta Germaniae Historica, Necrologia 2, hg. von Sigismund Herzberg-Fränkel, ND München 1983.
- Schreiner, Klaus: Legitimation, Repräsentation, Schriftlichkeit. Gedankliche Begründungen und symbolische Formen mittelalterlicher Abtsherrschaft, in: Politisches Denken und die Wirklichkeit der Macht im Mittelalter, hgg. von Joseph Canning und Otto Gerhard Oexle, Göttingen 1998, S. 67–111.

V. Geist und Körper

- Bene vivere in Communitate. Beiträge zum italienischen und deutschen Mittelalter. Hagen Keller zum 60. Geburtstag, hgg. von Th. Scharff und Th. Behrmann, Münster u.a. 1997.
- Lutterbach, Hubertus. Monachus factus est: die Mönchwerdung im frühen Mittelalter; zugleich ein Beitrag zur Frömmigkeits- und Liturgiegeschichte, Münster 1995.
- Mittelalterliche Buchkunst. Haus der Bayerischen Geschichte, Augsburg 2001.
- Nahmer, Dieter von der: Die lateinische Heiligenvita: Eine Einführung in die lateinische Hagiographie, Darmstadt 1994.
- Rappmann, Roland; Alfons Zettler: Die Reichenauer Mönchsgemeinschaft und ihr Totengedenken im früheren Mittelalter, Sigmaringen 1998.
- Trost, Vera: Skriptorium. Die Buchherstellung im Mittelalter, Stuttgart 1991.
- Wollasch, Joachim; Karl Schmid (Hgg.): Memoria. Der geschichtliche Zeugniswert des liturgischen Gedenkens im Mittelalter, München 1984.
- Zimmermann, Gerd: Ordensleben und Lebensstandard. Die cura corporis in den Ordensvorschriften des abendländischen Hochmittelalters, 1973, Nachdruck Berlin 1999.

VI. Herrschaft über Land und Leute

- Elm, Kaspar (Hg.): Erwerbspolitik und Wirtschaftsweise mittelalterlicher Orden und Klöster, Berlin 1992.
- Hägermann, Dieter: Der Abt als Grundherr. Kloster und Wirtschaft im frühen Mittelalter, in: Herrschaft und Kirche, hg. von Friedrich Prinz, Stuttgart 1988, S. 345–387.
- Hägermann, Dieter: Anmerkungen zum Stand und den Aufgaben frühmittelalterlicher Urbarforschung, in: Rheinische Vierteljahresblätter 50 (1986), S. 32–58.

- Kuchenbuch, Ludolf: Die Klostergrundherrschaft im Frühmittelalter. Eine Zwischenbilanz, in: Herrschaft und Kirche, hg. von Friedrich Prinz, Stuttgart 1988, S. 297–343.
- Lufen, Peter Ferdinand: Die Ordensreform der Hirsauer und ihre Auswirkungen auf die Klosterarchitektur. Die liturgischen, monastischen, ethischen und ikonographischen Quellen und ihr Einfluß auf die Baukunst, Braunschweig 1981.
- Schwind, Fred: Zu karolingerzeitlichen Klöstern als Wirtschaftsorganismen und Stätten handwerklicher Tätigkeit, in: Lutz Fenske; Werner Rösener; Thomas Zotz (Hgg.): Institutionen, Kultur und Gesellschaft im Mittelalter, Festschrift für Joseph Fleckenstein, Sigmaringen 1984, S. 101–124.
- Seibt, Ferdinand; Gudrun Gleba u. a.: Vergessene Zeiten. Mittelalter im Ruhrgebiet. Ausstellungskatalog, Bd. 1, Essen 1990.

VII. Cluny – système écclesial

- Bandmann, Günther: Die vorgotische Kirche als Himmelsstadt, in: Frühmittelalterliche Studien 6 (1972), S. 67–93.
- Constable, Giles; Gert Melville; Jörg Oberste (Hgg.): Die Cluniazenser in ihrem politisch-sozialen Umfeld, Münster 1998.
- Evans, Joan: Monastic life at Cluny 910–1157, Archon 1968.
- Kohnle, Armin: Abt Hugo von Cluny (1049–1109), Sigmaringen 1993.
- Nightingale, John: Monasteries and Patrons in the Gorze Reform. Lotharingia c. 850–1000, Oxford 2001.
- Poeck, Dietrich W.: Cluniacensis ecclesia: der cluniacensische Klosterverband (10.–12. Jahrhundert), München 1998.
- Richter, Helmut (Hg.): Beiträge zu Gestalt und Wirkung der cluniazensischen Reform, Darmstadt 1975.
- Rosenwein, Barbara H.: To be the Neighbor of Saint Peter. The Social Meaning of Cluny's Property 909–1049, Cornell UP, Ithaca/London 1989.
- Staub, Johannes (Hg.): Iotsald von Saint-Claude: Vita des Abtes Odilo von Cluny (Monumenta Germaniae Historica, Scriptores rerum Germanicarum in usum scholarum separatim editi LXVIII), Hannover 1999.
- Tellenbach, Gerd: Zum Wesen der Cluniazenser. Skizzen und Versuche, in: Saeculum 9 (1958), S. 370–378.
- Willmes, P.: Der Herrscher-Adventus im Kloster des Frühmittelalters, München 1976.
- Wollasch, Joachim: Cluny – Licht der Welt, Zürich/Düsseldorf 1996.
- Wollasch, Joachim: Reformmönchtum und Schriftlichkeit, in: Frühmittelalterliche Studien 26 (1992), S. 274–286.
- Wollasch, Joachim: Konventsstärke und Armenfürsorge in mittelalterlichen Klöstern. Zeugnisse und Fragen, in: Saeculum. Jahrbuch für Universalgeschichte 39 (1988), S. 184–199.
- Wollasch, Joachim: Mönchtum des Mittelalters zwischen Kirche und Welt, München 1973.

VIII. Die Zisterzienser

- Berman, Constance H.: The Cistercian Evolution. The Invention of a Religious Order in Twelfth-Century Europe, Philadelphia 1999.
- Bredero, Adriaan H.: Bernhard von Clairvaux: zwischen Kult und Historie. Über seine Vita und ihre historische Auswertung, Stuttgart 1996.
- Dinzelbacher, Peter: Bernhard von Clairvaux. Leben und Werk des berühmten Zisterziensers, Darmstadt 1998.
- Duby, George: Die Kunst der Zisterzienser, Stuttgart 1993.
- Eberl, Immo: Die Zisterzienser. Geschichte eines europäischen Ordens, Stuttgart 1992.
- Elm, Kaspar (Hg.): Bernhard von Clairvaux. Rezeption und Wirkung im Mittelalter und in der Neuzeit, Wiesbaden 1994.
- Hufgard, M. Kilian: Saint Bernard of Clairvaux: a Theory of Art Formulated from his Writings and Illustrated in twelfth century works of art, New York u. a. 1989.
- Kinder, Terryl Nancy; Noël Deney: Die Welt der Zisterzienser, Würzburg 1997.
- Knefelkamp, Ulrich (Hg.): Zisterzienser: Norm, Kultur, Reform – 900 Jahre Zisterzienser, Frankfurt a. d. O. 1998.
- Pranger, M. B.: Bernhard von Clairvaux and the shape of monastic thought: broken dreams, Leiden 1994.
- Reinicke, Hiltrud (Hg.): Ordensmuseum Abtei Kamp. Buchmalerei der Zisterzienser. Kulturelle Schätze aus sechs Jahrhunderten (Ausstellungskatalog Libri Cistercienses), Stuttgart 1998.
- Schumann, Dirk (Hg.): Architektur im weltlichen Kontext, Berlin 2001.
- Sydow, Jürgen, u. a.: Die Zisterzienser, Stuttgart/Zürich 1991.
- Winkler, Gerhard B.: Bernhard von Clairvaux. Die eine und umfassende Kirche – Einheit in der Vielfalt, Innsbruck 2001.

IX. Milites Christi

- Armgart, Martin: Deutscher Orden 1190–1990, Lüneburg 1997.
- Boockmann, Hartmut: Der Deutsche Orden. Zwölf Kapitel aus seiner Geschichte, München 1999.
- Demurger, Alain: Die Templer: Aufstieg und Untergang 1118–1314, München 1991.
- Fleckenstein, Joseph; M. Hellmann (Hgg.): Die geistlichen Ritterorden Europas, Sigmaringen 1980.
- Militzer, Klaus: Von Akkon zur Marienburg: Verfassung, Verwaltung und Sozialstruktur des Deutschen Ordens 1190–1309, Marburg 1999.

- Nicholson, H.: Templars, hospitallers and teutonic knights. Images of the military orders 1128–1291, Leicester 1993.
- Riley-Smith, J. S. Ch.: Hospitallers, the history of the Order of St. John, London 1999.
- Sarnowsky, Jürgen (Hg.): Mendicants, military orders and regionalism in Medieval Europe, Ashgate 1999.
- Ziegler, Uwe: Kreuz und Schwert. Die Geschichte des Deutschen Ordens, Köln/Weimar/Wien 2003.

X. Umbruch und Aufbruch im 12. und 13. Jahrhundert

- Duby, Georges: Die Zeit der Kathedralen, Frankfurt a. M. 1980.
- LeGoff, Jacques: Wucherzins und Höllenqualen: Ökonomie und Religion im Mittelalter, Stuttgart 1988.
- Oexle, Otto Gerhard: Tria genera hominum. Zur Geschichte eines Deutungsschemas der sozialen Wirklichkeit in Antike und Mittelalter, in: Ders. (Hg.): Institutionen, Kultur und Gesellschaft im Mittelalter, Sigmaringen 1984, S. 483–500.

XI. Das Verlöbnis mit Frau Armut

- Audisio, Gabriel: Die Waldenser. Die Geschichte einer religiösen Bewegung, München 1989.
- Basile, Giuseppe: Das Leben des Franz von Assisi in Fresken von Giotto, Freiburg/Basel/Wien 1999.
- Bauer, Dieter; Helmut Feld; Ulrich Köpf (Hgg.): Franz von Assisi: Das Bild des Heiligen aus neuer Sicht, Köln 2003.
- Berg, Dieter: Armut und Geschichte: Studien zur Geschichte der Bettelorden im Hohen und Späten Mittelalter, Kevelaer 2001.
- Berthold von Regensburg. Vollständige Ausgabe seiner Predigten mit Anmerkungen von Franz Pfeiffer, Berlin 1965.
- Blume, Dieter: Wandmalerei als Ordensprogaganda. Bildprogramme im Chorbereich franziskanischer Konvente Italiens bis zur Mitte des 14. Jahrhunderts, Worms 1983.
- Elm, Kaspar (Hg.): Stellung und Wirksamkeit der Bettelorden in der städtischen Gesellschaft, Berlin 1981.
- Erbstößer, Werner: Kleriker, Mönche, Ketzer. Das religiöse Leben im Mittelalter, Berlin/Darmstadt ²1992.
- Feld, Helmut: Franz von Assisi, München 2001.
- Feld, Helmut: Franziskus von Assisi und seine Bewegung, Darmstadt 1996.
- Feld, Helmut: Die Eingeschlossene von San Damiano. 800 Jahre Klara von Assisi 1193/1993, Tübingen 1993.
- Franz von Assisi. Mit Beiträgen von Gabriele Atanassiu, Mariano d'Alatri u.a., Stuttgart 1990.
- Franz von Assisi: Die Werke. Sonnengesang. Testament. Ordensregeln. Briefe. Übersetzt von Wolfram von den Steinen und Max Kirschstein, Hamburg 1958.
- Kreidler-Kos, M.: Klara von Assisi: Schattenfrau und Lichtgestalt, Tübingen 2000.
- Maddalo, Silvia: Immagini del Libro, immagini nel libro, in: Libro, scrittura, documento della civiltà monastica e conventuale nel basso medioevo (secoli XII–XV), atti del convegno di studio, Fermo (17–19 settembre 1997), hgg. von G. Avarucci, R. M. Borraccini Verducci und G. Borri, Spoleto 1999, S. 165–182.
- Melville, Gert (Hg.): In proposito paupertatis: Studien zum Armutsverständnis bei den mittelalterlichen Bettelorden, Münster 2001.
- Melville, Gert; Jörg Oberste (Hgg.): Die Bettelorden im Aufbau. Beiträge zu Institutionalisierungsprozessen im mittelalterlichen Religiosentum, Münster/Hamburg/London 1999.
- Poeschke, Joachim: Die Kirche San Francesco in Assisi und ihre Wandmalereien, München 1985.
- Schenkluhn, Wolfgang: Architektur der Bettelorden. Die Baukunst der Dominikaner und Franziskaner in Europa, Darmstadt 2000.
- Thomas von Celano: Leben und Wunder des heiligen Franziskus von Assisi. Einführung, Übersetzung, Anmerkungen von Engelbert Grau (OFM), 4., neu bearb. Auflage, Werl/Westf. 1988.

XII. Laienfrömmigkeit und ihre Organisationsformen

- Annalen und Akten der Brüder des gemeinsamen Lebens im Lüchtenhofe zu Hildesheim, hg. von Richard Doebner, Hannover/Leipzig 1903.
- Beutin, Wolfgang: Anima. Untersuchungen zur Frauenmystik des Mittelalters. Teil 1: Probleme der Mystikforschung – Mystikforschung als Problem, Frankfurt a. M. 1997.
- Bürkle, Susanne: Literatur im Kloster. Historische Funktion und rhetorische Legitimation frauenmystischer Texte des 14. Jahrhunderts, Tübingen/Basel 1999.
- Constables, Giles: Christliche Mystik im Abendland. Ihre Geschichte von den Anfängen bis zum Ende des Mittelalters, Paderborn u. a. 1994.
- Elm, Kaspar: Elisabeth von Thüringen. Persönlichkeit, Werk und Wirkung. Festvortrag anlässlich der Eröffnung der Elisabethausstellung am 18. November 1981 (Marburger Universitätsreden).
- Elm, Kaspar: Beginen, in: Lexikon des Mittelalters, Bd. 1, Sp. 1799.
- Elm, Kaspar: Die Bruderschaft vom gemeinsamen Leben. Eine geistliche Lebensform zwischen Kloster und Welt, Mittelalter und Neuzeit, in: Geert Groote en de Moderne Devotie, hgg. von J. Andriessen/P. Bang/A.G. Weiler, Antwerpen/Nijmegen 1985, S. 470–496.
- Finnegau, Mary Jeremy: The women of Helfta: scholars and mystics, Athens, GA, 1991.
- Frenken, Ralph: Kindheit und Mystik im Mittelalter, Frankfurt/Berlin/Bern u. a. 2002.
- Gilchrist, Roberta: Gender and material culture: the archeology of religious women, London 1994.

- Grundmann, Herbert: Religiöse Bewegungen im Mittelalter. Übersicht über die geschichtlichen Zusammenhänge zwischen der Ketzerei, den Bettelorden und der religiösen Frauenbewegung im 12. und 13. Jahrhundert und über die geschichtlichen Grundlagen altdeutscher Mystik, 1935, Nachdruck Darmstadt 1977.
- Hamburger, Jeffrey F.: The Visual and the Visionary. Art and Female Spirituality in Late Medieval Germany, New York 1998.
- Hamburger, Jeffrey F.: Nuns as Artists. The visual culture of a medieval convent, University of California Press, Berkeley/Los Angeles/London 1997.
- Helbling, Hanno: Katharina von Siena: Mystik und Politik, München 2000.
- Kock, Thomas: Die Buchkultur der Devotio moderna: Handschriftenproduktion, Literaturversorgung und Bibliotheksaufbau im Zeitalter des Medienwechsels, Frankfurt a.M. u.a. 2002.
- Lehmijoki-Gardner, Miju: Wordly Saints. Social Interaction of Dominican Penitent Women in Italy, 1200–1500, Helsinki 1999.
- Oberste, Jörg: Zwischen Heiligkeit und Häresie. Religiosität und sozialer Aufstieg in der Stadt des hohen Mittelalters, Bd. 1: Städtische Eliten in der Kirche des hohen Mittelalters, Köln/Weimar/Wien 2003.
- Reichstein, Frank-Michael: Das Beginenwesen in Deutschland. Studien und Katalog, Berlin 2001.
- Sankt Elisabeth. Fürstin, Dienerin, Heilige. Aufsätze, Dokumentation, Katalog, hg. von der Philipps-Universität Marburg in Verbindung mit dem Hessischen Landesamt für geschichtliche Landeskunde, Sigmaringen 1981.
- Schreiner, Klaus (Hg.): Frömmigkeit im Mittelalter. Politisch-soziale Kontexte, visuelle Praxis, körperliche Ausdrucksformen, München 2002.
- Schweitzer, Franz-Josef: Von Marguerite Porete (gest. 1310) bis Mme Guyon (gest. 1717): Frauenmystik im Konflikt mit der Kirche, in: Peter Dinzelbacher; D.R. Bauer: Frauenmystik im Mittelalter, Ostfildern 1985, S. 256–274.
- Staubach, Nikolaus: Pragmatische Schriftlichkeit im Bereich der Devotio moderna, in: Frühmittelalterliche Studien 25 (1991), S. 418–461.
- Watt, Diane (Hg.): Medieval women in their communities, Toronto 1997.
- Wehrli-Jones, Martin (Hg.): Fromme Frauen oder Ketzerinnen? Leben und Verfolgung der Beginen im Mittelalter, Freiburg i.Br. 1998.

XIII. Reformatio in capite et membris

- Arnold, Klaus: Johannes Trithemius (1462–1516), 2., neu bearbeitete Auflage, Würzburg 1991.
- Ballweg, Jan: Konziliare oder päpstliche Ordensreform. Benedikt XII. und die Reformdiskussion im frühen 14. Jahrhundert, Tübingen 2001.
- Bäumer, Remigius (Hg.): Die Entwicklung des Konziliarismus im Spätmittelalter, Darmstadt 1976.
- Brandmüller, Werner (Hg.): Papst und Konzil im Großen Schisma (1378–1417). Studien und Quellen. Paderborn/München u.a. 1990.
- Elm, Kaspar: Reformbemühungen und Observanzbestrebungen im spätmittelalterlichen Ordenswesen, Berlin 1989.
- Gleba, Gudrun: Reformpraxis und materielle Kultur. Westfälische Frauenklöster im späten Mittelalter, Husum 2000.
- Keller, Hagen; Klaus Grubmüller; Nikolaus Staubach (Hgg.): Pragmatische Schriftlichkeit im Mittelalter. Erscheinungsformen und Entwicklungsstufen, München 1992.
- King, Margret L.: Frauen in der Renaissance, München 1993.
- Signori, Gabriela (Hg.): Lesen, Schreiben, Sticken und Erinnern. Beiträge zur Kultur- und Sozialgeschichte mittelalterlicher Frauenklöster, Bielefeld 2000.
- Šmahel, František (Hg.): Häresie und vorzeitige Reformation im Spätmittelalter, München 1998.
- Untersuchungen zu Kloster und Stift., hg. vom Max-Planck-Institut für Geschichte (Veröffentlichungen des Max-Planck-Instituts für Geschichte 68), Göttingen 1980.

Ortsregister

Abkürzung: Kl. = Kloster

Personenregister

Abkürzungen:
Bf. = Bischof, hl. = heilig, Ks. = Kaiser

Abbildungsnachweis

S. 9: Foto Marburg
S. 20/21: AKG Berlin
S. 31: Württembergische Landesbibliothek Stuttgart, HB XIV 6, fol. 1r
S. 33: AKG Berlin
S. 35: Bibliothèque municipale de Tours, MS 193, fol. 116v
S. 37: Staatsbibliothek zu Berlin – Preußischer Kulturbesitz, MS theol. lat. fol. 323, Bl. 6v. Foto: bpk
S. 49: Bamberg, Staatsbibliothek, Msc. Lit. 142, fol. 58v
S. 53: Niedersächsische Staats- und Universitätsbibliothek Göttingen, 2° Cod. MS theol. 231 Cim., fol. 87r
S. 57: Staatsbibliothek zu Berlin – Preußischer Kulturbesitz, MS theol. lat. fol. 323, Bl. 8v
S. 59: München, Bayerische Staatsbibliothek, Clm 13601, fol. 2r
S. 63: Stiftsbibliothek St. Gallen, Cod. 1092
S. 65: Württembergische Landesbibliothek Stuttgart, Cod. Hist., fol. 415, 87r
S. 67: Staatsbibliothek zu Berlin – Preußischer Kulturbesitz, MS theol. lat. quart. 199, Bl. 67v
S. 68: Bamberg, Staatsbibliothek, Msc. Lit. 142, fol. 65r
S. 69: Stiftsbibliothek St. Gallen, Cod 916, fol. 8
S. 71: Sodoma, Monte Oliveto Maggiore. Su concessione del Ministero per i Beni e le Attività Culturali – Foto: Soprintendenza PSAD Siena & Grosseto
S. 76: AKG Berlin
S. 81: Staatliche Museen zu Berlin, Kupferstichkabinett, Min. 12834, Foto: bpk
S. 86: Bibliothèque municipale de Dijon. France, Ms. 130, fol. 104. Foto: F. Perrodin
S. 87: Münster, Nordrhein-Westfälisches Staatsarchiv, Msc. I, Nr. 133
S. 93: Staatsbibliothek zu Berlin – Preußischer Kulturbesitz, MS Diez c fol. 64, Bl. 1v
S. 94: Bamberg, Staatsbibliothek, Msc. Patr. 5, fol. 1v
S. 95: AKG Berlin
S. 97: Domschatz, St.-Ursen-Kathedrale Solothurn, römisch-katholische Kirchengemeinde Solothurn
S. 99: Württembergische Landesbibliothek Stuttgart, Hist. fol. 415
S. 104: Generallandesarchiv Karlsruhe, 66/8553
S. 106: Domschatzkammer Essen, Inv.-Nr. HS 29
S. 113: Foto Marburg
S. 126: Foto Marburg
S. 129: AKG Berlin
S. 131: Köln, Schnütgen-Museum, Inv.-Nr. M 340
S. 132: Evangelisches Seminar Maulbronn. Foto: Landesmedienzentrum Baden-Württemberg
S. 134: Niedersächsisches Landesmuseum Hannover, Inv.-Nr. WM XXIII, 12
S. 135: Foto Marburg
S. 140: Universitäts- und Landesbibliothek Düsseldorf, MS C 27, Bl. 15 (Leihgabe der Stadt Düsseldorf)
S. 143: AKG Berlin
S. 148: Foto: Lothar Wierschowski
S. 153: Germanisches Nationalmuseum Nürnberg, HS 156142, fol. 78r
S. 157: AKG Berlin
S. 163: bpk Berlin
S. 165: bpk Berlin
S. 166: AKG Berlin
S. 169: bpk Berlin
S. 170: AKG Berlin
S. 172: Kloster St. Klara, Köln. Foto: Rheinisches Bildarchiv
S. 177: Niedersächsische Landesbibliothek Hannover, MS IV, 616, Bl. 156v.
S. 180: Österreichische Nationalbibliothek, Cod. 2829, fol. 1
S. 186: bpk Berlin, Foto: J. Martin
S. 191: Hamburger Kunsthalle, Foto: bpk Berlin
S. 194: Wallraf-Richartz-Museum, Köln. Foto: Rheinisches Bildarchiv
S. 197: Westfälisches Landesmuseum für Kunst u. Kulturgeschichte Münster/Leihgabe des Westfälischen Kunstvereins, Inv.-Nr. KdZ 2857 WKV. Foto: Rudolf Eakonigg
S. 201: Stadtbibliothek Nürnberg, MS Cent. V, 10a, fol. 3r
S. 206: AKG Berlin
S. 208: Staatsbibliothek zu Berlin – Preußischer Kulturbesitz, Handschriftenabteilung 417. Foto: bpk Berlin
S. 209: Stadtbibliothek Nürnberg, MS Cent. VI 43[e], fol. 198v

Alle anderen Abbildungen sind Fotos der Autorin oder stammen aus dem Bildarchiv der WBG. Sollten Rechteangaben falsch oder vergessen worden sein, so bitten wir, dies uns mitzuteilen.